新潮文庫

渦

松本清張著

渦

視聴率

「はじめてお手紙をさしあげます。わたくしは、新劇の熱心なファンというほどでもありませんので舞台は見ていませんが、あなたさまのテレビに出演されるお顔はよく拝見し、その演技力のすばらしさにはいつも尊敬しております。さぞたくさん寄せられるファン・レターの一つかとお思いになるかもわかりませんが、これはそういうことではなく、一つおねがい申しあげたいことがあって、思いきってしたためたのでございます。

じつをいいますと、わたくしの兄（三十二歳）は或るテレビ局のプロデューサーをしております。これまでは大過なく仕事をしてまいりましたが、約一カ月前にテレビ局から現場の仕事をはずされ、いまは乾《ほ》されております。

そのわけを兄にきいてみましたが、はじめのうちはなかなか口をひらきませんでした。

そのうち、ようやくわかったことは、兄がプロデュースした或る連続ドラマの番組が視聴率の低下のためにスポンサーから苦情が出たりなどして途中でうち切られ、あとの制作の仕事もあたえられないということでした。

その視聴率というのは、なんでもマスコミ調査機関が各家庭に配置しているモニター器具の数字を集計したものだそうです。器具は東京都内や周辺のテレビをもっている家庭のなかからてきとうにえらんで、委託《いたく》したもので、五、六百軒くらいあり、発足していらい十五年くらい経《た》っていると兄はいっています。

けれども、わたくしの家はもとより、近所のお宅でも親戚《しんせき》や友人の家でも、そういう視聴率のモニター器具をおいているのを聞いたことがありません。わたくしは先日、東京駅で十年ぶりに友人に会いました。そういうことはあっても、モニター器具をあずかったという家庭の話は、いちども聞いたことがありません。兄のことがあってから、わたくしは友人や知人に手をまわして、そのまた知合いの人々に聞いてもらいましたが、現在も過去も、そういうものをあずかったという家もなければ、そのまた聞きによる話もないのです。

そうすると、モニター集計から出る視聴率というのは、どういうことでしょうか。まさか正体のない幽霊のようなものとは思いません。それへの信用があるからこそ、スポンサーも番組の視聴率によろこんだりしぶい顔をしたり、テレビ局も一喜一憂し、低い視聴率の番組のディレクターを乾すようなことになるのだと思います。けれども、わたくしからみると、そんな幽霊のような数字のために、職場での兄の運命が狂うかと思うと、なんとも割りきれなく、情ない思いです。この実体をなんとか調査する方法はないものでしょうか。……」

劇団「城砦座《じょうさいざ》」は、青山高樹町が本拠で稽古場《けいこば》も事務所もある。主宰者の古沢啓助は俳優であり演出家であった。新劇運動が勃興《ぼっこう》した昭和十年代のはじめから演劇史上著名な前衛的な劇団に属し、戦後も分裂をくりかえす新劇団のなかにあって、「城砦座」はいまではもっとも安定した劇団となっている。座員約百二十名、これに研究生約三十名がいる。

稽古場で次の公演劇の演出をつけていた古沢啓助が自室に戻って机の上におかれた郵便物を見ているうちに、この手紙があったのだ。

仕事の性質上、彼あてのファン・レターは相当にくる。そういうのは封筒の種類とかその筆蹟《ひっせき》とかでだいたい見当がつくが、「新宿区東大久保××番地ケヤキ荘内、枝村マサ子」という文字はかなり達筆でもあり、封筒も横封筒や模様入りのものではなく普通のものだった。

三月半ばのうすら寒い日で、この部屋にはスチームもなければガスストーブもつけてない。まわりの壁に去年公演したさまざまなポスターが貼《は》りめぐらされて、その賑《にぎ》やかさが部屋をぬくめているようだった。

そのポスターには赤毛もの（翻訳劇）に出演した古沢啓助の写真が大きく出ている。赤毛のカツラをかぶって扮装《ふんそう》していても、その写真顔はその下の机にすわっている実物のそれと少しも違わない。まず顔が長い。顎《あご》も伸びている。眼窩《がんか》がややくぼんで、眼がまるい。いわゆる金《かな》ツボまなこである。義理にも二枚目といえないが、この特徴あるマスクで若いときから新劇愛好家を惹《ひ》きつけてきた。いまでは、特徴のもじゃもじゃ髪が少なくなりそれも半分は白くなっていた。朱色のシャツに着古した上衣《うわぎ》、首にはよれよれのスカーフを巻きつけているが、その下からのぞく咽喉仏《のどぼとけ》がとび出て、まわりに皺《しわ》があつまっていた。

ドアを煽《あお》って背の高い、小肥《こぶと》りの男が入ってきた。これは豊富な髪が雪のように真白で、絹のように艶《つや》があった。豊頰《ほうきょう》で、顎が短かく、顔がまるい。大柄で、派手なチェックの洋服が似合った。ネクタイは広くて赤い。

山内耕司は「城砦座」の中心的俳優である。これも昭和十年代の前衛劇団の生き残りで、古沢啓助とは盟友関係になっている。

「よう、啓ちゃん、しばらく」

山内耕司は入ってきたところで突立ち、両手をひろげ、胸を反らせた。満面に微笑をたたえ、かん高い声を上げた。その舞台写真もこの壁のポスターのなかにあるが、いまの身ぶりもまるで舞台そのままであった。

「やあ」

古沢啓助はニヤリと笑って応じた。

啓ちゃん、しばらく、といってても山内耕司に会ったのはつい三日前である。馴れない者はその誇張におどろき、その大仰な身ぶりをキザに思うかもしれないが、これは山内耕司の身についた習性であった。演技も派手なほうだった。

「これからNHKに行かなきゃならんがね。ちょっと時間が早すぎるので、ここに寄ってみた」

山内耕司は横のイスに腰を下ろした。ポケットから革袋に入ったパイプをとり出し、口にくわえる前に磨きにかかった。絹のような白髪にパイプは似合った。

「なんだい、放送は?」

古沢啓助は机の前からきく。

「対談だ。劇評家と映画評論家が組になって毎回、役者をひっぱり出しているシリーズ。今回はぼくがゲストというあんばいだ」

山内耕司は眼を伏せてパイプを磨いている。口もとの微笑も手のしぐさもそのまま舞台の演技になっていた。

「そのシリーズ、視聴率のぐあいはどうなんだ?」

「さあ、どうかな。係の人はかなり高いと言っていたがね。しかし、この番組は教育テレビだからね、総合テレビよりはずっと低いらしい。それでもＮＨＫの場合は一パーセントでおよそ九十六万人というからね。このシリーズはコンスタントに五パーセントを維持しているというから、四百八十万人が視《み》ているわけだ。えらいもんだね、啓ちゃん」

艶の出たパイプに粉タバコを詰める。

「まあそこに出る役者によって視聴率も少し違ってくるそうだがね」

ひとりで言ってパイプを口にくわえ、ライターを斜めにして火をつけた。こんどは自分の出演だから視聴率は高いほうだろうという口ぶりである。これを自負ととっても、うぬ惚《ぼ》れと思う者はだれもいない。山内耕司は新劇俳優の第一人者の位置を長いことつづけてきている。

古沢啓助は黙っている。ふだんだとここで軽口を入れるところだが、長い顎に手をやっていた。

若い女がコーヒーを運んできた。劇団の研究生で、背がすらりとしている。

「その視聴率のことだがね、あれは正確なのかね？　民放の場合だけど」

研究生が去ってから古沢啓助はぽつんと言った。

「民放だって、そりゃ、正確さ、それを調査する専門の会社がある」

タバコをコーヒーに代えた山内耕司は断言した。

「どういう調査方法だね？」

「その専門調査会社が東京都内と周辺の視聴者の家庭にモニターとなる特殊装置の器械を委託してるんだね。この委託家庭のえらび方は無作意の抽出法というのかな、アトランダムにえらび出す。そのモニターとなる器械は、視聴者がチャンネルをまわすと、自動的にそのチャンネルの電波を記録するようになっているそうだ。まことに科学的だね。その委託家庭の記録を集計するから、そりゃ発表される視聴率は科学的なものだよ」

「そのモニター器械の委託台数はどれぐらいだろうね？」

「モニター器械の委託台数か」

山内耕司はイスに背を凭《よ》りかからせた。パイプを嚙《か》み、考えるように眉《まゆ》を寄せた。

「……それは、東京都内と周辺の視聴世帯数によるが、いったい、それがどのくらいだろうな？」

「さあ。三百万世帯ぐらいじゃないかな」

古沢啓助にもよく分らなかったので、いい加減な数字をいった。

「そうすると、その十パーセントとして三十万個、一パーセントとして三万個か。つまり、三十万世帯か三万世帯へそのモニター器械を委託してあるわけさ」

「ふうむ」

「いや、それくらいはあるよ、啓ちゃん。新聞の芸能欄や芸能週刊誌によく出ているじゃないか、今週の視聴率ベストテンというのが。上位にはいっているのは、概してくだらんものが多いがね」

「たしかにベストテンの上位には、つまらん番組が多い」

啓助はうなずいた。が、それは漠然とした同感ではなく、もっと思いあたるところがありそうな肯定の仕方だった。

「しかも、あの視聴率は厳正な調査によることはたしかだ。放送局でもスポンサーでもあれを参考資料にしているからね。とくにスポンサーのほうは高い宣伝費をその番組に払っているんだから、視聴率には神経を尖《とが》らせているわけだ。お金がかかっているんだからね。だから視聴率の調査は厳正で、信用されるものでなければならん」

「その基本になるのが、委託したモニター器械の記録集計だね。その器械の委託世帯を君は三十万か三万世帯と言ったね？」

「東京都とその周辺でね」

「君の家に、それを預かったことがあるかい？」

「ない。ぼくの家なんかにはそんなものを預かってくれとは言ってこないだろう。面倒だといって断わられるのが分っているからね」

「じゃ、君の親戚の家では？」

「聞いたことはないいな」

「隣近所では？」

「隣近所のことはぼくにはわからん。女房はどうだか知らんがね」

「友人だとか知人はどうだね？」

「そういえば聞いたことがない。もっとも、とくにそんなことを話題にしたことはないがね」

「話のついでにさ、そういうものは出そうなものだがね。こういう器械を預かっている、あるいは預かったことがあるというのをね。ちょっと珍しい話題だからね。実は、ぼくの家も、親戚の家もそれを委託されたことがない。友人や知合いにはまだ訊《き》いてみたことはないがね」

「今日は妙なところに興味をもったものだね？」

「こういう手紙が来たんだ」

古沢啓助は新宿区東大久保枝村マサ子の手紙を出した。

山内耕司は枝村マサ子の手紙を読んだ。

「なるほどねえ」

彼は女文字の便箋《びんせん》を古沢啓助の前に戻し、頬をすぼめてパイプを吸い、

「東京駅で十年ぶりに友だちに偶然に遇《あ》うことはあっても、テレビのモニター器械を預かったという家を一度も聞いたことがない。これは実感的な言いかただね」

と、台本のセリフを吟味するように言った。

「そういわれてみると、さっきの話じゃないが、ぼくの耳にも入ってこないな。これはぼくの付合いがせまいせいもあるが、ひとつにはその気になって訊いたことがないからだろうね。ひとつ、ウチの者に聞いてみよう」

古沢啓助は机の上にあるベルのボタンをおした。

「東京都内と周辺の視聴数が三百万世帯とみてモニター委託が十パーセントで三十万世帯、一パーセントで三万世帯、たいへんな数だ。啓ちゃん、これはかならずそのモニター器械を預かったという者があるよ。われわれが知らないだけだ」

山内耕司は言った。

「それにさ、委託先が固定しているわけじゃないだろう。三カ月に一度か半年に一度か、あるいは一年に一度か知らないが、絶えずその委託先を変えているわけだ。かりに半年に一回変るとして、三万世帯なら一年でその倍の六万世帯、五年間に三十万世帯がモニターを委託されていることになる。しかもこれは内輪に見て一パーセントの割合だからね。十パーセントだと、五年間に三百万世帯だよ。大きい。この手紙のとおりに幽霊であるはずはない」

髪の長い、背の高い、三十くらいの男の団員が部屋に入ってきた。

「お呼びですか」

「うん」

啓助は少し照れた微笑をむけた。

「劇団の仕事とは関係のないことだがね、いまここにいる人たちにちょっと聞いてもらいたいことがある」

テレビの視聴モニター器械を預かった経験者があるかどうか、親戚《しんせき》、友人、知人からその話を聞いたことがあるかどうか、それをすぐにたずねてきてほしいと言った。

「わかりました」

「君はどうだね？」

「ぼくの家もそんなものを預かったことはありません。また、よそから聞いたことがありませんね」

「ほらね」

啓助は、団員が出て行くと山内耕司に顔を戻した。

「ぼくも、なんだかこの手紙の主の言うことがほんとらしく思えてきたよ」

「そんなことは絶対にない。理屈から考えてみたまえ」

山内耕司は艶々した白髪を振った。

「テレビ視聴率調査の専門会社は信用ある機関だ。テレビ局もスポンサーもそこの調査結果を絶対に信用している。広告料もそれに左右されるだろう。だからさ、この手紙のようにプロデューサーが視聴率の低下で乾される。その理由は歴然たる数字にある。そのきびしい数字の前にはそのプロデューサーも抵抗できなかったのさ。こりゃあ、漠然とした理由で乾《ほ》すのとはちがうからね」

山内耕司は張りのある声で言った。広い劇場の客席によく徹《とお》るようにきたえた声帯であった。

「……もしもだよ、啓ちゃん。調査会社から発表されるその視聴率の数字の基礎となるモニター器械の委託数に信用がならんとなると、これはたいへんなことになる」

「三万世帯は一パーセントだからね。半年ごとに委託先を変えると六万世帯、この手紙が言うようにその調査が発足して十五年経っているとすると、実に九十万世帯がモニター器具をあずかっていることになる。これが最小限度のパーセンテージだからね。それなのにそれを預かった家を聞いたことがないという。この手紙の主は、兄のプロデューサーが乾されたというので、たぶん、一生懸命に友だちや知合いの間を聞いてまわったにちがいない。関係のない者とちがって、そこは真剣に調べただろうからね」

古沢啓助は応じた。

「兄おもいの女性だね」

山内耕司はパイプの粉タバコを詰めかえた。

「……しかしね。問題は、調査会社とモニター委託先との契約にあると思うよ。モニターの委託先には預かっていることを絶対に人に洩《も》らさないでくれという条件がつけられていると思う。もし、それが分って、Aの家がモニター器械を委託されている、Bの家が預かっているとなると、テレビ局の者やスポンサーが聞きつけて、いや、その番組に出演している俳優もそうかもしれんが、関係者がこっそり訪ねて行って、そのチャンネルにまわしてくれるように頼みに行くだろうからね。金包みを渡したり、法外に豪華な土産ものを持参したりしてね。つまり誘惑さ。そうなると厳正なモニターは期待できなくなる。そのために委託先には秘密を守ってもらうようにたのんでいる。だから、その秘密を守るためにモニター器械をあずかっているという家庭の話が聞えてこないんだよ」

「そのとおりだ。まったく正しい」

古沢啓助は言った。

「……それでこそ厳正な視聴率調査結果の信用が維持されているのだろうからね。しかし、それは委託をうけている家庭の現在の状況だ。その委託の期間がすでに終ってモニターを預かっていない家庭には、もうその守秘義務はないわけだ。また、そんな家庭にテレビ局やスポンサーなどから誘惑が行くはずもない。それなのに、曾《かつ》てモニターの委託をうけたという家庭の話も聞えてこないんだな」

二人の話の間にさっきの団員が入ってきた。

「いま、ここに居る人たちに聞いてみたんですが、そんなモニター器械を預かっているという者はいません。また、他人がその委託を受けているという話も聞いたことがないそうです」

「そうか。ありがとう」

古沢啓助は団員が出て行ったあと、

「ほらね」

と、顔をふりむけた。

「うむ」

山内耕司はパイプから出る煙の行方を見ている。

「どうも奇妙じゃないか」

啓助は言う。

「だがね、そりゃ、たまたまその委託をうけたものがわれわれの周辺にないということだけだよ。けど、どうして今日はその視聴率調査のことを気にするんだね？　あ、そうか。その手紙が来たからか。幽霊のような数字に兄のプロデューサーが職場から乾されたことへの憤慨だな。兄貴想いの妹らしい。たしかに、あの世界では職場から乾されているのは、ちょっとした人生の狂いだろうね。派手だが、せまい世界だからね」

山内耕司は両手をひろげた。

「それだけじゃない。この手紙は、ぼくが日ごろから考えていた疑問にも突き当らせたのさ」

「なんだね？」

「鷗《かもめ》プロのことだよ。あれだけ良心的な作品をつくっていても、視聴率がどうしても二ケタに乗らない。この前にやった『七人目』という連続ドラマなんか出来栄えからいって美事なものだったがね」

「あれはいい、ぼくも見た」

山内耕司は同感を大きな素振りとともに示した。

「……そうかねえ、視聴率は上らなかったのかねえ？」

「はじめのほうこそ十三パーセントだったが、次第に落ちて、終りのほうが八パーセントぐらい。殿村が来て、こぼしていたよ。すんでのところで、途中で切られるところだったって」

鷗プロダクションは民放局のために劇映画をつくっている。殿村竜一郎はプロデューサー出身で、鷗プロの代表者だった。近ごろはどこの民放局も劇映画はほとんど自分の手でつくらずに、下請け的なプロダクションにさせている。経費の節約と労務対策とを兼ねてのことである。

「なにしろ俗悪な番組が高視聴率を占めすぎているからね。言い古された言葉だが、悪貨が良貨を駆逐する」

山内耕司は喫煙をやめて、パイプを革袋にしまった。

「それにしてもさ、視聴率という魔もの、その調査の基礎となるモニター器具の委託の実態を知りたいもんだね」

古沢啓助は長い顎《あご》に親指を当てた。

時間が迫ったからといって山内耕司が手を振って出て行ったあと、古沢啓助は宣伝部員を呼んだ。

「E新聞の伍東に電話してくれ。いま居なかったら、あとでぼくのところにかけてくるようにな」

「わかりました。この時間だと外に出ているかもしれませんが」

宣伝部員は引込んだ。

E新聞の文化部にいる伍東勝郎は演劇欄を担当していて、おもに新劇方面をうけもっている。劇団「城砦座」にもよく顔を出す。

啓助は、便箋を机の上に出した。

《お手紙拝見しました。テレビの視聴率調査のことは、われわれにもよく分りません。お兄さんがご事情のとおりだとすると、お気の毒な次第です。良心的な制作が視聴率の成績に支配されるのは遺憾のきわみです。》

ここまで書いたときに、その横にある電話機が鳴った。

「E新聞の伍東さんは居ました。いま、電話に出ています。そちらに回します」

宣伝部員の声につづいて切換えの音が入った。

「伍東君か。古沢です」

「あ、古沢さん？　こんにちワ。その後、ご無沙汰しています」

いくらかどもり気味の伍東の声が言った。

「どう、元気？」

「ありがとうございます。あ、あの、近いうちにそちらへお伺いするつもりでいたところです。次回の演《だ》しもののことで」

「いつでもどうぞ」

「ここ当分は東京ですか？」

古沢啓助は地方公演によく出て行く。

「しばらくはこちらだ。……ところでね、今日はちょっと変ったことを聞くけど、君、テレビの視聴率調査のことをよく知っている？」

「あ、TVスタディのことですか？」

伍東はその調査機関の会社名を言った。

「……いや、そっちのほうはよく知りませんね。ぼくはテレビ・ラジオの係ではないもんで。けど、どういうことですか?」

「あれは、その調査会社のTVスタディが視聴者の家庭をアトランダムに択《えら》んで、そこにモニター器械を委託し、一週間ごとに出た数字を集計して放送局やスポンサー関係に流しているんだったね?」

「そうです。そのモニター器械をサンプルと呼んでいるようですよ」

「サンプルか」

「おっしゃるように、そのサンプルの集計結果が一週間ごとの視聴率順位になるんですが、その上位十五ぐらいのところが水曜日に各民放局やスポンサー関係に電話で速報され、詳しい全番組の調査結果は金曜日だかに刷りもので出されるそうです。だから、その水曜日の第一報は、民放局の現場関係者にとってはヒヤヒヤものですから、かれらは魔の水曜日と呼んでいます」

伍東は、どもりながら言った。

「うむ。魔の水曜日か」

古沢啓助は伍東勝郎の電話にこたえた。

「そりゃ無理もありませんね。その視聴率の上位に入るか入らないかは民放局の関係者にとってはまさに死活問題だからね。それでトバされるプロデューサーも多いですから」

伍東は話した。

「それだよ」

啓助は思わず言った。

「え？」

「いや、ま、そりゃ、あとのことだ。さすが君はよく知っているね」

「この程度のことは常識ですよ。水曜日の第一次発表に連中が一喜一憂している気持はよくわかりますよ。魔の水曜日というのは言い得て妙ですね」

「そうすると、TVスタディが委託した家からモニター、いやサンプルの成績を回収して集めるのは集計結果が発表される日の水曜日ということになるのか？」

「そうなりますね」

「そのサンプル委託の数はどれくらいかね？」

「さあ、それがぼくにはよく分りませんが」

「東京都内と周辺とを入れて五万個ぐらい？」

「そんなにはありませんよ」

伍東勝郎は強く答えた。

「じゃ、三万個？」

「そんなにはありません」

「そんなにはないですな」

「じゃ、一万個？　五千個？」

古沢啓助はたたみかけて詰めた。

「ぼくはそっちの方面は詳しくありませんが、五千個あるなしでしょうな」

「そんなに少ないものかね？」

「あのサンプル器械は高価だそうですから」

「じゃ、訊くけど、東京都内と周辺で視聴者世帯総数はどれくらいかね？」

「さあ、よく分りませんね」

「ぼくらは、三百万世帯ぐらいと想像しているんだけど」

「とても、そんな数ではきかないでしょう。それは関東地区というんですが、そのエリアのなかでは五百万世帯くらいあるんじゃないですか」

「五百万世帯だって？」

「よくわかりませんが」

「そのなかで、視聴率の調査基本となるサンプル器具がたったの五千個か一万個ていどかい？」

「そんなもんでしょう」

「じゃ、二万個？」

「かりに五百万世帯に対して一万個とすれば〇・二パーセントじゃないか。五千個とすれば、〇・一パーセントかな」

「そんなもんでしょう」

「なるんでしょうって、君、そんな程度で正確なモニターになるものかね?」

「なるんでしょうね。みんな、あの発表数字を疑っていませんから」

「君の家で、そのサンプルの器械を預かったことがあるかい?」

「ぼくの家じゃそんなサンプルを委託されたことはありません」

E新聞文化部の演劇担当伍東勝郎はその電話で答えた。

「じゃ、君のご親戚《しんせき》、友人、知人なんかはどうだね」

啓助は質問した。

「さあ。聞いたことがありませんね。もっとも、こっちからその話題を出したことはないですが」

「君、いまそこに居るなら、文化部の人でも何でも社の人にちょっときいてみてくれないか。サンプル器械を預かっている家があるかどうか、あるいは過去に預かったという家があるかどうか、マタ聞きでも何でもいいんだが」

啓助は思い立つと性急なほうだった。

「わかりました。あとで電話します」

苦笑まじりの伍東の声が受話器に残った。

演出部員が啓助を呼びにきた。

啓助はコップの水を飲んで稽古場《けいこば》に出かける。今日の演出がもう少し残っていた。

稽古場には二人の男優と一人の女優とが立っていた。もちろん、ふだん着である。室内。テーブルにイス。テーブルには手紙が乗っている。これが本舞台となるとパリの美術家の住居。古風な家具、置物、書籍など。台本の指定はそうなっていた。

「さあ、はじめようか」

啓助は三人の俳優に声をかけた。

彼は台本にまた眼を落す。表紙に、ポルト・リッシュ作「過去」岸田国士《きしだくにお》訳、と書いてある。三人の俳優はベテランである。演技は任しておいて安心である。三人で勝手に芝居するのをところどころ直せばよい。

途中からである。台本の台辞《せりふ》どおりに三人はしゃべる。

マリオット（ペオぺに）なあおい、奴《やっこ》さんは爪をきらしていた、そこへ手紙を持ってきたなあ。奴さん、落つき払って、ボーイにそいつを開けと命令した。するところいつが大きな声で読み上げたんだ。さも、こういうデリケートな役目を果すように、しつけられた召使いらしくね。

ドミニック　嘘《うそ》つき！

マリオット　ぼくはその場にいたんだよ。
ドミニック　それが女からの手紙だったって言うのね？
マリオット　誓ってしかり。（ペオペに）手紙の話では、もっとひどいのがある。種類は同じだがね。
ブラコニイ　止《よ》さないか、おい！
ドミニック　言ってごらんなさい、かまわないから。
マリオット　ある晩、デュランで、おれたちは晩飯を食ってた。仲間の奴らと。
ドミニック　女も混ってね。……
「ちょっと待った」
啓助は机を指で叩《たた》いて立ち上り、三人の俳優の前に歩いて行く。俳優の身ぶりに気に入らないところがあった。
啓助が稽古場から自室に帰って汗をふいていると、E新聞社の伍東から電話がきた。
「さきほどは、どうも」
伍東は言った。
「やあ、どうも。あれ、わかったかね？」
「訊いてみました。まず、まわりの者ですが、だれもサンプルを調査会社から預かったものはないというんです。友人にも知人にも」

「委托をうけたという人の噂《うわさ》も聞かないのかね?」

「それが、どうもないようですね」

「どうもふしぎだね。君のさっきの話では、東京都内と周辺のテレビ視聴者が五百万世帯、そのうちサンプル委托数が一万戸として〇・二パーセント、五千個とすると〇・一パーセントだったね。サンプル数が非常に少ない。少ないけれど、その調査会社が発足してもう十五年にもなるというんだからね。半年ずつ委托先を移動したとしても、〇・二パーセントは過去六パーセントになっているよ。〇・一パーセントでも三パーセントになっている。ね、そうなるでしょう?」

「そうですな」

「かなり比率は高くなるね。そうなると、だれかがサンプルを預かったという経験者の話がなければならんがねえ」

「実はですね」

伍東は少し声を落して言い渋った。

「東京都内と周辺のテレビ世帯数は五百万世帯よりはずっと多いそうです。さっき、テレビ・ラジオ関係の男にちょっと聞いてみたんです」

「ああ、そうか。で、どのくらい」

「東京都と近県を入れて関東地区というんだそうですが、その関東地区の世帯数が現在約九百万世帯だそうです」

「九百万世帯?……そんなにあるのかね。こっちの推定の約二倍じゃないか。さすがだね」

「考えてみると、近県の団地の屋上なんかアンテナの密林になっていますからね。やっぱり九百万世帯あるわけですね」

「そうすると、サンプル数がその〇・一パーセントとして九千かね。委托の家庭数が?」

「それが、そんなには配置されてないそうです」

「じゃ〇・〇五パーセント?」

「パーセンテージではわかりにくいです。とにかく関西地域はのけて、関東地域だけに限って言うと、サンプルの委托個数は五百個ぐらいらしいです。係の男がそう言っていました」

「なに、五百個? よく聞えなかったが、何個と言った?」

「約五百個です」

「たったの五百個? 九百万世帯の視聴率の調査に、モニターとなるサンプル器械がたったの五百個か、君、そりゃ、ほんとうか?」

啓助はびっくりした。

「ぼくもそのテレビ・ラジオ関係の男から関東地域のテレビ世帯数と委託のサンプル世帯数とを聞いて、びっくりしました。九百万世帯に委託の標本家庭五百世帯ですからねえ」

伍東の声も、まったく意外ですという感情をナマにあらわしていた。

「そうすると、その比率はどれくらいになる？」

啓助は数字の少なさに肝を消してきいた。

「パーセンテージですか。そうですねえ、ええと……」

思案するほど微細であった。

「約〇・〇〇五パーセントになりますかねえ」

「〇・〇〇五パーセント？　それ、ほんとうかね？」

「九百万世帯というのも一般に公表されたものです。サンプルの五百世帯というのもTVスタディという調査会社からテレビ局やスポンサー関係に発表されたものだそうです」

「おどろいたね。わずか〇・〇〇五パーセントで視聴率の正確なモニターになるものかねえ？」

「なるんでしょうな。スポンサーもその調査結果の数字に絶対信用を置いているし、民放局の関係者も〝魔の水曜日〟の発表に一喜一憂しているそうですから」

「ふうむ。われわれシロウトと違って、専門家ともなると〇・〇〇五パーセントがモニター的標準となるのかねえ」

「まあそうでしょうな。しかし、そんなわずかなパーセンテージだと、古沢さんがサンプルの委託を受けた家の話を聞かれたことがないのも、われわれの周囲にその話がないのも当然かもしれませんね」

啓助は、枝村マサ子という女が寄越した手紙の一節「十年ぶりに東京駅で友人に偶然遇《あ》うことはあっても、テレビのモニター器械を預かった家の話はついぞ聞いたことがない」の文句を思い出した。

「いったい、その〇・〇〇五パーセントという視聴率調査のサンプル委託を調査会社ではどのように配分しているんだろうね？」

「それはね、いまいったテレビ・ラジオ欄の担当の男があなたにお会いして、知っている限りのことをお話してもいいと言っています、鈴木幸三というんですが」

「そうかね。それはありがたいね。ぼくにはそんなことは直接関係はないが、せっかく興味を持ったんだからな。ぼくの好奇心を満足させてもらいましょうかね」

「そちらに鈴木をうかがわせますが、いつごろがいいですか？」

明日の午後一時半ということにして啓助は電話を切った。

枝村マサ子へ返事する文句の半分が残っている。啓助はその手紙のつづきを書いた。
《……そのようなわけで、ぼくにもよく分りませんが、近いうち、あるいは判った点だけでもお知らせすることになるかもしれません。》
枝村マサ子は美人だろうか、と啓助はふと思った。

渦まき線香

翌日の午後一時半、約束どおりE新聞の鈴木幸三の名刺が稽古場《けいこば》にいる古沢啓助に運ばれた。

ひと区切りついたところで啓助は応接室に降りた。

三十歳前後の赤い顔をしたラジオ・テレビ欄係の記者は、スプリングのきかなくなったソファにまるこい身体《からだ》を落していた。

「伍東からうかがうように言われましたので」

鈴木は言った。

「どうもありがとう」

研究生の若い女が茶を持ってきた。その顔に鈴木はすばやい視線を走らせた。

「テレビの視聴率を調査するサンプルのことが分れば知りたいと思いましてね。あれは関東地方で五百世帯だそうですね？」

「ＴＶスタディが発表している標本世帯がそうです」

「われわれシロウトにはテレビをもつ九百万世帯にたったの五百台のサンプルで、正確な視聴率がつかめるだろうかという疑問なんですがねえ」

「それはツボをおさえているから正確ということになっています。各放送局にもスポンサーにも信用されていますから。もっとも、あなたのおっしゃるような疑問はだれでも一応は持つようですがね」

部屋を去る女子研究生の背中に鈴木はまた眼を送った。

「こういう手紙をもらいましてね」

啓助は枝村マサ子の文面を言い、そのことから自分もまわりの人たちにたずねたがサンプルを預かった話を聞かないというのを言った。

「それは伍東からちょっと聞きましたが、ぼくもそんな話を聞いていませんし、第一、テレビ局関係の人間じたいからも聞いたことがないようですな」

「テレビ局の人も？　テレビ局の人だとそういうことにはとくに神経過敏になっていると思われますがね」

「ところが、案外に平気なんです。なにしろ標本世帯じたいの数が少ないと分っていますからね。それに、調査会社から発表される視聴率を絶対に信用していますからね。だからその手紙にあるプロデューサーが担当番組の視聴率の低下で乾《ほ》されても、べつに抗議も反抗もできないわけです。発表される視聴率が正体不明で、その幽霊のようなものにプロデューサーの地位が左右されるといって憤慨するのは、局外にいる肉親の素朴な心情でしょうね。内部の者はだれもそれに疑問をもっていません。視聴率の数字は神聖だという考えがありますから」

「神話ですな」

啓助はシャツのポケットから皺《しわ》だらけになった煙草《たばこ》の袋を出した。

「さっき、あなたはサンプル標本世帯がわずか五百でも調査のツボをおさえているといいましたね、あれはどういうこと？」

「ぼくが聞いた話では」

鈴木幸三は、血色のいい顔で啓助に話し出した。

「……視聴者世帯をアトランダムに抽出して標本家庭を委託《いたく》するのですが、それはだいたい東京都内を中心に渦文状……渦まき状ですね、その渦まきの線の中にぽつぽつと点のように置いてあるのだそうです」

「ははあ」

鈴木は口では啓助がすぐには合点できないと思ったか、ポケットから取材のメモ帳を出し、その紙の裏に鉛筆で渦巻きを描いて点をあちこちに入れた。

「ははあ、渦巻き蚊取り線香みたいだな」

啓助は眺めて言った。

「まったく渦巻き蚊取り線香と思えばよいです。その線香の中にサンプル家庭がはめこんであるわけですね。もちろん、この渦巻きの中心点は、そのつどずらして位置が違えるようにしてあるのでしょう」

「そうすると、われわれの知合いは、その渦まき線香からいつもはずれているのかな」

「なにしろ、その視聴率の測定装置が少ないですからね。当りハズレがあるんですね」

「それにしても、その調査会社が発足して十五年にもなるというのにね」

「九百万世帯ですよ。あと、何年目かしたら、古沢さんのお宅にサンプル家庭になってくださいと言って測定装置の器具を持ってたのみに行くかもしれませんよ」

「その渦巻きの中に、偶然に当るわけだね？」

「いや、いくらなんでも調査会社もデタラメにサンプル家庭を配分しているわけではありません。ぼくの聞いた話では、下町方面と山ノ手方面とにうまく配置してあるそうです。というのは、下町はまったくの娯楽番組を好み、山ノ手はインテリ向きの番組を好む傾向にありますからね。そういうふうにして公平を期しているのだそうです」

「なるほどね」

啓助は煙をふかして、ちょっと考えこんだが、また訊《き》いた。

「その点はわかったが、そのサンプル委託をうけた家では、朝から晩までずっとテレビを見ているのですかね？」

「その義務はありますね。でないとモニターになりませんから。そのサンプルというのは番組を見ている間、自動的に用紙にそのチャンネルが記録されるようになっている。チャンネルを切りかえると正確にそれが出るのです。テレビを消すと、グラフ面も空白になります。だから、テレビに飽いたからといって、あんまり休むわけにもいきません。まあ、適切な例ではないが、タクシーのタコ・メーターと同じで、休めば走行距離の記録が出ません」

「それじゃ、委託する家庭はかなり人数が多くないといけませんな。外出しても留守の者が代りにテレビを見ていなければならないから」

「理屈ではそうです」

鈴木はまるい顔にちらりと皮肉な笑いを洩《も》らした。

「たしかに代りの者がいないと、サンプルを置いた家庭ではうっかり外出もできないですな。しかし、それは調査会社が委託するときに、そこの家庭を調べて、あんまり少ない家は頼まないんじゃないでしょうか。想像ですが、そういう気がしますね。なにしろ視聴率調査は、三百六十五日、一分ごとの単位でデータをとっているんですからね」

鈴木幸三は紅茶で厚い唇を濡《ぬ》らした。

「そうか。三百六十五日をとおして毎分ごとか。たいへんはたいへんですな」

啓助はうなずく。

「莫大《ばくだい》な費用をかけてそういう難儀な調査を一日も休まないでしているのは、ほかの業界にはないことで、それでちっともほめられないといって調査会社ではぼやいているそうです」

「しかしね、委託をうけた家庭では、見たくもないのに頼まれたからといってお義理につけているのもあるだろう。そうすると、そのチャンネルの番組がタコ・メーター式に記録されるわけだ」

「さっきはタクシーのタコ・メーターにたとえましたが、調査会社の名誉のためにいいますと、委託世帯のテレビ・セットに測定装置の器械を接着させる。測定装置はチャンネルの移動を機械的にとらえて少しずつ巻きとられるロールペーパーの上に自動的にパンチしてゆく。装置器械には水晶時計が内蔵されていて、これで時刻が記録されるようになっています。非常に科学的な測定になっています」

「そりゃ科学的だ」

啓助は少しいらいらしたように指を鳴らして折った。

「……けど、方法は科学的でも、かんじんの委託した家族がテレビをつけ放しにしておくとか、みんな外出したらどうなるかね？」

「そういう場合はあるでしょう。だから、よく言われています。テレビを見ているのは猫だけだって。つまり、猫が見ていてもそれが視聴率のなかに入っているという悪口です」

「そりゃあ面白い」

「ところが、これは業界紙に載っていた記事ですが、その猫の視聴率をマジメにとりあげた話があります。それは近ごろ日本人の生活スタイルがすっかり変っていて、犬や猫を飼えないアパート暮しの世帯が相当多くなっている。ある婦人雑誌の調査によると、猫を飼っている家は、六・五パーセントで、十五軒に一軒しかないそうです。そこで、猫だけがテレビを見ているためには、三つの状況を想定しなければならない。まず、猫がテレビのある部屋に在室すること、二番目に、その部屋には人間が在室していないこと、三番目に、しかもテレビがついている……」

「猫の在室率のデータがあるんですか？」

啓助はふき出しそうになった。

「猫の在室率のデータはありません。ですが……」

と、鈴木も笑いながらつづけた。

猫の在室率のデータはないが、と鈴木はまるい赤ら顔をにやにやさせて言う。

「そういうものはないけど、人間の在室率と、テレビを見たり消したりする関係では、早くから調査表ができているそうです。これらの諸データを勘案すると、各番組の視聴率ごとについて……ええと、待ってください、なんでもむつかしい言いまわしで書いてありましたから」

鈴木はポケットをさぐって、よれよれになったメモ帳を出して開いた。

「そうです。こうあります。……各番組視聴率ごとについて、猫だけが見ている期待値は小数点二ケタ以下のパーセンテージ、つまり数万分の一の確率になり、標本誤差の中に吸収される、というんです」

「そりゃユーモラスな調査報告だ。猫だけが見ているというのは、もののタトエだろうに、それを科学的な調査でやっているところにおかしみがありますな」

「けど、それは第三者が思うことで、当事者は、猫の視聴率を大マジメに考査するほど真剣なんですよ」

「そりゃ、そうだろうね。ぼくらは真剣に舞台で芝居しているのに、見物人はどんな眼で見ているのか分らないのと同じかも知れませんな。案外それがファース（笑劇）かもわからない」

啓助は頬の微笑を収めて、煙を吐いていたが、ふと鈴木が言った言葉に思い当った。

「さっき、君は測定装置はチャンネルの移動を機械的にとらえてロールペーパーの上に自動的にパンチしてゆく、と言ったね？」

「ええ、そうです。ロールペーパーというのは、ほら、新聞社が使う印刷用紙式のもので、巻きとり紙になっているんです。早くいえば、トイレット・ペーパーと思えばいいんです。それに毎分ごとのチャンネルがパンチされる。パンチですから、キイ・パンチです。あの小さな穴ぼこが点々になっているやつです」

「それを一週間ごとに調査会社から委託家庭に回収に行くわけですね？」

「そうです。それが水曜日です。そうしてサンプル家庭から回収したロールペーパーのパンチを数字に復原して集計したのが全放送局の視聴率順位となって、その日の午後に上位のベストテンぐらいが速報されるわけです」

「そのロールペーパーをサンプル家庭に回収に行くのは、調査会社のどういう部署の人ですか？」

「それは絶対秘密です。回収する係がわかると、その係員のあとを毎週水曜日に尾行して行けばサンプル家庭が分ってしまいますからね。そうするとスポンサーや各局の誘惑がその家庭に殺到しますから。そりゃ、もう絶対に秘密」

「ふうむ。そのくらい気をつかうのだったら、回収業務にも金がかかるだろうな？」

「そりゃ、かかります」

サンプル家庭にチャンネル局を一分毎に記録した一週間ぶんのロールペーパーを回収

に行くにも調査会社の経費がかかることを鈴木幸三は、

「なんでもはじめは記録を回収する調査員に一台ずつ専用の乗用車を使わせていたそうです。これも業界紙に載っていた記事ですが」

と話した。

「いまは、どうなんですか？」

啓助は現状が知りたかった。

「さあ、現在はとてもそんなぜいたくなことはできないはずです。経費や人手の節約でね。記録の回収要員は、たとえば杉並区・練馬区に一人か二人、墨田区・台東区に一人か二人、ほかも近接した区を一つにまとめて、そのくらいの人数じゃないでしょうかね。なにしろ関東地区にサンプルが五百世帯しかないんですから」

「それは実際にそのサンプル台数が配置されていての話でしょう。もし、正体のない幽霊だったらどうなるかね？」

「まさか調査会社がインチキをしているわけでもないでしょう」

「いや、ぼくもインチキしているとは思わない。大企業のスポンサーや天下のテレビ局を相手にそんなインチキをしていたら大変なことになる。それに視聴率は新聞にもときどき出ているから公器的な資料です。ただ……ただね、その測定器を預かったという者がないのが、どうもふしぎですね」

「ふしぎといえばふしぎです」

「なんとかしてその実態を知る方法はないですかね？」

「そりゃ、むつかしいでしょう。それは今までに各テレビ局もスポンサーも試みたことだと思いますよ。あの手この手を使ってね。それで判《わか》らないから諦《あきら》めているというところじゃないですか。そんなふうに調査会社は秘密の防備が厚いわけですね」

「いったい、その調査会社の社員はどれくらい居るのかね？」

「あまり多くないことはたしかです。大規模の企業ではないですからね」

啓助はしばらく考えていたが、指を焼くほど煙草が短かくなっているのに気がつき灰皿に捨てると同時に言った。

「その会社だって退職した人は居るでしょう？」

「そりゃあ居るでしょう」

鈴木幸三は啓助が何を思いついたかを察したように厚い唇に微笑をみせた。

「その退職者をうまく口説いたら、会社の実態をそっと教えてくれるかもしれないな。退職の仕方だっていろいろとあるからね。停年退職者もいるだろうが、その会社が面白くなくて辞めた人もいるだろう。つまり、どこにもある派閥争いで、それに破れた人さ。そういう人に訊いたら、これは腹立ちまぎれにこっちの知りたいことを打ちあけてくれるかもしれないな」

「内部告発ですな」

鈴木の赤い顔は冷静に笑った。

「せっかくの古沢さんのアイデアですが、それは無駄でしょうな」

鈴木幸三は気乗りのしない表情で言った。

「どうして?」

啓助は相手のまるい顔をのぞきこむ。

「失礼ですが、そんなアイデアはだれもが考えることですよ」

「ふむ。幼稚かね?」

「幼稚というよりも普通すぎます。それで成功してないのでも分るでしょう」

「会社に愛想を尽かして辞めても、まだ守秘義務の忠誠心は持っているのかね?」

「というよりも、そのTVスタディ会社の退職者の名前をどうして外部が知り得るかです」

「なるほど、そういうことも分らんのですか?」

「分らないですね。調査会社の人とスポンサー筋やテレビ局とのつき合いはありますよ。けど、それは商売上のことです。調査会社の連中は内部事情はもとより、だれが辞めたとか退職したとか、そんなことをいくらお得意さんでも絶対にしゃべりはしません。げんにその聞き出し方法が成功していません。秘密を守ることが調査会社の生命そのものですから」

「やれやれ」

啓助は吐息をついた。

「……お固いことだね」

「サザエのように殻の中にかたく閉じこもっているんです」

色の白い、眉《まゆ》のきれいな若い男が入ってきて啓助に告げた。

「先生、尾関先生からお電話ですが」

演劇評論家の名だった。啓助は迷った顔になったが、この話を中断されるのが惜しくなった。

「尾関には、いまちょっと稽古で手がはなせないから、のちほどこちらから電話すると言ってくれ」

「わかりました」

出て行く青年の背の高いうしろ姿を見送って啓助はふと思いついたように言った。

「TVスタディ会社だって女子社員はいるだろう？　スポンサーやテレビ局のほうで様子のいい若い男のタレントをつかって女の子と仲好くなり、そのへんの事情を聞き出すということもないのかねえ？　いささかスパイ映画めくけど」

「ダメですよ、そんなのは、女の子に聞いても大事なことは何一つ知ってやしません。

会社では視聴率関係の仕事は与えてないのですから。そういうのは信頼のできる社員、幹部クラスの社員がやっていると思いますよ」

文化部テレビ・ラジオ担当の鈴木記者は啓助に浮ぶ知恵をことごとくしりぞけた。

「ま、とにかくテレビの視聴率調査というのは謎《なぞ》の謎です。これはその謎から生れた結果のリストです。これを置いて参ります」

鈴木が最後に出した一枚の刷りものには、「東京各局・視聴率対照表」とあった。

「何かのご参考までに」

鈴木は言った。赤い顔も太い声も微笑していた。

啓助は、E新聞のテレビ・ラジオ欄担当の鈴木幸三が置いて行った「東京各局・視聴率対照表」に眼をさらした。

これは見本で、さる年の十二月三十一日の十九時台から二十二時台まで各局番組名とその視聴率の数字がならんでいる。各一時間は前三十分と後三十分とにわかれていた。毎分ごとの測定器の記録を集計して三十分ごとにまとめてある。

局によっては、十九時の頭から二十時の終りまで二時間ぶっとおしの娯楽番組もあり、これはやはり視聴率が高かった。「本年度に輝く歌謡曲大賞」（二時間）が実に43・0％でとびぬけている。それにつづいてが「東西いろもの対抗」（二時間）の19・8％、「ショックのカメラ」（二時間）18・3％だが、「晴れの歌謡マーチ」は11・5％しかなく、

「新年花形歌手総当り選手権戦」も11・6％しかない。これらはプロデューサーの責任すれすれものだろうと啓助は見て思う。

十九時台の一時間ものでは同じ「初春歌謡大群舞」は47・0％と強いが、「新春勝抜き室内競技戦」は3・0％である。その時間の前・後半とも子供ものが強い。

二十時台は二時間ものを除くとすべて一時間ものである。28・0％の連続歴史ものが最高で、「熱帯の享楽《きょうらく》」1・3％、「拳銃《けんじゅう》の霧」0・9％というのもあった。

二十一時台になると「紅白歌合戦」（三時間）の72・2％が巨峰のようにそびえていた。これに対抗した「くたばれ紅白歌合戦」（二時間）は6・4％という果敢な玉砕ぶりである。あとは前半の「ホリデー・シアター」21・8％、「緋色《ひいろ》の追跡」20・0％、「太陽の詩歌」18・6％がめぼしいところで、ドラマ「花の細道」9・0％、「早春の陽炎《かげろう》」が5・7％、「その歌声をわれに」がわずか2・8％である。あとは11％や12％台が多い。

二十二時の前半と後半は映画で、それも旧《ふる》い題名で思い出される。さすがに評判になったことのある洋画は18・9％だが、あとは10％未満がずらりとならび、8・0％、6・7％、5・6％、4・5％、3・9％、2・2％、1・7％とつづいて、0・9％、0・8％、0・4％、0・3％というのもある。

総合全視聴率は、朝から夕方までの「全日」タイムが43・1％、Aクラスが9・0％

から8・3%まで、Bクラスが7・3%から3・6%までとなっていた。これが夜の「G・H」(ゴールデン・アワー)となると、9・0%が13・2%になり、8・3%は14・7%にはねあがっている。いかに夜間の視聴率がよいかがこの対照表でもわかった。3・6%も5・1%とふえている。いかに夜は家族全員が茶の間に集まっての視聴率になるからであろう。

この「対照表」を眺めている限りは、調査された視聴率は公正であり穏当のようである。

一週間ばかり経《た》って、啓助に「枝村マサ子」から封書が来た。たいそう部厚いものである。

この前、彼女からもらった手紙に返事を出したので、それに対してまた何か書いてきたものと察した。

《先日は、とつぜんつまらないお手紙をさしあげて、お忙しいあなたさまのお時間をおじゃま申し上げたにもかかわらず、思いがけなくご親切なご返書をいただき、ほんとうにありがとう存じました。ファン・レターなど数多いにちがいない郵便物のなかで、わたくしのものがお目にふれた仕合せを神さまに感謝するとともに、ご返事を頂戴《ちょうだい》できたことの夢のようなよろこびにひたっております。これも最近の兄の気落ちした様子があまりに可哀想なので、つい、あのようなぶしつけなお手紙をさし上げることになりました。おゆるしください。

テレビ視聴率の実体をお調べくださるとのこと、ありがとう存じます。前便で申し上げたように、モニター器械を預かっている家庭のことはだれに聞いても知った人はなく、深い秘密のベールに閉ざされております。その秘匿《ひとく》調査によってできあがる視聴率なるものに、ディレクターの仕事に男の生きがいを燃やしている兄が職場を左遷《させん》させられたり、いわゆるホサレたりするのがどうにもわたくしには合点がまいらぬのでございます。兄は小心で真面目《まじめ》な性格だけに、こんどホサレたことがひどいショックになっておりますす。これが精神的にわざわいしてこれからの人生にマイナスにならなければよいがと妹としてはハラハラしております。もし、そのようなことになれば、「幽霊」のようなものに男の生涯《しょうがい》がダメにされてしまうわけでございます。

「幽霊」というのは言いすぎかもしれませんが、視聴率調査の基本となるモニター器械委托の実体がわからぬ以上、わたくしとしては、どうしてもそのような感じをもつのでございます。もし、あなたさまのご調査で、わたくしに納得がゆける結果になれば、それはうれしいことですし、兄もまた気持の整理ができて立ち直ることができると存じます。

つきましては、ご調査にあたられるご参考までに、わたくしが兄から日ごろ聞いていたテレビ界のことを少々申し上げたいと存じます。もちろん、このようなことは高名な劇団を主宰しておられるあなたさまには先刻ご承知のこととは思いますが、お笑い草にお読みいただければ幸いでございます。

以下のことは、兄からべつに系統立って聞いたのではなく、常から何かの話のとき断片的に耳にしたものを、いま、わたくしなりに書きつけているだけでございます。したがって、とりとめのない書きかたになることをあらかじめお詫《わ》び申し上げます。

まず、テレビ番組の制作までのプロセスのことでございます。……》

便箋《びんせん》に、小さな文字をびっしりと詰めこんだ枝村マサ子は「まず、テレビ番組の制作までのプロセスは……」と古沢啓助に語り出す。

《……番組企画書が広告代理店からスポンサー(この世界ではクライアントというのだそうです)に出されます。この企画書は、スポンサーの気もちをくんだアイデアのもとに立案されたもので、はじめから番組のテーマや出演者のきまった具体的なものと、まだそこまではいかない漠然とした企画とがあるそうです。あとの場合は代理店とスポンサー側との話しあいとなるそうです。

これがおよそのところまで決ると、スポンサーから代理店を通じて、特定のテレビ局へ打診がおこなわれます。

次に、打診をうけたテレビ局の営業は予算の検討をします。編成局は番組の「時間どり」（ワクどり、ネットワークなど）をおこないます。

それがすむと、営業から製作部（プロデューサー）へ番組の制作を依頼します。それから製作部とスポンサーの間で主要スターその他の俳優を決めるキャスティングの打合せがおこなわれます。

その結果、予算に応じて、局内制作にするか下請け制作とするかを製作部がきめます。局内制作だと、製作部の指示によって番組制作がはじまりますが、チーフ・ディレクターを中心に具体的なスケジュールがくまれます。下請けのばあいだと、フリーのディレクターがそのつど契約されるケースがあります。

ここでスポンサーが番組にたいする権限について申します。

その番組のスポンサーが一社か二社のばあい、スポンサーは絶対の権限をもちます。出演者の組合せ（キャスティング）のことについての口出しは言うにおよばず、シナリオの細部にわたってまで注文をだすのが多いのです。そのキャスティングにたいするスポンサーの目安といったものは次のようなことだそうです。
①スポンサー・イメージによる。②スポンサーの好みによる。このばあいはたぶんに担当者の好みということになります。③ＣＭに抵触するタレントは避ける。つまり競争会社のコマーシャルに出ているタレントは使わないということです。
スポンサー・イメージというのは、その企業の特殊性とか会社の風格といったものに

番組の性格を合わせることです。これは視聴率の高いことをかならずしも第一目的にしてないので、プロデューサーとしてはやりやすく、また意欲を燃やせる面があるそうです。

②のスポンサーの好みで主演者がえらばれるというのは、それだけプロデューサーが制約をうけるわけで、やりづらいところがあります。とくに、スポンサー側の担当者の好みで女性タレントがきまるということに、とかくの問題があるそうです。》

枝村マサ子の手紙は、なおも古沢啓助に語りつづける。

《「視聴率は神さま」という考えは、スポンサーの権限を見せるものです。

低視聴率のためにじかに責任を問われるのは、担当のプロデューサーと担当のディレクターです。ことに、テレビ局では担当ディレクターの担当変えはひんぱんに行われます。けれども局側では、それを低視聴率の理由にはしないそうです。それだと露骨すぎるからでしょう。しかし、どのように上手な口実を言われても、その理由が視聴率の低下によることはだれにもわかっています。その視聴率の上り下りは、調査会社から毎週の水曜日に通知される上位視聴率の「速報」と、金曜日に発表される各局全番組の視聴率の詳報です。

視聴率の特殊なケースとしては、こんなこともあるそうです。前の時間帯の番組が低視聴率だと、その影響が次の番組におよんでそれも低い視聴率となります。このばあいは、スポンサーの苦情が編成局へ行くといいます。

多数社提供の番組、つまり相乗りの多いスポンサー番組のばあいは、制作者側がかなり自由につくれます。これはさきほど書きましたようにスポンサーの権限が多くの社に分散されて主導型がないからです。だからプロデューサーの自由権限となりますが、それだからこそその視聴率の低下は担当のプロデューサーやディレクターに直接にはねかえってくるわけです。

近ごろは、この相乗りスポンサーも「目ざめ」てきて、各社が順番にシリーズものをつくらせています。そのためにシリーズものが短くなる傾向があるそうです。

でも、まだそれだけの力がないスポンサー十社以上提供番組のばあいは、プロデューサーがスポンサーの意図や希望をまとめることは不可能ですから、プロデューサーのかなりな独断がゆるされます。「ゴージャス・ショー」などの歌謡曲番組はこういうかたちです。したがって、ときどき週刊誌などに載っている「金」と「女」のからむ噂《うわさ》がプロデューサー、ディレクターの身辺にあつまるといわれています。

テレビ用の劇映画は、下請け制作となっているのはご承知のとおりです。これにも大手が数社あります。この下請け劇映画の監督は専属とフリーとがあります。映画会社が斜陽となって久しいので、以前、著名監督として鳴らした人たちが、このフリー契約をしています。》

そうだ、そういう映画監督がいると啓助は読んで思った。数々の名作をつくり、大監督の名をはせた人の名をテレビ劇映画の字幕で見て、おどろくやらなつかしんだりする。その一人に、啓助もよく知っている津田彰而がいた。ここ四、五年間会っていないが。

《……技術部門の下請けは数多くあります。下請け制作会社のばあい、スタッフを外部から集めるケースが多いそうです。たとえばフリーのディレクター（美術・技術のディレクターもそうですが）やスタジオの技術者がそうです。これらは下請けのまた下請けというかたちでしょう。そうして、下請けに移った仕事は、さらに分れていって、そこにたくさんなフリーの人、あるいはフリー集団が加わっていくしくみになっているようで、そのような複雑なことは、わたくしなどにはとうていわかりません。とにかく、番組の下請け化傾向は、さいきんとくにすすんでいるようです。これは第一にスポンサーがしぶくなったために、テレビ局では下請けには予算がたたけるというメリットをもっているからです。これが逆に作用して、近ごろの粗悪番組の増加という原因にもなっています。

テレビ局内部でも、制作部門を切りはなす動きが各局に見られるそうです。

いつか、兄のところに遊びに来た若いディレクターの人がこういって歎息していました。

「もう、テレビ局にはディレクターなんて要らなくなったんですね。これからも下請け傾向はどんどんひろがるだろうし、ぼくらの立場は微妙ですよ。たまに制作の責任をもてば低視聴率の責任をとらされるし、将来は下請け会社へ出入りして、フリーになるしか道がないようですね」。

これは兄のことでもあります。

ああ、視聴率、このゴースト! とわたくしは言いたくなります。

毎週金曜日の午後からは、各テレビ局とも廊下に「週間視聴率表」がはり出されます。そこに集るプロデューサーやディレクターの眼は血走っているそうです。ある者は顔面蒼白《そうはく》となり、ある者はほっと胸をなでおろして安堵《あんど》の溜息《ためいき》をつく。水曜日の速報と、この人たちにとっては週に二回「魔の日」があるわけです。プロデューサーやディレクターが数日間でも欠勤すると、知らぬ間に自分の机がどこかに移されているので、病気でもオチオチ休まれないと言っています。

このようにして、いま、兄は低視聴率の責任を押しつけられての配置転換、体よくホサレてしまいました。夜もろくに眠らないで制作番組の計画を練っていた兄、営業局や代理店との交渉、キャスティングについて芸能プロダクションとの交渉に神経をスリ減らした兄は、けっきょくは下請け会社にフリーの仕事をたのみに行くことしかないでしょう。

長々と書きましたが、あなたさまの手で、このゴーストのような存在の視聴率正体を

お調べいただけたら、わたくしどもにとって、こんなありがたいことはございません。》

接　近

稽古場《けいこば》のイスには若い顔ばかりが来ていた。立稽古をしているのも若い研究生で、男五人に女一人である。演出を担当しているのも青年なら、演出助手役も若者であった。劇団「城砦座《じょうさいざ》」の第何期かの研究生だけでつくっている「早春会」の小さな公演が近くある。

古沢啓助も見物人のいるイスの前のほうにかけていた。

「どん底」の第二幕であった。

——ルカ　そうさね、好きなものを忘れるなんて、そのくらい間抜けたことはめったにあるもんじゃない。ぜんたい好きなものには、魂がいっぱいこもっていなきゃならんはずのものだ。

——役者　その魂まで飲んじゃったから仕方がねえ。……おらぁもうおしめえだ。なんだってこんなになったんだろう？　おれにゃ自信というものがなかったからだ。おりゃあもうおしめえだ。

ルカの役をやっているのは、アルバイトに夜間予備校で英語の講師をしている。「役者」の男はキャバレーのボーイをしていた。肺病で死にかかっているアンナ役はバーのホステスに出ていた。夜の遅いアルバイトだが、稽古の朝はどんな早い時間でも稽古場に来た。

古沢啓助は、稽古の進行と演出家のダメを眺めながら、テレビ局の視聴率を調査するTVスタディ会社に接近する方法をぼんやりと思案していた。

正面から行っても、もちろん聞ける話ではない。ツテはない。あっても無駄だった。相手は秘密の防備を何重にもかためている。当分は駄目かもしれない。……

——ルカ　なに！　そう失望したものでもないさ。

啓助は、はっと眼をあげた。

若い演出家がダメを出した。

「そこは、もう少し語調に力を入れて」

——ルカ　なに！　そう失望したものでもないさ。

「いいでしょう。つづけて」

演出家はうなずいた。

——ルカ　お前さんもお医者さんにかかるがいい。今じゃ酒呑《の》みをなおすこともできるそうじゃから。わかったかね。それも無料だで。酒呑みのためにそんな病院ができて、タダでなおしてくれるそうじゃて。酒呑みもやっぱり同じ人間だということがわかってきたとみえて、なおしてもらいに行くと、そりゃ、よろこんでやってくれるそうじゃ。どうだね、やってみては。まあ、行ってごらん。

——役者　そりゃ、どこだい？

——ルカ　それはなんとかいう町だった……はてな、なんという町だったけねえ。

……

TVスタディという会社は、新橋のほうにあるということだった、新橋のどのへんかしら、と啓助は思う。電話帳をくれば番地が分ることだが。

演出家が口を入れた。

「そこは、もっと思案げな口ぶりで言って」

演出家の注文で、ルカの役はくりかえす。

——ルカ　それはなんとかいう町だった……はてな、なんという町だったっけねえ
……妙な名だったけ。……

「そこの終りのほうを、もう少し低くしてくれませんか」

演出家がまた言った。

啓助は、あれでいいと思ったが黙っていた。しばらくは自由にやらせておく。それに、こっちはTVスタディに接近する方法を思案していた。先方の防衛は固いだろうが、な

に、そうはじめから失望したものでもなかろう。

——ルカ　なんという町だったっけねえ……妙な名だったっけ。……

「はい、けっこうです。つづけて」

——ルカ　よし、町の名はいまに教えるから……お前さん当分その準備をするのさ。

……

そうだ。当分は先方にアプローチの方法を考え、思いついたら、その準備にかからなければならないだろう、と啓助は思う。

——ルカ　少々我慢して酒をひかえるのさ……。それから医者にかかって、すっかりなおしてもらうんだ。……そしたらまた新しい生活をはじめるんだ……。いいだろう……。新しい生活だぜ。さあ、早くどっちかにきめたらどうだね。

——役者　新しい生活？　新規まきなおしか。……なるほど、こりゃあいいこった……新しい生活、は、ははは、さあ、おれにできるかね？　どうだ、おれにできるだろうか？

「その笑いかたに、もう少し自嘲《じちよう》が出るように」

——役者　は、ははは、さあ、おれにできるかね？

テレビ視聴率調査の実体を調べたという者を聞かない。たいそう困難だからにちがいない。それが、おれにできるだろうか。

「次！」

――ルカ　できないことがあるものか。やろうとさえ思や人間にはなんでもできる。

「力を入れて。思わず力を入れたというような語調で」

――できないことがあるものか。やろうとさえ思や人間にはなんでもできるか。では、やってみるか。

――役者　おまえさんも奇人だな。まあ、あとにしよう、さよなら。（口笛を吹く）

……お爺《じい》さん、さようなら。

――アンナ　お爺さん！

――ルカ　なんだね、おかみさん。

――アンナ　お話してちょうだいな。

――ルカ　よし、お話しましょう。

そうだ。あのTVスタディ会社は毎水曜日ごとにその日の上位視聴率が速報されるから、その朝にパンチ・ペーパー（視聴記録紙）が集められるはずだ。そこからたぐって、委《い》託《たく》先のサンプル家庭が分ると、こっちの頼みかた次第では、先方が何もかも話すかもしれない。

サンプル家庭に配置した視聴率測定器のパンチ・ペーパーが毎水曜日の午前中にTVスタディ会社の調査員によって回収される。前週の水曜日から今週の火曜日深夜までの記録だ。そのペーパーが本社に持ち寄られるとすれば、新橋にあるという本社の前に水曜日ごと朝から立って見張っていれば、その調査員たちがどういう顔だか分る、と啓助は思った。

「どん底」の稽古はまだ眼の前でつづいている。が、啓助には「見れども見えず」の状態だった。

それが分れば、こんどは彼らが本社から出てくるのを待ちうけ、そのあとを尾《つ》けて行く。帰る自宅がわかる。こんどは次の水曜日の早朝から彼らの自宅前にこっそりと待機する。彼らはパンチ・ペーパーを回収のためサンプル家庭を回る。そうして集めたペーパーを他の調査員のそれとともに視聴率集計のため午前中までに本社に持って行かなければならないから、朝は早いうちに家を出るだろう。水曜日の夕方には第一回の視聴率発表がなされるからだ。

調査員が自宅から出たあとを尾行する。彼らの行先はサンプル家庭だ。次から次へと、測定器を置いた家庭をまわる。そうなると、その調査員が受け持っているサンプル家庭のことごとくが判明するだろう。

そうだ、この方法がいちばんいい、手っとり早くて正確だ、と啓助は思った。

そこで問題なのは、TVスタディの本社に入ってゆく男たちのどれが調査員かという弁別の方法である。

これはなかなか厄介だ。が、工夫がないこともない。たとえば調査員はサンプル家庭を十何軒もまわってパンチ・ペーパーを集めてくるから、毎水曜日に限り出勤が普通の社員よりは遅れるにちがいない。一般社員の出勤時間が午前九時だとすれば、調査員は十時半か十一時ごろではなかろうか。

毎水曜日にはきまって出勤時間の遅い社員たち、それが調査員だ。本社前にひそかに立って眺め、その調査員たちの顔をおぼえればよい。

かく考えた方法でサンプル家庭を先《ま》ずつきとめることができる。そのあとでそれらの家庭について測定器の有無をたしかめる。確認の方法はいくらでもある。そうすればテレビ視聴率調査の基礎となるものの事実が判明してくるだろう。

その事実が判《わか》ったからといって世間に公表する気はない。事実は事実として知っておけばよい。知る必要のある関係者だけには話す。これが聞えたら反撥《はんぱつ》する方面があるかもしれない。

稽古はすすんでいた。

——メドゥウェーデフ　でたらめをいうな。だれがきさまの言うことを本当にするものか。

——ペペル　本当にしなくてどうする。事実だもの。……

芝居の稽古を見ながら古沢啓助は、まだ思案をつづけている。

方法はいい。だが、これはずいぶんと人手と時間がかかりそうだ。

ＴＶスタディ本社の前に立って毎水曜日にそろって遅刻してくる社員たち、それを調査員と推定するのはよいが、人数が多かろう。その顔をこっちが見おぼえるには一人では足らぬ。その尾行と、サンプル家庭への追跡があるからだ。調査員だと思いこんで追跡しても、違った場合もある。その点、こっちの人数が多くて手分けして調査員たちを追えば、確率が高くなる。

人手が要る。それに時間がかかる。毎水曜日、朝から夕方まで自由時間のある人間がそんなにいるだろうか。しかも、これはアルバイトとしてだれにでも頼めるものではない。こっちに仲間的に協力してくれ、しかも絶対に信頼できる人間、口のかたい人物でなければならないのだ。——

——ペペル（静かに口笛を吹く）おや、用心用心。なかなかうめえことを考えついたものだ。……亭主は棺桶《かんおけ》へ、情夫《いろ》は監獄へ、そして自分だけ……

——ワシリーサ　お前さん、なにも監獄へ行くことはないじゃないかね。お前さんが手をくださなくたって、だれか仲間の者にやらせりゃいいじゃないか。よし自分でやったにしても、だれに知れるものかね。……

若い演出家が台辞《せりふ》のダメを出す。

「そこのところを、もういちど感情を出して言って」

――ペペル　おや、用心用心。なかなかうめえことを考えついたものだ。……ワシリーサ　お前さんが手をくださなくたって、だれか仲間の者にやらせりゃいいじゃないか。……

自分が直接手を出さなくとも、その協力を頼む仲間的な人間の人選がむつかしい、と啓助は思う。

毎水曜日ごとに一日じゅうの時間があって、しかもそれが何週間もつづく。一カ月や二カ月ではすまないかもしれない。熱心にやってくれて、口外しない人間。それが少なくとも三人は要るだろう。

啓助は稽古をみて、研究生をそれに使おうかとも思った。が、これはたぶんに躊躇《ちゆうちよ》を感じる。自分が指導している研究生に、そんなタンテイみたいな真似はさせられないな、と思う。

言えば彼らは興味を示すかもしれない。アルバイトをしている者が多いから、毎週水曜日ぐらいは時間がつくられる。好奇心から、ぜひやらせてください、と申し出るだろう。が、これは演劇勉強という本道からはずれている。

それに調査員を尾行するとなると、万一の場合、面倒が生じる。人権問題も起りかねないのだ。

――ワシリーサ　お前は何しにきたの？　わたしの跡を尾けて来たね？

啓助は、見物人のイスをそっと見わたした。研究生の公演稽古だから、同じ研究生仲間や若い団員の顔が、ふだんよりは多く来ている。

視線はそのなかの髪の長い、口髭《くちひげ》もアゴ髭もぼうぼうと伸ばした男の顔にとまった。これが膝《ひざ》の上に大きな手帳のようなものをひろげて熱心に稽古を見ている。髭はむさくるしいが、眼は案外に若かった。

俳優でこんなに耳の下から頬やアゴにかけて髭を伸ばしている者は少ない。あるとすれば、よほど役のつくのが珍しい役者である。

小山修三は舞台装置のほうを研究している。油絵では「構図社」の同人で、ときどき銀座のレストランの廊下だとか服飾品店の二階とかで個展をひらく。むろん自分の店の壁ではしょっちゅうである。舞台装置の勉強は四年前からだが、こうした研究生の発表公演には簡単な舞台装置を買って出ている。この劇団には出入りするが、劇団員ではなかった。二十八歳という。

もちろん、画で食える道理はない。神田の裏通りで小さな喫茶店を経営していて、男の従業員を二人つかっている。三つ下の妹はレジに坐《すわ》らせている。自分も一日おきぐらいには前かけを当てカウンターの中にいてコーヒーをいれたり、紅茶のレモンを輪切りにしたり、罐詰《かんづめ》を出してフルーツポンチをつくったりする。コーヒーは吟味するほうで、それでちょっとした評判をとっていた。

その口髭とアゴ髭では、さぞ汚ならしくて客が薄気味悪がると思われそうだが、この髭面《ひげづら》がむつかしい顔をしてドリッパーから湯気の上る焦茶色《こげちゃ》の液体を荘重にとり出すところはかえって愛嬌《あいきょう》があり、それにも若い客の人気があった。しかし、制作にかかっているときは何日でも休む。

そういうことを古沢啓助は聞いていた。

――サチン　死人にゃ聞えやしねえよ。死人にゃ感じがねえから……いくら叫んだって……吠えたって……死人にゃ聞えやしねえよ。

この台辞のあと、ルカが入口に現われたところで第二幕は終る。稽古も済んだ。演出していた若い男が啓助のところに急いできた。

「先生。いかがだったでしょうか？」

稽古していた研究生もそのまま動かずに啓助のほうをまばゆそうに見ていた。

「あんなもんだろう。いいじゃないか」

「はあ」

「あとでゆっくり感想を言うよ。みんなにもね」

半ば見れども見えぬ状態だったとはいえなかった。それはまの悪さのつけ加えだった。

「はい」

啓助の視線は、イスから立って出口へ向う見学者の群れにいる小山修三を追い、それへ大股《おおまた》で歩み寄った。

肩をつかれて小山の髭面がふりむいた。

「ちょっと」

眼顔で部屋へ来てくれと啓助は伝えた。

古沢啓助に招じ入れられた小山修三は、啓助にこう訊《き》かれた。

テレビの視聴率調査に測定器といって自動的にチャンネルを記録する器械がある。約五百台が抽出された家庭に一台ずつ配置されてある。業界ではそれを標本家庭とかサンプル家庭とか称しているのだが、その制度が発足して以来すでに十五年になる。君のところにその測定器を調査会社から預かるか預かった経験があるか、あるいはそういう話を親戚《しんせき》、友人、知人など周囲から聞いたことがあるか。

「いや、いちどもありません」

画家で、舞台装置家志望でもある小山修三は、うつむいて口髭を指で押えながら考えた末に答えた。

「週間の視聴率の発表は毎水曜日に各関係方面に電話で速報され、金曜日に詳報が送られるそうだ。それによってプロデューサーやディレクターの運命が左右される。タレントも一喜一憂し、スターの位置を守って出演がつづけられるか、ホサレて没落の道をたどるかする。視聴率によってプロデューサーやディレクターは才能を問われ、タレントには人気のバロメーターとなって、ランクが変る。視聴率はテレビ局にとって専制君主だ」

「そういう話は聞いています」

「ところがその視聴率調査の基礎となる測定器を委託されたという家庭があるのを君は聞いたこともないという」

「ぼくのつき合い関係がせまいからでしょうね」

「君だけじゃない。ぼくは座員のみんなに訊いた。いままでのところ、六十二名の回答が君の答えと同じだ。親戚・友人・知人に測定器を預かっているとか預かったことがあるとかいう話は一つもないという」

「関東地区のテレビ家庭は、五、六百万軒くらいでしょうか？」

「もっとだ、九百万世帯」

「そんなにあるんですか。それなのに、その測定器がたったの五百台で、正確な視聴率結果になるんでしょうか？」

「あまりにも少なすぎる。〇・〇〇五パーセントだからね。その方面の専門家に言わせると、統計学をふりまわして理論的には正確さを説明するだろうがね。しかも、それは〇・〇〇五パーセントが存在しているという前提からだ」

「存在しないんですか？」

小山修三は声を上げた。

「まるきり存在しないか、どのくらい存在するか、そのへんのところがさっぱり分らん。しかし、君が周囲から何も聞いてないとすると、君の周囲には存在しない。ぼくの周囲にも存在しない。現在まで訊いた劇団員六十二名の周囲にも存在しない。これから質問する人たちも、おそらくそんな話は自分の周囲にはないというだろうね」

「いったい、どういうしくみになっているんですか？」

「これから言う。君にたのみたいことだからね」

「ふしぎな話ですね」

聞き終ってから小山修三は口髭の顔をかしげた。

「それでね、ぼくがひとつ、この実体を調べてやろうと思い立ったんだ」

「へえ、先生が？」

小山のおどろいた眼をまともに受けて啓助は、思わずたじろいだ。

いま、「どん底」の稽古場で「役者」役の研究生が「お前さんも奇人だな！」と吐いたセリフが、そのまま自分にむけられているような気がした。

こんなことを考えついていると知ったら、他人は「変った人」だとか「奇人」だとか言うかもしれない。

「うむ。君は、鷗《かもめ》プロがテレビ用に制作しているドラマを見たことがあるかね？」

啓助は急いでその質問に移った。

「ありますね。いつも良心的な作品をつくっていますね」

「君もそう思うだろう。この前やっていた『七人目』というのはよかった」

「ぼくも、あれは感心しました。娯楽作品としても立派です」

「だろう？　それなのに、視聴率は、わずか一ケタの八パーセント。あのプロの殿村君の顔が気の毒で見ていられないよ」

「俗悪な番組が幅をきかせすぎますよ。そういうのばかりが受けるんですね」

「俗悪な番組が幅をきかせすぎるというけどね。それが数字になってあらわれるのがTVスタディの視聴率調査結果さ。その調査の基礎となるのが、さっきから言っているサンプル家庭の測定器だ。ところが、その実体がよく分らない。われわれの周囲だけじゃなく、だれにきいても測定器なるものを預かったという家を聞いたことがない。そんなものにスポンサーの財布の紐《ひも》がゆるんだり締ったり、テレビ局の担当者が笑ったり泣いたり、クビが飛んだりする。視聴率は神さまという考えでね。視聴率は神さまかもしれないが、視聴率調査は亡霊かもしれないね」

「まさか」

「と、君も思うだろう？　その、まさか、には既成観念が入っているからだ。われわれは実証でゆこう。実証でないと何ごとも信じられん」

「で、先生の手で調査をなさるんですか？」

「する」

——さあおれにできるかね？　どうだ、おれにできるだろうか？　できないことがあるものか、やろうとさえ思や人間にはなんでもできる、というセリフは「どん底」の「役者」と「ルカ」のやりとりだった。

「しかし、あのサンプル家庭のことは極秘にしてあるんでしょう？　外部には絶対に秘密にしてある……」

「方法はないこともない。それをさぐり出す方法がね。これは、ぼくが考えついたことだが、もっといい思案があるかもしれん。……そこで、君に協力をたのみたい」

啓助がその方法というのを話すと、小山修三は口髭の端を指で撫《な》でた。興味を起した証拠だった。

「わかりました。協力しましょう」

修三は強くうなずいた。

「ほう、やってくれるか？」

啓助は金ツボ眼《まなこ》を輝かした。

「やってみます。ぼくも好奇心が少ないほうじゃありませんからね。弥次馬根性はあるほうです」

「弥次馬根性でやられるのは問題があるが、とにかくたのむ。こんなことはぼくが直接に出るわけにはいかないからな」

「それはそうです。先生は顔が知られすぎていますから、張込みや尾行にはむきませ
ん」

「そういえば」

啓助は小山修三の顔をじっと見た。

「……君のそのヒッピーまがいの髭は目立つよ。張込みにも尾行にも向くまい。いちど先方に気づかれたら、逃げられるよ」

「髭面も、このごろは普通になりましたからね。それほど目立つとは思いませんが」

「いや、それでも特徴があるからね。どうだろう、この仕事の間だけでも髭を剃《そ》り落してもらえないだろうか？」

「これを、ですか？」

修三は、五本の指を揃《そろ》えて惜しそうに髭のぜんたいを押えた。

「なに、それはすぐにもとどおりになるだろう？」

「そう簡単にはゆきません。生える途中がみっともないですからね。しかし、それは、ま、いいでしょう。考えます。はじめこの髭面でやってみて、気づかれたら剃り落します。顔が変りますから、そのほうが効果的かもしれません」

「一種の変相だ」

　啓助は面白がった。

「ところで、いまのお話ですが、TVスタディ会社の前に立つにしても一人では無理だということでしたね。ぼくもそう思います。あと二人くらい協力者が必要ですが、どなたか候補者が居ますか？」

「こういうことはね、信頼のおける人でないと駄目だ。だれでもいいというわけにはゆかん」

「ぼくもそう思います。だから、ぼくの友人には頼めません」

「テレビの視聴率にその人の生活が結びついていなければ、真剣にやってくれない。そこでね、思いつきだが、鷗プロの連中はどうだろうか？」

　啓助は上体を修三へ曲げて言った。

「鷗プロの人ですか？」

　修三は、一瞬、眼を遠くに投げた。

「さっきも言うとおり、あのプロはいい作品をつくっていながら視聴率が低い。きっと不満をもっているにちがいない。不満というのは一種の被害者意識だ。それだと自分自身の問題になる。と同時に、プロダクションの立場上、絶対に人には洩《も》らさないよ」

　啓助は説いた。

劇団「城砦座」に出むいた鷗プロダクションの殿村竜一郎は古沢啓助の話をきくと、まるい顔に複雑な表情をうかべた。細い眼をまぶしそうにし、小さな唇を曲げた。

「そら、また、おもろいことを考えたもんやなあ」

東京に出てきてから二十年以上もなるのに、彼は関西弁を捨てなかった。いちおうはそう言ったが、すぐには意見を吐かなかった。その小肥《こぶと》りの身体《からだ》で忙しそうに動きまわるくせに、慎重な性質だった。

「どうや、この案でやってみんかいな?」

啓助も殿村と話していると、つい、その関西弁の影響をうけ、彼の顔をのぞいた。

「そやなぁ」

殿村は眼をちかちかさせていた。

「そやなぁって、テレビの視聴率調査というのは、だれもが大なり小なり疑問を持っているだろう? いままで、ぼくの考えているような追跡調査をしなかったのがふしぎなくらいだよ」

「そら、そういうことをやろうとした人はなきにしもあらずでっけんどな、なかなかむつかしいんで、みんな諦《あきら》めてしもうてはるようですわ」

「諦めては駄目だな。不信感をもっているなら、その点を払いのけんといかんな。それでこそ信頼感が増すというものだ。君のとこはいいドラマをずっとつくっている。それは君らのような技術方面出身の人だからできるんだ。商売人にはできないことだ。君らの作品は良心的だといつも感服している」

殿村竜一郎は、ある放送局でテレビカメラを操っていた。十五年間くらいそんなことをしていて、五年前にドラマ制作のプロダクションを設立した。同志は友人のテレビカメラマン一人と、照明係と大道具係一人ずつで、自分を入れて都合四人の経営構成だった。いちばん年かさのせいばかりではないが、四十八歳の殿村が代表となっている。技術屋ばかりだから、かえって良心的な作品をつくろうとしている。いままでプロデューサーやディレクターの「いい加減な」企画や制作を現場にいて見てきただけに、それへの反省やら反撥《はんぱつ》もあった。

他の同業プロダクションは、とかく契約している民放局の押しつけどおりになりがちである。ということはスポンサーの意向にしたがっているということで、またそれでなければプロの経営がなりたってゆかない。低俗とか俗悪とかいわれる番組はこうしてやむなき事情で民放局の下請けプロでつくられる。

そのなかで鷗プロは、「職人気質《かたぎ》による手づくりの感覚」という。

鷗プロダクションがいくら「職人気質による手づくり」を吹聴《ふいちょう》したところで、低視聴率のものばかりだと、直属している民放局からも見放される。さいわいなことに、その民放局と契約している大手スポンサーの一つが鷗プロの制作を評価してずっと頼んできている。この視聴率は八パーセント平均だが、そのスポンサーの方針が自社のイメージに合うものならよいという寛容な条件なのでたすかっている。

ほかにもう一本、わりあいに「受けている」連続ドラマがあるが、それを除くと全部が低視聴率ものだった。

いま、古沢啓助が、君らの作品は良心的だといつも感服している、と言ったのは、よく頑張っていると激励の意味もあった。

「それで、なにかね、R局のほうからは低視聴率ということで、いろいろと注文やら苦情がもちこまれるだろうね？」

R局というのが鷗プロの直属する民放局だった。

「そりゃ、いろいろとおますわ。とくに、コストのカットでんな。景気もひとつですさかい、スポンサーが渋うなってますよってに無理ない点もおますけど、低視聴率というたかて、こっちゃがあんまり妥協せんと、そういうところからジワジワと攻められます」

殿村は苦笑してこぼした。

「さ、その視聴率だよ。それが上位だとそういう無理も言ってこんはずだ。かえって、君らの言うことを局やスポンサーのほうが聞くだろう？」

「局よりもスポンサーでんな。視聴率が高い番組は、勝てば官軍と同じことですわ」

「低視聴率の番組は、ひたすら恭順の幕軍か？」

「ま、そういうことでんな」

「その両軍をわけるのが視聴率数字だ。その調査の基本となる測定器の委託《いたく》の実体が、いま話してきたように、すこぶる曖昧模糊《あいまいもこ》のようだ。君らのような業者はあの数字を信じ、測定器の配分を調査会社の言いぶんどおり信じているのかね？」

「古沢はん」

殿村は皮肉な色を浮べて言った。

「……あんた、森鷗外《おうがい》の『かのやうに』という小説を読みはったことがおまっしゃろ？」

「なに、『かのやうに』？　うむ、読んだことがあるかもしれんが忘れたな」

啓助は殿村がだしぬけに鷗外の小説をもち出したので、きょとんとした。

「それやったらいいます。小説の筋はどうでもよろしけど、『かのやうに』というのんは、実体があるかのように、信じることで人間は暮しておるということらしいですわ。よく分らんものでも、それが実在しているかのように信じろ、ということでんな」

よく分らないものでも、実体がまるで存在するかのように信じることによって人間は生活しているという森鷗外の小説『かのやうに』のテーマを鷗プロの殿村竜一郎が持ち出したので、古沢啓助はちょっとおどろいた。

「君は案外に文学青年なんだな」

「いや、原作ものテレビドラマをやってると、その原作を読まんとあかんですやろ。前の局にいたとき、『雁《がん》』をやったんで、それがきっかけで鷗外のものをちょっと読んだんですわ」

殿村はてれて言った。

「そうすると、実体のないものでも、それがあたかも実在する〝かのように〟視聴率調査のことも関係者は信じているのかね？」

「なにごともそう思わんことには、人間、一日も暮してゆけまへんやろ」

「そう大悟していれば、なにも言うことはないがね」

啓助は短くなった煙草《たばこ》を口にくわえた。

スポンサーは視聴率調査を信用している。スポンサーがそうなら放送局も信用しないわけにはゆかないだろう。調査会社から発表された視聴率数字の低さをスポンサーに示され、なんとかならんかと言われると、局側では、いや、その調査方法に問題があるからその数字は信用できませんとは反論できないのだろう。そういえば弁解になる。言いわけのための強弁にとられる。かくて局の制作者側は沈黙し、担当のプロデューサーやディレクターを更迭《こうてつ》する。だれもが「かのように」の信じかたをしなければならない。

「けど、古沢はん」

こんどは殿村が顔をあげた。

「それはそれとして、いまの古沢はんのお話は、おもろいよってに、ぼくにできることがあったら、手助けさせてもらいまっさ」

「なに、協力してくれるか？」

啓助は彼の顔を見た。

「やらせてもらいます。ほんまいうと、ぼくもあの調査方法というのんに疑問持ってますさかいにな。そら、〝かのように〟式ばかりでもいかへんことがおます。そやけど、ぼくがこんなことに協力してるちゅうことは、絶対に内緒でっせ。そうしてもらわんことには、こっちがスポンサー筋に睨《にら》まれ、テレビ局からもおこられ、メシの食いはずれになりますがな」

「君のその心配はわかる。もちろん、絶対秘密だ。それは確約する」

「おねがいします」

「それでは、さっそく具体的な相談にはいろう……」

このとき、軽いノックが聞えて返事を待たずにドアが開いた。啓助が怒鳴りかけたとき、真白い髪の肥えた顔があらわれた。

「啓ちゃん。録画が済んでいま戻ったところだ。……よう、殿村君も来ていたのかね?」

「あ、山内先生」

殿村が山内耕司を見てイスから腰を浮かせた。啓助は渋い顔をした。

張込み

新橋駅の北口に近い一区域にオフィス街がある。まだ、コートがはなせない早春の一日の午後、忙しそうな商社員の足どりと違って、ぶらぶらと歩く三人の男女がいた。いかにも閑《ひま》をもてあましたように道の両側のビルの入口に眼をやったり、建物の上を見あげたりしている。

まったくのビル街ではなく、商店もまじっていた。洋品店、服飾店、レストラン、喫茶店、スシ屋、ソバ屋といったものもはさまっている。大通りの商店街がこの横通りに流れこんでいるともいえるし、ビル街の商社、銀行員、近ごろはOLの名でよばれている女子社員らを客にこのような店があるともいえる。

ならんでいるビルはそんなに大きくはない。せいぜいが七、八階どまり、間口が二十メートル、奥行もそのくらいで、どれもドングリのせいくらべといったところだった。

空に厚い雲がたれているのでビルの白亜が雪を塗りつけたようだった。

その通りをまっすぐに歩いたり曲ったりして北へ行くと、日本でも代表的なホテルの前へ出る。そのへんから通行人や車の数が急にふえるのは、劇場・映画館のアミューズメント・センターがあるからで、さらには銀座が近い。

三人はつながってホテルの横側玄関から入った。絨緞《じゆうたん》と舗装の違いで、廊下は通行人の様子を含めておしゃれな横丁と変らない。外国人が多い。

そこから正面ロビーへ出た。三人は、アンコール・ワットの仏塔をさかさまにしたような大シャンデリア群が吊《つ》りさがっている広いロビーのテーブルに着いた。無数のテーブルには無数の男女客がついていた。

三人は言い合わせてビールをとった。髭面《ひげづら》は小山修三である。中年の小男は、少々じじむさい顔をしていて、それに少し猫背であった。彼は「鴎プロ《かもめ》」で照明係をやっているる平島庄次といった。女は二十五、六くらい、髪を頰から両肩に流して、そのせいか顔が小さかった。瞳《ひとみ》は大きいが、少し眼尻《めじり》がつり上っている。鼻筋は徹《とお》っているが、尖《とが》った感じがしないでもない。口もとはしまっている。「鴎プロ」で、脚本のコピーとかスクリプターなどの雑用をしている羽根村妙子という。

それぞれは、一時間前に新橋駅前で落ち合ったところで自己紹介をした。小山修三は劇団「城砦座《じようさいざ》」の古沢啓助から言われたといい、平島庄次と羽根村妙子とは「鴎プロ」

の殿村竜一郎から言われて来たと述べた。

その場所では小さな声で短い打合せをし、それからさっきの散歩となり、ホテルのロビーでのビールとなった。

「これから、どうぞよろしく」

三人が目立たないように乾杯の真似をした。その間も、視線はまわりの人に警戒をむけていた。

「だいたい、あのビルの様子はわかったようですね」

小山修三は平島庄次と羽根村妙子に小さな声で言った。深いイスにかけてビールのコップを握った平島は背中をまるめていた。髪を肩に流した羽根村妙子は、ビールに一口つけただけでコップを前に置いていた。二人ともうなずいた。

あのビルとは「TVスタディ株式会社」であった。九階建の平凡なビルであった。窓が小さい。近ごろのことで、小さな窓は旧式な建物に映る。けれども、外部には要心深くしているように見えた。

「出入口は正面玄関と横の通用口です。この二つだけのようです。通用口の右隣は北川電機工業のビル。間隔は一メートルくらいですかな。調査員は通用口からは出入りしないでしょう。社員ですからね、やはり正面玄関からですな」

平島が呟《つぶや》いた。

「どれが調査員か当分は見分けが困難ですね。TVスタディ社の社員の数もかなりだと思いますが、五階から上には別の会社が入っています。これが相当に多い」

小山は髭についたビールの滴《しずく》を指で拭《ぬぐ》って言った。

「玄関にちょっと入って、その五階以上の社名を見たんです」

羽根村妙子が視線を下に向けて低い声で言った。

「……五階は、日本化学産業、関東鋼材、東洋科学加工。六階は日本鉄器、東京精密機械、昭和鉄鋼産業。七階は、関東電気興業、日本化学製品開発。八階は、極東光学工業、内国電気産業。九階は、関東機材、東京軽金属、日本計器産業でした。本社ではなく、支社とか営業所ばかりです」

ぶつぶつとひとり言を言っているようだった。

「すごい記憶力ですな」

小山修三は、長い髪が頬に垂れて片方の眼をかくしている羽根村妙子におどろきの視線をむけた。

「羽根村君はスクリプターの仕事もしていますのでね。俳優さんが台本どおりにセリフを間違いなくしゃべっているかどうか、台本を見ながら聞いてチェックするのですが、そんなことから文字の記憶が強いのですな」

平島が眼尻に皺《しわ》をよせた。

羽根村妙子はコップを唇に当てた。

「五階から上のは、硬派ばかりの会社が入居している。固すぎるくらいなのがね。TVスタディ株式会社の一階はなんですかね？」

小山は平島にきいた。

「一階は営業部でしょう。どこでもそうですから」

平島はコップを置いた。

「二階は？」

「二階は、経理とか、資材とか、庶務とか、そういうところでしょう」

TVスタディのビルの一階は営業部、二階は経理部、資材部、庶務部。どこの会社の配置もそうなっているから、平島の言葉はうなずけた。

「四階は、その会社の最上階だから、たぶん社長室や役員室など、偉い人の居る部屋がならんでいるのでしょうな。どこの会社でもそうなっている。それに、会議室や大事なお客さんを入れる貴賓室」

平島がぼそぼそと言った。

「そうすると、三階が問題のテレビ視聴率調査部門が入っているところということになりますね」

小山が推量を働かせる眼で言う。平島も羽根村妙子もうなずいた。

「……事業の中核だから、おそらく三階フロアの全部をその部門が占めているでしょう。各方面に委託《いたく》した測定器から蒐集《しゅうしゅう》されたパンチ・ペーパーを数字になおす設備、そのパーセンテージを出して順位をきめるコンピューター室、それをタイプにして配布する印刷室、それにパンチ・ペーパーを回収してくる調査員のデスクのある部屋、また、次回はどのような方面にどのような家庭を五百のサンプル目標にするかを決定する調査研究室といったものもあるでしょうね」

「ほんとに、そういう実体があるんでしたらな」

平島が口の両端に笑いの皺をつくった。良心的なドラマを制作しているのに、視聴率が「不当に低い」ことに鷗プロの一員である彼もその調査会社に不信感を抱いていた。殿村竜一郎に言われて、よろこんでこの「調査の追跡調査」に参加してきたようである。

「いや、そのとおりですが、これはその実体が存在することを前提にして、われわれは今から調査しようというのですから」

小山は言った。もし殿村と古沢啓助の間にかわされた「かのように」問答を聞いていたら、彼もその言葉をここに使ったにちがいない。

「まったく、まったく」

平島は背をかがめ、首をつづけて上下させた。

「今日は魔の水曜日、上位視聴率の速報が夕方あたりに各関係方面に電話で流される日ですわ。でも、さっきTVスタディ会社の前を通ってみても、あんまり人の出入りはありませんでしたわ。いま、午前中に回収されてきたパンチ・ペーパーの数字を計算している最中でしょうね」

羽根村妙子が顔の前に垂れかかる髪を小指で掻《か》きのけながら口を開いた。

「いまが午後二時二十分です。今日はビルと付近の偵察だから、わざと回収の調査員が出社する時間をはずしたのです。われわれが用もないのにじろじろとあの会社の前をのぞいているのが、出社する調査員や社員にわかると、まずいですからね」

小山が顎髭《あごひげ》を軽く撫《な》でた。

超一流ホテルのロビーだから、このボックスにちりばめられている客も上品であった。年配の男女は鷹揚《おうよう》な様子で向い合い、若い男女も派手に気どっていた。外国人客と変らないマナーを持ち、洗錬された身ぶりで低い会話をささやき合っていた。

もっとも、紳士たちだけのささやきには商談もあれば社内派閥の陰謀もあった。総会屋どうしの談合もあれば、手形のパクリ屋だって居るかもしれない。が、それらの「悪人」もすべて典雅な雰囲気《ふんいき》に染められ、たとえば折から流れこんできた結婚披露宴に出席する裾《すそ》模様の華やかな婦人たちが横に坐っても、決してそぐわないことではなかった。

みんなが声も出さぬくらいに談笑していた。だから、この三人が低い声で語り合っていても、密事の打合せという感じは少しもなかった。

「あの会社は九時出勤です。出入口は正面と横の通用口です。さいわいなことに両方とも道路に面しています。われわれの張りこみはどこにしますかね?」

小山が押えた低い声で言った。

「斜め前に喫茶店がありましたね。あそこしかありませんわ。前の看板をちらっと見たら、モーニング・サービスがあると書いてありましたわ」

羽根村妙子が大きな眼をして言った。

「ぼくも、あの喫茶店しかないと睨《にら》んで来ました。ほかの店は朝が早すぎて入りにくいですな」

平島が煙草《たばこ》をくわえて言った。

「そうですね。そうしましょう」

小山は同意した。

「けど、小山さん。見張りしていても、どの社員がTVスタディの人だか見わけがつきませんね。それに、いま、羽根村君が言ったように、あのビルの五階以上は、関東鋼材だの、東洋科学加工だの、日本鉄器、東京精機そのほかみんなで八社も九社もはいっていますさぞ出勤時間は入口も混むと思いますがね」

「社員バッジで区別がつきませんかしら?」

羽根村妙子が言った。

「なるほど。それでもTVスタディの社員がやっと分ったというだけで、どれが調査員かそのへんの見分けがむつかしい」

「それは、わりあいに楽ではないかと思います」

　小山が二人に言った。

「調査員は、出社する前に担当のサンプル家庭をまわってパンチ・ペーパーを回収してくる仕事がありますからね、それに時間がかかるから出社が遅くなる。だいたい出てくるのが十一時ごろじゃないですかね。そのころ、ぞろぞろと出社してくるのが調査員と思えばよろしいでしょう。それに、巻き紙のようなパンチ・ペーパーをいくつも持っているから、それを入れた大きな手さげカバンのようなものを持っているはずです」

　調査員は出勤前にサンプル家庭を回るから出社時間が他より遅くなる、手には測定器からとり出したロールのパンチ・ペーパーをいくつも入れた手さげカバンを持っている、それが調査員の判別法だ、とは古沢啓助が小山に指示したアイデアであった。

「なるほど、そら、合理的な見わけかたですな」

　平島が納得したようにうなずいた。

「そこで、その調査員と思われる連中の顔を見おぼえておきます。彼らが退社するところを、再び見張っていて、あとを尾《つ》け、その自宅を突きとめる。こんどは次の週の水曜日にその自宅付近で張りこみ、その調査員がパンチ・ペーパーを回収に行く先を尾行するのです。一人で、少なくとも二十軒以上をまわるでしょうからね。そうすると、サンプル家庭の存在が確認され、TVスタディの視聴率調査はやはり実体があったと知ることができます」

これも古沢啓助が小山修三に授けた知恵であった。

「理屈ですな」

平島が合点合点をした。

「まあ最初の間は、こっちにも失敗があるでしょうがね。調査員と思っていた相手が実はそうでなかったり、尾行しても見失ったりね。しかし、根気よくやれば必ずサンプル家庭をつきとめることができます。その数がどれくらいあるかという見当もね」

小山が言うと、

「なんにもなかった、という場合も考えられますわ」

と、羽根村妙子が鼻に乱れかかる髪を払いのけるように顔を振って言った。

「それはそれでこちらの調査の意義があります。幽霊の正体を見たということでね」

「そりゃあそうです。もしかすると、そっちのほうの意義が大きいという結果になるかもしれませんよ」

平島庄次が両手をこすり合わせた。

「そこで、あの喫茶店に見張りしての分担ですが」

小山が低い声をさらに低めた。三人は顔を寄せ合い、いっしょにうつむき合っていたので、はたから見ると、三つの頭が一点に集まっていた。

「まず、各自が午前中に見おぼえた顔を退社のさいに見つけます。それを帰宅まで尾行します。もっとも相手はまっすぐに帰らずに酒場などに寄り道するかもしれませんがね。そのときは仕方がないのではなれたところで付き合うか、表に立っていて出てくるまで待ちましょう」

髭面のくせに小山修三は蚊の鳴くような声を出した。

「まっすぐ帰宅するにしても、マイカー族がいますからね。こっちが流しのタクシーを見つけるまでに逃げられてしまう。羽根村さんは車を持っていますか？」

彼女がうなずくのを見て、次の張込みからは車で来てください、と小山は言った。

「車の尾行は女性のほうがいいです。相手がバックミラーを見ても、ドライバーが女性だと安心しますから」

小山が羽根村妙子に言った。

「でも、調査員がサンプル家庭を十軒も二十軒もまわる車のあとを追跡してゆくと、いくら女がハンドルを握っていても先方にあやしまれるでしょうね？」

羽根村妙子は首をかしげた。

「そこは、うまくやってください」

「あなたはどうなんですか、その髭のお顔で？」

彼女は視線を走らせて眼もとを笑わせた。

「これですか。当分はこのままでやってみます。そのうちに目立ってきたら、髭も剃《そ》るし、髪も短く刈ります」

小山は、古沢啓助に言ったのと同じ答えをした。

「ま、そんなふうに苦労するくらいの手ごたえがあるといいですがね。どういうことになりますか。……」

平島庄次が声を出さずに笑った。眼尻の皺に猜疑《さいぎ》が集まっていた。三人とも半信半疑なのである。少々誇張していえば、謎《なぞ》への探索であった。けだるそうな様子はしていたが、三人とも胸は刺戟《しげき》の針を打ちこまれていた。

「それで、あなたがたは時間のほうは大丈夫ですか？　これはかなり長くかかると思いますが。追跡は一週間に一回ですが、はじめの数週間は錯誤のくりかえしになると思います。本格的になってからでも相当長くかかりそうです。まず、二カ月や三カ月は覚悟しておかないといけないと思いますがね」

小山が言った。

「そりゃ大丈夫です。これは殿村さんのほうから言い出したことですからね。忙しいには忙しいけど、時間のさしくりはつきますよ」

ビールの残りを飲み干して平島が言った。背中をまるめ、年寄りのように皺の多い顔だが、意欲がうかがえた。

「水曜日ごとに手別けして調査した結果は、その日のうちにもち寄って検討したり、次回の行動の打合せする必要がありそうですね？」

羽根村妙子が頰の髪を指でいじりながら提案した。

「それはそのとおりです。TVスタディ社前の喫茶店の『若草』は水曜日の午前十時までに集まればいいでしょう。調査員の出社はおそいですからね。夕方、五時ごろにはもういちど喫茶店『若草』に集まって、午前中に見当をつけた調査員らしいのが退社してくるのを見張る。それから各自が自宅まで追跡。次の水曜日は朝早くからそれぞれが自宅付近で張込み。当人が出てきたところを尾行。サンプル家庭の突きとめ。順序はこのとおりにして、その結果をその日の午後一時に集まって互いが報告し合い、共同検討をしましょう」

「けっこうです。その場所は？」

「ここでいいじゃないですか。当分はね」

小山は顔をあげてまわりを見まわした。

その会社の斜め前にある『若草』という喫茶店に毎水曜日午前十時ごろからの張込み

を四回つづけたあと、小山修三、平島庄次、羽根村妙子の三人は、自分たちの思い違いを知った。

毎水曜日が四回といえば一カ月である。うすら寒い早春から、桜の散った陽春となり、外を歩くにもコートなしで、少し急げば汗ばむ陽の強さとなった。

当初の見込みからすれば信じられないことだったが、TVスタディ会社には視聴率調査の調査員はいなかったのである。

小山修三は、それを古沢啓助にこう報告した。

「最初の水曜日は午前十時に喫茶店の『若草』に三人は集まり、TVスタディ本社の二つの出入口がよく見える道路側の窓ぎわにすわって、雑談を装いながら見張りをつづけていました。午前十時からといえば、普通の社員はとっくに出勤したあとですから、そういう人たちが入ってゆく姿はありませんでした。もちろん、それはTVスタディ本社だけではなく、あのビルの五階以上にはいっている関東鋼材、東京精機、日本化学製品開発などの社員についても同じです。ですから、十時すぎには、乗用車やタクシー、または徒歩できてビルに入って行く訪問者が散発的にあるだけでした。それと、仕事で出入りするビルの社員です」

小山たちがマークしているのは、相当ふくらんだ鞄《かばん》か荷物をかかえ、十一時ごろから出勤してくる社員であった。けれども、十二時になっても、そういう姿は現われなかった。

正午になった。ビルの中から社員が三々五々と出てくる。若い女もいる。昼飯を食べに行く連中であった。彼らの人相を見覚えても仕方がなかった。

「そういう連中がコーヒーなどを飲みに入ってきたので、喫茶店の中はいっぱいになりました。われわれも十時からねばっていたので、席を空けなければならない。で、外に出ました。こんどはビルの出入口が視角に入る範囲内で、そのへんを三人でぶらぶらと散歩するふうにみせかけました」

ＴＶスタディの社員バッジは分った。円形の中に三角形が横になり、左にむかって矢のように尖端《せんたん》を向けている。何を象徴しているかわからないが、強いて解釈すれば、円形が電波で、三角形がテレビ塔であろうか。これが横向きになって矢のかたちにもなっているのは、指標とか前進とか、現代の先端を行く企業というのを象徴させているのかもしれない。

「一時になっても二時になっても、調査員らしい者は現われませんでした。ビルの中に十三の会社が入居しているだけに、外来客はかなり多いんですがね」

最初の水曜日は、三時すぎに三人はむなしくひきあげた。狐につままれた気持であった。

第二回・第三回の水曜日の見張りのことで、小山修三は古沢啓助に報告した。

「第二回も、結果的には第一回と同じことでした。どうも、こちらの思ったような社員が現われないのです。ふしぎなことだと思いましたね。そんなはずはないのです。

そこで第三回は、逆に午前七時からTVスタディ本社の前に張り込んでみました。というのは、普通時間の出勤よりも、調査員の出勤が早いのではないかと思ったからです。つまり、水曜日の夕方に視聴率を電話で各方面に通知するとなれば、いくらコンピューターにしてもその計算に案外手間どるのではないか、パンチ・ペーパーを数字に復原するのもかなりの時間を食うのではないか、そうすると、サンプル家庭の測定器からペーパーを回収するのは、当日の早朝ということになろう、と考えたのです。一週間ぶんの視聴率は、その日の午前二時すぎには遅い放送時間の局のが記録されていますからね」

「なるほど。それでどうだった?」

古沢啓助はイスにかけ、片脚を貧乏ゆすりさせながらきく。興の乗った証拠だった。部屋にはだれも入らせなかった。事務員や俳優がドアを細めに開けてのぞいたが、みんな啓助の手ぶりに追い返された。

「そんな早朝だと、前の喫茶店も店を開けていません。そこで、羽根村妙子さんの車に、平島庄次さんとぼくが入って坐り、あのビルの近くに停めて張り込んでいました。ぼくも車で行ってもよかったけれど、二台もいては目立つと思いましてね。平島さんもぼくもそこまで電車で行きました。羽根村さんは親切で、ぼくらが朝飯がまだだろうというので、サンドウィッチなんかつくってきてくれていました」

「彼女の親切なことは分った。しかし、その早朝の張込みもダメだったんだな？」

「がらんとしていて、ビルの前にはだれも来やしません。警備員の人がときどきチラチラするのと、朝の散歩にお年寄りがぶらぶら歩きしているだけです。それでも午後の二時ごろまではそうしていました。車を少し移動させたり、交替で降りて昼食を食べに行ったりしました。遅く出てくる社員の姿はありません。そこで二時すぎに引きあげ、ホテルのロビーに集まって三人で協議しました。水曜日の夕方にＴＶスタディ社から関係各方面に視聴率結果の第一報が通報されるのは事実だから、その日のうちにサンプル家庭のペーパーが集められることも確実です。そこで、これは平島氏が言い出したことですが、もしかすると調査員は回収したペーパーを直接には本社に持ってこないのかもしれない。先方も、これまでわれわれのような人間がいて警戒心が旺盛《おうせい》だろうから、それは避けているのだろう。となると、第二の場所があるのではないか、そこに調査員たちが入って、その集めたものをとりまとめ、それを目立たぬように本社へ運んでいるのではないか、とね。……」

小山修三は、ときどき口髭《くちひげ》の端を押えながら古沢啓助に報告をつづけた。

「平島さんの言葉は、説得力がありました。あるいはそうかもしれない。視聴率調査の正体を見たいというのはだれもが考えることだし、われわれの以前にも調査員を追跡しようと試みた者が相当にあったろう。TVスタディ社でもそこを要心して、第二の場所でまず調査員たちがサンプル家庭から持ち帰ったペーパーをまとめる。それを包みに入れて数人が本社に持ち込む。とすると、第二の場所はTVスタディ社の別館のようなところになります。これをさがすのがまた厄介です」

「どうしてだね、別館なんかはオープンだから、電話帳などで調べてみたら、すぐに分りそうなものだがね」

「先方に警戒心が強ければ、そういう知られた別館などでもないでしょう。おそらく表面はTVスタディ社とは関係ないようにみえる場所ではないですか。そうなると、こっちはお手上げです。さがしようがありませんからね。それよりも、どうせ測定ペーパーのまとめたものが本社に持ちこまれるのだから、それを運んでくる調査員をマークすればよい、やはりこれまでどおり本社ビル前に水曜日の午前十時から見張ることにしました」

「それで三回目の張込みが終った。次が第四回目だね?」

「そうです。これも徒労でした」

小山はふうと息を吐いて言った。

「そんな大きな包みを持ってTVスタディ社に入る調査員らしい男は午前十時以後、午後の四時になっても影も形も現われません。われわれはすっかり腐ってしまいました。

もし、これがほんとうに配置したサンプル家庭からの測定ペーパーを土台にして毎週の視聴率を決定するとしたら、TVスタディ社の要心堅固ぶりは美事なものだと思いました。しかし、一方では、こんなに見張っているのに、それらしい物を運搬してくる調査員みたいな姿がないのは、やっぱりTVスタディ社から発表される視聴率調査結果というのは幽霊だったということになります」

「うむ、うむ。それはそれで意義があるじゃないか?」

「意義はあります。けど、その幽霊を確認するためにも、もう少し見張りをつづける必要があります」

「そりゃ、そうだ。中途半端なことをして、軽率に結論を出してはいかんな」

「それでも、見張っているわれわれには、やはり期待感があります。何んにも無いというよりは、あったほうが張り合いがありますからね。それで第四回目の見張りを午後四時ごろに引きあげるとき、羽根村妙子君が溜《た》め息《いき》をついて呟《つぶや》いたものです。もし、あの手提げハンドバッグやショッピングの紙袋の中味が視聴率測定のペーパーだったらなぁって。……」

「なんだい、そのハンドバッグとか買物袋というのは?」

羽根村妙子が嗟歎《さたん》して呟いたというハンドバッグやショッピング紙袋を古沢啓助は聞き咎《とが》めて小山修三に問うた。

「それは、こういうことです」

小山は頰に伸びた髭を大事そうにおさえて言った。

「午後一時すぎごろから女のひとがあのビルの中に一人ずつぽつぽつと入って行くんですな。たいていは中年の婦人ですが。それがみんな言い合わせたように肩からつるす大型のバッグや買物の紙袋を持っている。中には風呂敷包みを持っているひともありました」

「はてな」

「というのは、あのビルの五階にある東洋科学加工株式会社というのが、実は玩具《おもちゃ》の製造業者でしてね。社名はいかめしいけれど、実際は中小企業らしいんです。で、家庭の婦人たちの内職に玩具の部品づくりを頼んでいるらしいのです。これはビル前の『若草』という喫茶店が教えてくれたのですが……」

「ははあ。婦人たちはその出来上ったものを届けにくるのかね？」

「そうだと思います。それでビルに入ると二十分くらいで出てきます。たぶん内職に作った品と引きかえに賃金をもらうだけだからでしょう。製品の出来高払いというやつですね。そういう婦人たちを見ているので、羽根村君が、あのハンドバッグやショッピングの紙袋の中が、せめて、テレビ視聴の記録ペーパーだったらなあ、とつぶやいたものです」

古沢啓助の眼に光が出た。

「その婦人たちがそのビルに入るのは毎日かね？」

「いや、毎日かどうか分りません。こっちは毎水曜日ごとに見ているだけですから」

「その婦人たちが五階の東洋科学加工株式会社に行っているというのを君たちは確かめたのかね？」

「いいえ。そういうことはしません。関係のないことですから」

啓助は思わず高い声を出した。

「それだ！」

「え？」

「それだよ。TVスタディ会社にサンプル家庭から回収した記録ペーパーを持ってくるのは。その婦人たちだよ」

「………」

「いままでぼくも君たちも思い違いをしていた。そういう回収の仕事は本社員である調査員だと思いこんでいた。ところが、そんな仕事はべつに本社員でなくてもいいわけだ。アルバイトの家庭婦人を使えばよい。そのほうが目立たなくていい。その持っている大きなハンドバッグや買物の紙袋の中にこそ回収されたペーパーが入れてあるんだよ。きっと」

啓助に「どん底」の舞台で吐くルカの台辞《せりふ》が耳に聞える。

《なに、そう失望したものでもないさ。》

「君たちはね」

啓助は小山につづけた。

「……その婦人たちを見るのは毎水曜日でしかなかった。それは例の見張りの日だからそうなる。だから、ほかの日も婦人たちはバッグや買物袋をさげてあのビルの中に来ていると思っているだろうが、そうではなく、婦人たちも毎週水曜日だけに来ているんじゃないのかな。そこも調べてみたら、どうかね、ほかの曜日にビルの前に行ってみて」

「………」

「いったい、その婦人たちは、どういう年ごろで、どういう家庭のひとのように思えるかね？」

「その気になって観察していませんが、三十歳くらいの女性から、四十歳くらいの女性です。服装も派手なひともあり地味なひともあります。ちょっとシャレた格好のひと、そうでないひと、まちまちですが、家庭の主婦らしい点では一致しています」

「アルバイト主婦だ。いや、玩具じゃなくて、ＴＶスタディ社の視聴率調査員だよ。このぼくの直感はあたっていると思う。どうだ、この次の水曜日から、その婦人たちを調査してみないか？」

「それは、もうやるつもりでいます」

小山修三は落ちついて答えた。

「実は、羽根村君の呟きから、ぼくも平島氏も、はっとしたんです。いま、先生がおっしゃったことと同じことに気がついたんです」

「え、なに？」

「ふうむ、やっぱりね」

啓助は息を吐き、髭の舞台美術志望家の顔をうち眺めた。

「うかつでした。先入観というのはいけませんね。視聴率調査といえば、TVスタディ社の根幹です。その調査員だから、本社員でなければならんという頭がこっちにあったんですね。まさか、記録ペーパーの回収までアルバイト主婦を使うことはないと思っていた。それが盲点になっていたんです。そんなふうに考えてみると、大きなハンドバッグやショッピングの紙バッグを持った婦人たちがビルの中に入って二十分ぐらいして出てくる理由も分ります。あれは各サンプル家庭から記録ペーパーを回収して届ける手間賃をそのつどTVスタディ社の会計からうけとって帰っているのだと思います」

「まず、それに間違いない」

古沢啓助は満足して言った。

「それに気づいたので、実は昨日の月曜日にビルの前で見張りをしました。案の定、あの婦人たちの姿は一人も見えませんでした」

「やっぱりね」

啓助は手をこすり合わせた。

「明日の水曜日から、われわれは新方針のもとに調査活動をします。そのつど、結果を報告しますが、ぼくがこうして毎週劇団にきて先生に会うのは、はたの人がふしぎに思いますから、報告は手紙にして速達で出します」

宣伝部員が啓助へ相談に入ってきた。

尾行

小山修三から古沢啓助あての「報告」(手紙)。

《四月二十一日。十三時前よりいつもの現場で、われわれ三名で張りこみました。時刻からして喫茶店「若草」が客で混むことを考え、羽根村君の車を同社ビル前より約百メートルはなして駐車、その中で休憩を装《よそお》いながら監視しました。ほかに無人の駐車が三台あり、通行人もあまり注目しませんでした。

天候は晴。昼食後の散歩からビルの各社員がぞろぞろと戻って中に入って行きます。

ＴＶスタディのバッジをつけた社員もかなり眼につきます。ビル前の狭い広場でバドミントンをしていたＯＬたちも姿を消しました。あとはがらんと人影が少なくなり、走る車が多くなりました。しかし、ビルの前につく車は少数で、乗降するのは忙しそうな商社員ふうな男ばかり。

十三時十分。ビルの中から中年男の会社員があらわれた。ワイシャツ姿で道路の傍《そば》に立ち、両股《りょうもも》をひらいて両手を挙げたり下げたり、腰を回したりして運動をしている。額が広く、髪が少ない。その髪をきれいにわけた四十歳前後で、眼鏡をかけたまる顔である。腹が少し出ている。運動をしながら、左右を眺めていた。どこの会社の者かわからないが、典型的なサラリーマン風。昼食後の腹ごなし運動を五分ばかりやって引込んだ。

十三時二十分。家庭の主婦らしい三十五歳くらいのベージュ色のツーピースを着たのが都内のデパートのマークのついたショッピング・バッグを提げ、片手には小さな黒いハンドバッグを持って東方面からくる。べつにあたりを見まわすこともなく、ＴＶスタディ本社の中にさっさと入って行きます。やせぎすの顔、眼鏡をかけている。車内の三人はそれを眼に刻みつけます。

十三時二十五分。青地に黒のチェック模様のついたワンピースの小肥《こぶと》りの婦人が西方角からタクシーをビルの入口前に着けて降りました。はじめから背中ばかり見せて顔はわかりません。これも手に買物の紙袋をさげて、少々さっそうとした足どりで中に入りました。タクシーは去りました。
十三時三十分。背の低い、四十歳ぐらいの和服の女が紫色の風呂敷包みを手に抱えて東の方角から歩いてきました。黒っぽい化繊の袷《あわせ》、白の草履。四角い感じの顔です。本社ビルの中に入りました。これもわき見はしません。
十三時五十分。三十歳くらいのブラウスに赤いズボンをはいた女性二人が東方から歩いてきてビルの中に入りました。背の高いほうのブラウスは白で、ほそ面のかなりな美人。背のやや低いほうのブラウスは黄色、まる顔で派手な感じ。二人ともショートカット。それぞれが同じデパートの買物バッグを持っていました。
十四時五分。五つくらいの女の児の手をひいた三十五、六くらいの青いツーピースの婦人が西のほうから来てビルの中に入りました。……》
小山修三の古沢啓助への報告。（手紙）
《……こうしてみると、十三時から続々と婦人たちがTVスタディ社ビルに集まってくることがわかります。
いや、これは今まで水曜日ごとの張込みでも見られた風景ですが、前にも言いましたように五階にある東洋科学加工会社へ家庭アルバイトの製品を納入しに行っているとばかり思いこんでいたので、かくべつ気にもとめなかったのです。今回は、まったく新しい、別な眼になって婦人たちの顔、服装などの特徴を仔細《しさい》に観察したわけです。

十三時から婦人たちがテレビ視聴の記録ペーパー入りのバッグを持ってTVスタディ社にくるとなると、十三時から十四時くらいの間が回収の締切り時間かと思われます。これを逆算すると、婦人たちが受持ちの各サンプル家庭を回収にまわるのはだいたい十二時までと思われます。自宅から新橋のビルにくるまではわりあいに近いところで一時間、遠いところで二時間を要するかと思われます。

そうすると、それをさらに逆算して彼女らが各サンプル家庭を回収にまわるのに自宅を出るのは毎水曜日の午前九時ごろ、まわるのが多ければ八時ごろにはもう出かけているんじゃないかと思います。

それにしても視聴率調査の基礎となるモニター・ペーパーの回収が主婦のアルバイトばかりとは意外というほかありません。

さて、そうして見張っているうちに、先刻、タクシーで来たワンピースの女性がビルから出てきました。手には小さな黒いハンドバッグだけで、デパートの買物袋は持っていません。中に入れたペーパーごとTVスタディ社に置いて来たとみえます。》

——あれは間違いなく回収員だ、と平島庄次が車の中から見て言った。

「どうしますか?」

と、彼が修三の顔を見たのは尾行のことだった。だれがそれをするかという相談だ。

「タクシーで来たから、表通りに出てタクシーを拾って行くかもしれませんね」

その女の姿は軽い足どりで行く。

「じゃ、わたしがこの車で追いましょうか？」

羽根村妙子がハンドルに手をかけて言った。

「いや、ぼくが行く」

平島は腰を浮かしてドアを開き、

「……タクシーなら、こっちもタクシーで尾けて行きますよ。表通りに出れば流しがいくらでも走っているから。あなたがたは、あとのほうをたのみます。あの婦人をA号としましょう」

と、車を降りた。

向うの女性はまだ視界から消えていず、平島は両手をポケットの中に、背中をまるめて歩き出した。

十四時十五分、最初にビルに入った婦人が玄関から姿を現わした。ベージュ色のツーピースで、道路に出ると陽を受けて眼鏡が光った。手からショッピングの紙袋が消えていた。

「どうしましょうか？」

羽根村妙子がロングヘアを揺すって修三にきいた。

「さあ」

とっさに決断しかねていると、つづいてビルから十分前に女の児を連れて入った主婦が出てきた。女の児は母親の片手を両手で握ってもつれていた。紙袋は持っていたが、軽そうだった。

その母子づれの姿をさえぎって西からきたタクシーがとまった。二人づれの女性が降りた。黄色と青のセーターに緑色のズボンである。買物袋はなく、肩から黒の大きなバッグをつるしていた。

空いたタクシーには母子づれが乗った。運転手に行先を告げるのが見える。タクシーはそのまま東へ走り去った。

そのあと、すぐにビルから白いブラウスに赤いズボンの女性が姿を出した。さっき黄色いブラウスのといっしょにビルの中に消えた女だが、その伴《つ》れの姿はなかった。道路に立って左右を見ていた。タクシーをさがしているらしい。三十二、三歳ぐらいで、額はややひろいが、きりっとした顔だちだった。いくらか神経質そうな感じだった。

駐車しているこっちのほうにちらっと視線を投げたが、アベックが車内で憩《やす》んでいるとでも思ったらしく、気にとめるふうでもなかった。そこでタクシーをあきらめて西のほうへ足早に歩きだした。

「羽根村さん。あのひとをおねがいします」

修三は車を降りるとき、

「B号としましょう」

と言った。羽根村妙子は肩の髪をひとふるいさせてアクセルを踏んだ。

「報告」。

《十四時二十分、四十歳くらいの黒っぽいワンピースの主婦が買物袋をさげてビルの中に入りました。それとすれ違いに、黄色のブラウスに赤いズボンの女性が出てきました。白のブラウスとはどうやら別行動のようです。彼女も流しのタクシーをさがすように左右を見ていましたが、白ブラウスの伴れとは反対の東のほうへ歩いて行きました。

ぼくは、あと、まだまだ婦人がビルに来そうなので、そのまま立っていました。思ったとおり、同二十五分に五十歳近い婦人が東のほうから歩いてきてビルの中に入りました。いままで見たうちの最年長者で、ひきつめ髪の半分近くが白くなっています。暗い鼠色のワンピースに、おさだまりのデパートの紙袋です。

一分ばかりしてタクシーがぼくの立っているまん前にいきなりとまり、ドアから平島氏が頭をかきかき降りてきました。尾行に失敗したというのです。》

「流しのタクシーをつかまえるのが少し遅かったですな」

平島庄次は苦笑して修三に言い、その傍にならんだ。

ちょうどそのとき、いままで見たうちでただ一人の和服の女がビルから出てきた。彼女の手にあった風呂敷包みも消えていた。黒っぽい着物と白の草履とが不調和である。

車のほうへむかって歩き出す。

「ぼくはあの婦人を尾けて行きますから、あとのほうをおねがいします。まだ中から、出てこない婦人もいますし、これからも入ってゆく人もあると思います。羽根村君は十分前に車で出ました」

修三がいうと、庄次は分った、というようにうなずいた。

「あの婦人をC号としましょう」

C号の尾行報告を修三は古沢啓助に書き送っている。

《かりにC号と名づけたその四十歳くらいの女性は、和服をきているところから水商売関係のひとかと思いましたが、着物は化繊で、外出には和服を好む普通のサラリーマン家庭のひとか、水商売にしても大衆むけの料理店につとめる女中といったところでした。

銀座の某デパートの前で腕時計を見、中に入ります。店内の模様は知っているらしく、ネクタイ売場の間を縫ってエスカレーターで二階へ。すぐ右手がワイシャツ売場。身長は百五十センチあるかなし。ショートカットだが前髪を少しふくらましています。

一般商品のコーナーの前を通っただけで、千五百円均一と書かれた棚をのぞく。一枚のワイシャツを手にしてから棚にある全部のそれぞれと比較するように丹念に択《えら》んでいます。結局、手に持ったのを買う。その間、四十分くらい。

このとき、丈はあまり高くはないが、濃紺の地に赤い線のチェックの入った背広で、ネクタイも胸のハンカチも臙脂《えんじ》に黄の縞《しま》というお揃《そろ》い、見るからに服装・配色に神経をつかった三十すぎの男がどこからともなくあらわれて、婦人のうしろにさりげなく近づきました。

長髪型ですがそれほど伸びてはいず、櫛《くし》の目もきちんと入っています。頬骨がやや目立ち、顎《おとがい》は張っています。口のまわりからその顎にかけて剃刀《かみそり》のあとが青い化粧でも塗ったようになっている。

ぼくは、その三十ぐらいのおしゃれ男がワイシャツを見ている婦人の夫か、あるいは恋人かと思って眺めていました。というのは、彼が低い声で（ぼくのほうには聞えないけれど）、しかもなれなれしげな態度で婦人になにかものを言っているからです。

ところが、婦人のほうは案に相違してそれが耳に入らない様子で、もっぱらワイシャツの選択に気をとられているふうでした。それでもスマートな服装の男は、やはり婦人のすぐ背後にいて口を動かしていました。婦人が位置を変えると、彼もまた同じところへ移るといったぐあいです。

婦人は、急いでワイシャツを決め、店員に包ませると、男にはとりあわず、さっさとエスカレーターのほうへ行きました。

あとに残ったおしゃれな男は、婦人の後ろ姿を見送り、逃げられた、といった表情でうすら笑いをうかべていました。そうして、ぼくのほうにちらりと眼をむけました。

ぼくはエスカレーターへ急ぎました。婦人は一階で降りました。そこの売場の間を通り抜けて出入口へ歩きました。

地下鉄口に入ります。自動販売機でキップを買ったが、いくらか分らない。販売機の前では観光団体客がいて行先をはばまれました。九十円のキップを買ったが、彼女の姿が見当りません。銀座線渋谷行が発車したばかりでした。》

小山修三の「報告」。

《例の超一流ホテルのロビーで、平島氏、羽根村君、ぼくの三人が昨日、木曜日の午後二時に臨時に落ち合いました。臨時というのは前日水曜日の張込みと尾行で、TVスタディ社の記録ペーパーをサンプル家庭から集めてくる回収員の実体におぼろげながら見当がついたので、次の水曜日からの追跡調査の方法についての打合せのためです。

その前に、羽根村妙子君が白ブラウスに赤いズボンをはいた三十二、三歳くらいの女性、B号を追って行った結果を書きます。

B号女性は新橋駅前に出ると、商店街にある洋菓子店に入りました。そこは奥に喫茶のテーブルもあり、女性はまずそこに坐りました。羽根村君は車をとめてあとから同店に入ろうと思ったが、なるべく顔を合わさないほうがよいのと、彼女がタクシーを拾わずに新橋駅前でお茶を飲むのは電車に乗るつもりでいるのだと判断して、彼女の喫茶の時間を利用して近くの有料駐車場に車を預けに行きました。その間が約十分、徒歩で戻って外から店内の様子を見ると、白いブラウスがドアのガラス越しに映っていました。べつにだれとも待ち合せる様子もなく前のとおり一人でした。五分ばかりすると女性は店から出てきました。店の洋菓子をみやげに買うではなく、前の新橋駅構内にわき見もせずに歩いて行きます。

以下、羽根村君の話を簡潔に書きます。

B号の女性は東京駅で降りて一番線ホームへ行き、立川行の中央線電車に乗る。身長百六十五センチくらい。中肉。三番目車輛《しやりよう》の前部に腰かける。乗客は少ない。肩にかける大型のバッグから週刊誌を出して読みはじめる。誌名が見えない。表紙の体裁から週刊誌ではないらしい。

左の薬指にオパールらしいダエン形の飾りがついた指輪をしている。彼女は左利《き》きのようである。雑誌のページを左手で繰り、開いた誌面を掌でおさえるようにしていた。そのために指輪が目立つ。

新宿駅についたときだけ誌面から顔をあげて窓の外をちょっと眺める。タマゴ形の顔。眼が細い。鼻筋が徹《とお》って、口はやや大きい感じ。アゴが短い。化粧は濃いほう。

中野をすぎたあたりで雑誌を閉じバッグに入れる。高円寺の北口に出て、二つ目の角を曲って東方向へ歩いて五分。団地の構内に入り、3号棟にはいる。エレベーターに乗り、羽根村君も乗る。ほかに人はなく、二人きり。香水が匂《にお》う。二人とも会釈《えしやく》はしない。

彼女は羽根村君をちらりと見る。こんな女が3号棟の住人にいたかな、それとも訪問者かな、といった表情の視線。九階でエレベーターを降りるとき彼女はもういちど羽根村君に眼をくれる。》

「報告」のつづき。

《羽根村君も九階につづいて降りた。だが、エレベーターの中から相手の女性に一瞥《いちべつ》を向けられたので、これ以上の尾行は無理だと思い、降りたところにとどまって、白いブラウスの女性の靴音が長い廊下を遠去《とおざ》かり、角に消えるまで待つ。曲るとき、先方がこっちをふり返ったかどうかは、背中をむけていた羽根村君には分らなかった。

羽根村君はそのあとから廊下に歩き出し、角を折れたが、長い通路の両側はドアを閉め切った各室がならび、人影一つ見えなかった。どの部屋のドアが閉ったか音も聞いていなかった。子供の声がどこかに聞えるだけである。ここであまりうろうろもしていられないと引返す。こうして羽根村君のB号婦人追跡は失敗した。

……というような話を羽根村君から聞いて、われわれ三人はロビーで意見の交換に入りました。

平島氏の話では、ぼくがC号婦人を尾行し、それに失敗して引返す間に、十五時三十五分ごろ三十四、五歳くらいの女性が買物袋を持ってTVスタディ社のビルの中に入り、つづいて同年配の女性が同じ袋を手にさげて一人入ったそうです。この三十五分ごろに入った女性は同五十分ごろに出てきたといいます。

こういうことで、その日の張込みは「下見」という意味もあって、一応うち切りました。それまでにビルに入った婦人は目撃した限り十二人で、出てきたのが九人でした。したがってビル内に残っているのは三人ということになります。

問題は、それらの婦人たちがTVスタディ社のためにサンプル家庭からモニターの測定ペーパーを集める回収員かどうかという点ですが、これは同社に確認しなくても（目下のところ、その確認の方法もない）間違いなしということで意見の一致をみました。デパートなどの紙袋ショッピング・バッグは回収した数家庭からの測定ペーパーを入れたものであり、それぞれが入ったビルから間もなく出てくるのは、たぶん、その回収品と引換えに同社の会計から賃金の支払いをうけるだけの手つづきであろうと思われます。

婦人たちの年齢や服装からいって家庭の主婦であることも間違いありません。また、以上観察したように、彼女らはこの仕事に最近ついたのではない印象でした。いずれもが「馴《な》れている」という感じなのです。何度も同社に来ているという足どりで同ビルに入り、帰途も無駄のないコースを通るようです。すでに銀ブラなどはやりとおしたキャリアの持主だというのも三人の一致した感想です。

これで分ったのは、TVスタディ社では、たとえそれが主婦のアルバイトを使うにしても、サンプル家庭から測定ペーパーを回収している、だから視聴率調査のサンプル家庭は存在している、という感触です。

それから、午後一時ごろになると、眼鏡をかけたまる顔の事務員が、きまって表で体操しながら、左右を眺めていることです。どうやら、かれはTVスタディ社の社員らしく、回収員のくるころになるとあたりを警戒しているようにみえました。われわれの仕事も彼のためにたいそうやりづらかったのです。》

古沢啓助は小山修三の「報告」を読み、考えこんだ。

TVスタディ社はやっぱり「サンプル世帯」を持っていた。看板に偽りなしである。幽霊ではなかった。さすがである。

これまで視聴測定器を預かったという家庭の話を聞いてないからといって疑っていたのは、こちらの無知であった。それだけ先方の秘密性が保持されていたのだ。

それはそうだろう、あらゆるテレビ放送局・スポンサー・制作プロダクション・ジャーナリズムなどが視聴率の正確公平さを信じて、それを基準にしているTVスタディ社の調査にインチキや欺瞞《ぎまん》があるわけはない。小山修三たち三人はその回収員をちゃんとつきとめている。

やはり小山たちに調べさせてよかった、と古沢啓助は思った。そうでなかったら、いつまでも疑心暗鬼が残る。こんどの調査のきっかけとなった枝村マサ子という未知の女性からの手紙にも答えられる。

（東京駅で十年ぶりにお友だちに遇《あ》われることはあっても、テレビ視聴率調査のモニターとなる測定器を委託《いたく》されたという家庭のことを全然見聞されてないということでは小生も同様です。しかし、当方の調査によると、そのモニターとなる標本家庭はやはり存在するようです。その記録ペーパーを毎水曜日ごとに回収する婦人たちがおります。お手紙には、放送局のプロデューサーをしてらっしゃるお兄さんが、その担当番組の視聴率が上らない理由で局からいわゆるホサレた状態になられた、それが幽霊のごとき視聴率数字ならばまことに不合理であるとありましたが、少なくともその数字がまったくの幽霊でないことだけは今回判《わか》りました。ただし、良質の番組企画がかならずしも上位視聴率を得るとはかぎらず、かえって良質なほど低視聴率というのが現状です。したがってお兄さんの名誉を決して傷つけるものではありません。……）

枝村マサ子に対してそういう返事の文句さえ啓助の頭には浮んでいた。

だが、その回収員が主婦のアルバイトとは啓助も意外であった。これは小山修三も同じ感想のようである。視聴率調査の基本ともいうべき測定ペーパーの回収をアルバイトにまかせている。測定器も一般家庭へ委託なら、記録の回収もそうである。前者は当然としても、後者は少々安易にすぎるような気がする。いくら人手の省略にしても。

それに、小山修三の報告によると、目撃した回収員らしい主婦は十二人だということである。かれらの眼にふれないものを入れても二十人そこそこだ。それだけの少人数で関東地区五百のサンプル家庭がまわり切れるだろうか。サンプル家庭は、渦巻き蚊取り線香のような渦状線の中に点在しているという。してみればそれぞれに距離があるはずだ。ここに回収にあたる機動力に問題がありそうである。——

古沢啓助は考える。

小山らが目撃した回収員らしい婦人は、ショッピング・バッグとかいう紙製の買物袋に測定記録ペーパーを入れているとみられる。捲《ま》きとったペーパーの大きさがどのくらいか分らないが、一つの袋には八個ぐらいは入っているのだろう。水曜日の午前中に、距離のはなれた八世帯をまわるためには、かなりな機動性を要する。それは車でなければなるまい。

ところが、小山の「報告」を見ると、アルバイト主婦の回収員はどうも自家用車を持っていない人々のようである。げんに彼女らはほとんどが電車や地下鉄でくるらしい。タクシーを利用しているのもあるが、これはわりあいに近いところからくるのであろう。とにかく、家庭の主婦のアルバイトであるから、機動力はあまりないとみなければならない。してみると、一人がサンプル家庭を午前中に八軒もまわるというのは無理かもしれない。平均して六軒というところか。六軒ならば、二十人の回収員で、百二十世帯である。

ＴＶスタディ社の公表では、サンプル家庭が関東地区で五百世帯というから、百二十世帯の回収だとはるかに少ない。かりに二百世帯としてもまだ少ない。

もっとも、小山らによる目撃の回収員は、東京都内が主と思われる。関東地区となれば隣接県が入るから、そのほうの回収員は別に居て、それらが測定ペーパーを集めてＴＶスタディ社に持ってくるのは他の方法によっているのかもしれない。

だが、テレビ視聴率の調査は都内が中心だ。それが二百世帯にも足りないというのは、どういうことか。あるいは、小山らが目撃する主婦たちのほかに、本社に持ちこむルートがあるのか。

翌週の金曜日に小山修三から速達がきた。「報告」は、もっぱらこういう方法で、電話もよこさなければ、当人もやってこなかった。電話で言うには内容が長すぎる。劇団にたびたびくるのは目立つ。

「報告」。

《昨日の水曜日のＴＶスタディ社前での張込み状況の詳細は省きます。羽根村君は車を持ってきませんでした。これは先週ホテルでの打合せによります。

十三時から例の喫茶店「若草」に三人が集まり、茶を呑《の》みながら、文学とか美術とか、そんな芸術論に花を咲かせます。こうした話題のほうが長くねばれますし、店の者にも怪しまれません。それに、いつ席を起《た》っても自然ですから。

昨日ビルに出入りした婦人たちの顔ぶれも人数もこの前とだいたい同じです。顔も憶《おぼ》えました。……》

例の眼鏡のまる顔がワイシャツでまた表に出て「食後の体操」をはじめました。なんだかこっちの喫茶店のほうをにらんでいるような気がします。》

TVスタディ社のビルから十五時二十分ごろ、青地に黒のチェック模様のワンピースをきた小肥《こぶと》りの女性が出てきた。年齢は四十歳くらい。

彼女は張込みの最初の日にタクシーでビルの前に乗りつけ、その帰りは平島が尾行したが、まんまとそれに失敗した。A号婦人で、それでこんどは、小山があとを尾《つ》けることにした。

彼女は新橋駅のほうにまっすぐに歩く。その歩き方に特徴がある。男のように外股《そとまた》で、だるそうに歩く。この前、タクシーを降りたときは、少々さっそうとした足どりでビルの中に入ったが、徒歩となると別のようである。紙の買物袋はなくそのかわり、ボストン・バッグともつかぬような黒の中型バッグ（模造革か）が一つ。

地下鉄では帰途のキップが買ってあった。銀座線渋谷行に乗る。身長百六十三センチくらい。肉づきがよく中年肥りといった感じ。ドアに近い席があいていてそれにかける。車内吊《づ》りの広告ポスターなどに眼をあげていたが、別に興味はなさそうですぐに眼を伏せて、睡《ねむ》るかのように閉じる。まる顔には化粧があるが濃くない。口紅もうすい。髪は多い。若いときは、もっと瘠《や》せてかなりな美人だったと思われるが、いまは疲れが目立っている。週刊誌も何も持たない。黒バッグを膝《ひざ》の上にのせている。

赤坂見附で新宿行に乗りかえる。車輛の中央部あたりに腰かける。片脚を前に伸ばしたまま眼をつむる。踵《かかと》の低い茶色の靴。四谷駅で乗りこんできた若い男が彼女のその脚先を蹴《け》る。男は謝るように頭をさげる。彼女はいったん引込めた片脚をまた伸ばす。新宿までそのままの格好。眼をつむっている。測定ペーパーの回収にまわるのに朝が早かったのかもしれない。

新宿駅に着くと改札口を出て地下商店街を通る。左側に、やきそば、ハンバーガー、焼きソーセージ、ソフトクリームなどを立喰いするコーナーがあり、彼女はそこに入って、キナ粉餅《もち》を注文する。周囲は学生ふうの若者が多い。皿にのった三つの餅をみんな食べ終る。十六時二十五分。この場所には馴れている感じ。

西口に向い、デパートの食料品売場を突切って行く。陳列のケースには眼もくれない。エスカレーターで一階に上り、婦人もの売場を見て回る。買う気があるようには見えない。が、きょろきょろと顔をあちこちに振る。

エスカレーターで三階に上り、婦人服売場を見て回る。相変らずの歩き方で、ただまわりを見て歩くというだけ。なにか時間かせぎしている感じ。

外に出る。十七時十五分、商店街の前を通り、ガードをくぐって歩道をカギの手に渡り、歌舞伎町に入る。二つ目の角を東に折れ、ビルの中に入る。そこでエレベーターに乗るので追跡ができない。ビルの名称はどこにも書いてなく、キャバレーやバアの名が出ているだけ。すでにネオンがともっていた。

……間をおいてエレベーターで上るべきかどうか小山修三が迷っていると、五、六分もして彼女のほうからエレベーターで降りてきた。中型のボストン・バッグに似たような黒いカバンは持っていない。あのカバンは買物袋のかわりにサンプル家庭から回収して集めたテープをTVスタディ社に持参する際の容《い》れもののようである。

A号婦人は、ビルの近所の喫茶店「レンガ」に入る。注文をききにきた女の子に、ただ「ホット」とだけ言う。小山の位置は彼女の斜め後ろのボックス。彼女は煙草《たばこ》を喫《す》わない。店内はかなり混んでいるのに、四人がけのボックスで悠然とコーヒーをのんでいる。そうして入ってくる客をなんとなく見ている感じ。ここは若いアベックが多い。

三十分もそうしていて喫茶店を出る。十八時五分前。さっきの、キャバレーやバアの看板が六つも七つも出ているビルに入り、つきあたりのところで降りてくるエレベーターを待つ。

ドアが開いて、黒服に黒の蝶ネクタイの若い男と二十五、六くらいの長身の女性が出てくる。これは艶《つや》のある白っぽい和服に朱色の帯をしめている。可愛《かわい》い顔。二人はA号婦人と顔を合わせると、三人で同時に「お早う」という。彼女はこのビルの中にあるキャバレーかバアにつとめているらしい。しかし、ホステスではなく、店の裏方（たとえば調理場の下働きといったところ）か事務室の雑務手伝いというふうにみえる。それは、蝶ネクタイも白っぽい和服のホステスも彼女に対して素気ない態度だったのでも察しられた。

十八時三十分までエレベーターのところに小山がいると、さっきの蝶ネクタイが一人で外から戻ってきて、彼の顔を何となくうさん臭そうに見るので、張込みを中止した。

さっきの喫茶店「レンガ」に行ってA号婦人からコーヒーの注文を聞いた女の子に、それとなく彼女の身もとを訊《き》く方法もあったが、この女の子の口から彼女に告げられても困ると思い、小山は他日を期し、この日は諦《あきら》めた。――

《さて、ここで平島氏と羽根村君とがいっしょに組んで尾行をしたD号婦人のことを簡単に記します。D号婦人とは、前に白いブラウスに赤いズボンの女性（つまりB号婦人です）といっしょにTVスタディ・ビルに入った伴《つ》れの黄色いブラウスのほうです。だが、今日はベルトのある茶のコートにベージュ色の裾幅《すそはば》のひろいパンタロンふうのズボン。けれど二人はその顔を見憶えていました。細面で、眼の上がひっこんで翳《かげ》りがあり、なんとなく近代的な顔。鼻の先がちょっと上をむいて、唇がひろいのもファニーフェースといったところです。二人が組んで尾行したのも、今回の打合せで、あまり欲ばらず

に対象を一人ずつ確実につかもうというところからです。さて、そのD号の婦人は……。》

……D号の婦人が地下鉄新橋駅から乗り赤坂見附で乗りかえ新宿駅に降りたところから平島、羽根村の報告ははじまっている。

三十二、三歳のD号婦人は国鉄西口改札口を通って小田急線に向う。腕時計を見て、自動販売機に百円玉二つ入れ、百八十円のキップと十円玉二個をとる。足早に階段を昇る。ホームに入り、すでに乗客で席が埋っている急行小田原方面行に乗り、空席をさがして前へ歩き、一つ見つけて駈《か》けるようにそこへ腰をおろす。これはビニールのショッピング・バッグ。

バッグの中のものを改めるように手を入れてのぞいている。電車が走り出すと眼をつむる。バッグは膝の上。眠っているようである。

小田急町田駅で降車。十五時五分。同駅もホームの先にある階段を足早に降り、北口に折れて駅ビルのOKストアに入る。牛肉三百グラム（百グラム三百五十円）と、和菓子を八個ばかり買ったのを確認。ほかに二、三の買物をしたようだが何だったかは離れているので不明。その間、約二十分。

紙袋に入れた食料品を抱えて同ストアを出、道路を渡ったところの駐車場に入る。白い色の小型車の屋根に荷物を置き、ドアを開けてからコートを脱ぐ。グレーの地に鮮やかな花模様のセーターがあらわれる。荷物を後部座席に置くが、コートだけは投げこむようにする。

車の運転には馴れているのか、乱暴にいったんバックしたと思うと、すごい勢いで車を発進させた。あとに残った二人は車の「相模―8963」のナンバーを読むのに精いっぱい。タクシーはなく追跡は不可能だった。

しかし、翌日、平島が陸運局に車輛《しやりよう》番号を調べに行ってみると、この車(カローラ)は本年の二月一日に尾形恒子名義に登録されたばかりだった。

住所は町田市中森町二丁目五ノ六で、市役所に行って住民票を見ると、八年前に藤沢市から転入している。夫は尾形良平といい、生年月日からすると今年が三十九歳、恒子は三十二歳であった。子供は居ない。「回収員」の姓名が知れた最初であった。

そこで、平島は町田市の該当場所を見に行った。そこは町田街道(八王子・横浜間)を西の横浜方面に三キロあまり寄ったところで、バス停の中森郵便局前で降りる。

この近くは都営住宅がほうぼうにある。該当番地は郵便局の前から南に入ったところで、鎮守社がある。雑木林や空地もあり、小さな雑貨屋、野菜屋、パン屋などもあって新開地といったところ。このへんは十年前にひらけたらしい。

尾形良平方は八十坪くらいの敷地に建坪二十五坪くらい、一部二階建の一戸建であった。

判　断

火曜日、平島は車で町田の尾形良平の家へ様子を見に行った。これは明日が回収日である水曜日のサンプル家庭尾行にそなえての準備であった。

その家の前を通りかかると白い小型車が置いてあった。まぎれもなくこの前に町田駅前の駐車場から出て行ったカローラだった。

庭には尾形良平と思われる五十くらいに見える男がうすい頭髪の後頭部を見せて立っていた。茶色のセーターに青い作業ズボンで、うしろむきなので顔はわからなかった。玄関のガラス戸が開けたままになっており、D号婦人すなわち尾形恒子が一度だけ姿を見せたが、夫との年齢は十五以上に開いているようにみえた。彼女の家はT字路の角から三軒目で、その前の角は空地になっている。近所のものらしい乗用車が五、六台停めてあった。それだけを眼に入れて平島は車で通り過ぎた。

翌水曜日の朝、平島は尾形恒子を尾けるためにその前を通りかかった。八時に五分前であった。例の白い小型車がなかった。勤め人の夫を駅まで送って行ったのではないかとみて、空地の角に張り込んだが、九時半を過ぎても車は戻らなかった。二階と一階の庭側の雨戸はぴったりと閉められてある。完全に留守である。彼女がサンプル家庭の回収に家を出るのが八時三十分すぎだろうと推定したのは平島の判断の誤りであった。彼女はもっと早い。

平島は尾形恒子の尾行ができなかったので、新橋のＴＶスタディ・ビル前の喫茶店「若草」に入った。十三時だった。そこに小山修三と羽根村妙子とが窓ぎわのテーブルに着いていた。

十三時二十五分に三人の女性がビルの中に入って行った。そのなかの一人はＤ号の尾形恒子である。八時前にはすでに町田の家を出ていた女が、このビルに入るまで五時間以上を要している。いうまでもなくサンプル家庭を回るのに時間がかかったからだ。三人のうちの一人は、この前、女の児を連れてきた女で、一人は今日初めて見る顔であった。四十二、三歳。よく肥えている。二十分もすると、この大柄な女がひとりでビルを出てきたので、小山修三が喫茶店を出て行った。

彼女は身長百六十三センチくらい。肥えていて重そうに歩く。青いブラウス、グレーのズボン、布製の花模様のショッピング・バッグを持っている。髪はお河童《かっぱ》のようなショートカット。地下鉄を茅場町《かやばちょう》で降りて西船橋行の快速電車に乗る。腰かけてケースから眼鏡をとり出し週刊誌を読む。眼が細く、鼻が大きい。五分と経《た》たないうちに窓ガラスによりかかり、口を開けて眠る。小山はこれをE号婦人ときめた。西船橋（終点）に着き、乗客が降りかかってから眼を開ける。彼女の降りたところで降りる。乗りかえた電車の中でも、すぐに口をあけて眠る。よほど疲れているらしい。十五時二十五分、佐倉駅着、E号婦人の大柄な身体は駅前の店に入って、パンと菓子を買った。小山は入口の外に立ち、人を待つような顔をして見ていた。彼女は金を払ってから女店員としばらく話している。何か文句を言っているような顔つきだった。

駅前から赤木方面行のバスに乗る。乗りこむとき、三十五歳くらいの女性に声をかけられ、いっしょに乗り、ならんですわる。「たんぽぽ」というバス停で降りたが、車中三十五歳くらいの女性としゃべり通す。バスの所要時間は二十三分で、十六時三分着。

二人でいっしょに降車し、話しながら赤信号の交叉点《こうさてん》を駆けて渡った。下校中の小学生らがそれを見て、「あっ、赤信号なのに、いけないんだぞっ」とはやしたが、二人ともふり返りもせずに話しながら歩く。

約五分して静かな住宅街の最も奥まった家の前で二人は別れる。どうやら三メートルの間隔の道路をへだてて向い合う隣人のようである。この道は行きどまりの袋小路。E

号婦人の家は十五坪ていどの木造平屋。すぐ隣に木造二階建のアパートがある。「川端忠男」という表札が出ているが、町名も番地もわからない。

同家をしばらくみていると、ワイシャツ姿の瘠《や》せた年寄りが畑にしゃがんで草とりしていた。顔色はよくない。夫のようである。帰りに、市役所の出張所で住民票を見せてもらったところ、住所は佐倉市白原町一六五番地、川端忠男（62）、妻常子（52）、三女雪子（22）となって、長女と次女は結婚して関西へ転出、現在は三人暮しのようであった。

次の水曜日、小山と羽根村妙子とは、七時二十分に佐倉市白原町一六五番地のE号婦人（川端常子）の家の付近に到着して、アベックの散歩を装《よそお》った。

あたりは住宅街なので、東京へ通勤するらしい男女の勤め人が「たんぽぽ」バス停方面に向って歩いていた。

川端家と、二人のいる場所との間は野菜畑で、ほぼ四十メートルの距離があった。こっちには近所の車が三台駐車しているので遮蔽物《しゃへいぶつ》として都合がよかった。畑の柵《さく》と同家の庭の植木にさえぎられてはいるが、家の一部と玄関とはよく見通せた。

八時を五分すぎると、同家の縁側のガラス戸が開き、瘠せた主人（川端忠男）が庭に下りて、蒲団《ふとん》を庭の物干竿《ものほしざお》にかける。

それが終ると家の中に入る。やがて屋内を箒《ほうき》で掃き、チリを外に出す。主人はまた外に出てきて、外に掃き出されたチリを手箒をつかって集め、畑の隅に捨てる。日当りのいい縁側には応接セットが置かれてあるらしい。しかし、ほかのアルミサッシ製のガラス戸は閉じられたままであった。

十分ばかりすると、小山と羽根村妙子の佇《たたず》んでいる場所に駐車してあった車三台を持主が次々と取りにきた。キイでドアを開けるときも、アクセルを踏むときも彼らは朝からのアベックを妙な眼で眺めた。車が三台とも出て行くと、これまでの遮蔽物がなくなり、二人は近所の家からも目立つようになった。

小山は羽根村妙子をそこに残し、バス通りに出てタクシーを拾った。運転手には、興信所の調査員だといって、調査のために協力してほしい、車を走らせなくても、そのぶんに見合う料金とチップを出すと交渉した。

三十ぐらいの運転手は承知して小山を乗せた。前の場所に行き、羽根村妙子を拾った。タクシーを移動させ、道が下にさがったところに駐《と》めた。E号婦人（川端常子）宅を斜め下から見上げる位置である。二人は車内から同家を観察した。妙なもので、車の中にいる人間には通行人もあまり注目しなかった。

川端家から、さっき掃除をしていた痩せた主人がやはりワイシャツ姿をちらりと出しただけですぐに中に引込んだ。年齢よりも老《ふ》けてみえる。どこかの会社を停年退職して、つつましく悠々自適の生活をしているといったところらしい。

「あの家の娘さんに何か縁談ごとでもあるのですか？」

タクシーの運転手がにやにやしながらきいた。興信所の者だと言ったので、素行調査をしていると思ったようである。

この前、市役所の出張所で見た住民票では二十二歳の三女が同居しているので、運転手がそう勘違いするのも無理なかった。

うむ、まあね、と小山は胡麻化《ごまか》したが、羽根村妙子が、

「運転手さんは、あちらのお嬢さんをご存知なのですか？」

と、訊《き》いた。なるほど、運転手が縁談云々《うんぬん》のことを口にするからには、彼はこの川端家の内情を知っているようである。

「いや、知っているというわけではありませんがね。ときどき、東京から戻ってくるとき、佐倉駅前に客待ちしているぼくの車に乗ることがあるんでね」

住民票に三女は同居となっているので東京からときどき戻ってくるというのが小山には妙に聞えたので、

「東京に勤めて会社の寮にでも入っているのかね？」

と、横からきいた。

「なんだかしらないが、だいぶんおシャレな娘さんですよ。カタギな会社づとめのようには見えないけどね。おや、それは素行調べのあんたがたのほうが詳しいんじゃないか

ね?」

運転手に逆にきかれ、小山たちもそれ以上には問わなかった。

このとき、その家の前に車がきて停《とま》るのが見えた。

川端家の前にとまった車は、青色の中型車で、若い男が二人乗っていた。そのうちの一人が手に茶色の包みものを抱えて玄関の中に入った。髪が長く、柿色のシャツに青のGパンをはいていた。九時五十分だった。車に残ったほうの男は、レンガ色のシャツがちらちらするだけでよく分らなかった。

十分ばかりすると柿色のシャツの若者が出てきた。黒のサングラスをかけているのがはじめてわかった。彼はそそくさと車の中に入り運転台にいるレンガ色のシャツの横に坐った。

川端家の路地は一方通行のため、車はバックで出て来て畑の角でむき直ってバス通りの方向に走った。あいにくと畑のふちに伸びた生垣のような灌木《かんぼく》にさまたげられて車の番号が読めなかった。

二十分ばかりすると、川端家の縁側のガラス戸が閉った。大柄な川端常子で、マーク記号ではE号婦人であった。

十時五十五分、E号婦人が家を出た。夫の姿は見えない。その服装も、持っている花模様のついた布製のショッピング・バッグも、前回とまったく同じであった。

小山はタクシーを降りてE号婦人のあとから歩いた。彼女が「たんぽぽ」バス停に立つと、すぐに佐倉駅行のバスがきた。彼女は前部の席にかけた。小山は後部に乗った。バスが走り出してしばらくすると、右側をタクシーが追い抜いた。窓に羽根村妙子の姿があった。

バスの中の川端常子は前方をぼんやりと見ていた。羽根村妙子の乗ったタクシーは前方百メートルくらいの距離で、バスのスピードに合わせて走っていた。

十一時二十分、川端常子は京成佐倉駅前でバスを降りた。小山もほかの人といっしょに降車した。

大柄な彼女は、靴底を地面にペタリとつけるような歩き方である。自動機で二百七十円のキップを買う。早い発車の電車に乗るつもりか、発車時刻の掲示板を見上げていた。

このとき羽根村妙子が小山の横に寄ってきた。

E号婦人は、けっきょく入線してきた各駅停車の電車に乗った。電車が動き出してから週刊誌を出して読みはじめる。小山と羽根村とは反対側座席のうしろに坐り、斜め前の彼女を視野の中に入れた。彼女は、このアベックには見むきもしなかった。

E号婦人の川端常子が京成電鉄高砂駅前の商店街を回ってから、地下鉄新橋駅に出てTVスタディ社に入ったのが二時五十五分であった。

このとき、彼女はビルの入口で出てきた女と挨拶《あいさつ》して中に入った。これが町田市にいるD号婦人の尾形恒子であった。この前、駅前の駐車場から小型車を乱暴に運転して行ったので尾行はできなかったが、車体番号から身もとだけは分った。それを手がかりに翌週の水曜日の朝、自宅前に張り込んだが、遂《つい》に姿をあらわさず、サンプル家庭の回収先をあきらめた当の女性である。

今日の彼女はブラウスではなく、赤い花模様のワンピースであった。小山と羽根村妙子には眼もくれずに新橋駅のほうへ歩いて行く。三十二だが、いままで見たアルバイト回収員のなかでは若く、それに丸い顔に鼻の先がちょっと上むいたところなど、なかなか魅力的であった。彼女はしゃれたショッピング・バッグをさげていた。

羽根村妙子が、その後ろ姿に迷った顔をしたが、小山は引きとめて喫茶店の「若草」に歩いた。今日は早朝からE号婦人の川端常子に佐倉から引きまわされてくたびれてもいた。

「若草」に入ると、平島庄次が背中をまるめてコーヒーを飲んでいた。

「やあ、ご苦労さん」

平島は顔の小皺《こじわ》を動かして笑い、いま、君たちがビルの前でD号婦人とすれ違ったのがここから見えたよ、と言った。

「あの女性はぼくが今朝の七時半から町田市の自宅の前でタクシーをやとって待っていたがね。マイカーの小型車で八時に家を出て、五軒ばかり回っていた、町田市が二軒、相模原市が二軒、それに大和市が一軒でした」

「町田市のほかは神奈川県ばかりですね？」

小山が言った。

「そうです。あのバッグにテープを入れているらしいですね。まるで集金するように回っていた。それから小田急線町田駅前に戻って車を駐車場にあずけて、このビルに入ったのが二時三十分でしたよ。だから中に二十分ばかり居たことになります。会計から金をもらったんでしょうな。だいたい、こういうところですが、あなたがたのほうはどうでしたか？」

小山修三は、平島庄次、羽根村妙子といっしょに古沢啓助と会った。平島と羽根村が所属する鷗《かもめ》プロの代表殿村竜一郎が加わった。それも水曜日であった。

劇団「城砦座《じようさいざ》」の事務所で会ったのではやはり目立つ。近所の小さなレストランに行った。昼食では、古沢と殿村とが、三人を慰労する意味もあって、かたちだけの乾杯をした。四月の終りになると、ビールも急においしくなる。

調査結果についての検討が席上の話になった。

「ＴＶスタディ社が公表しているように視聴率調査のサンプル世帯は確実に存在している」

これが一致した意見であった。幽霊ではなかった。実体はあった。
「ぼくらの追跡調査例は非常に少なかったですが、都内のほかに神奈川県と千葉県がありました。つまり看板どおり関東地区にサンプル世帯が散在していたわけです」
小山が髭《ひげ》をなでて言った。
「どうも調査対象の数が少なかった憾《うら》みはありますがね」
平島庄次が背をまるめて言った。
ここに、修三によって書かれたリストがある。
《A号婦人——四十歳くらい。新宿歌舞伎町横のキャバレーで働いているようである。ホステスではなく、料理場の下働きか事務所の雑役をしているといった感じ。蝶《ちょう》ネクタイの男とホステスと顔を合わせたとき、お互いに「お早う」といった。（小山）
B号婦人——三十二、三歳くらい。白いブラウスに赤いズボン。杉並区高円寺『クヌギ』の団地3号棟の九階に住んでいるらしい。エレベーターを降りたところで尾行不能となり、部屋番号は分らない。（羽根村）
C号婦人——三十七、八歳。和服。ビルを出てデパートに入り、男もののシャツ売場などのぞいて地下鉄口へ。販売機で九十円地区のキップを買ったが、団体客にはばまれて見失う。銀座線渋谷行に乗ったもののようである。（小山）
D号婦人——三十二歳。黄色いブラウスに赤いズボン。前週、B号婦人といっしょに

TVスタディ社ビルに入った女性。町田市中森町二ノ五ノ六に住む。尾形恒子。小型自家用車で、町田市、相模原市、大和市などのサンプル世帯をまわり、車は小田急線町田駅前の有料駐車場に預けて、小田急線で新宿を往復する。夫婦暮し。（平島）

E号婦人——五十二歳。大柄。佐倉市白原町一六五に住む川端常子、同家は静かな住宅街にある。主人と三女の三人暮し。水曜日の朝、車に乗った若い男が小箱のような包みを届けにくるから、サンプル家庭のペーパー回収を手伝わせている様子。（小山・羽根村）》

小山修三の書いたリストは、彼が古沢啓助に提出した調査報告の要領だけである。対象はAからEまでの五人の婦人。このうち自宅が確認できなかったのはA号婦人とC号婦人である。C号婦人は地下鉄で見失った。

レストランの昼食会は、古沢、殿村の聞き手を交えた小山、平島、羽根村の「調査員の座談会」のかっこうとなった。

古沢「TVスタディ社がサンプル世帯の測定ペーパーの回収に婦人のアルバイトだけを使っていたのは少々意外だったね」

殿村「ぼくも意外だった。会社のちゃんとした社員が回収を専門としているとばかり思ってました。しかし、これは、君たちが実見したのがそういう婦人たちで、ほかに回収係の正社員がいるんじゃないかね。つまり婦人のアルバイトはその補助ということではないか」
小山・平島「それは考えられません。水曜日の午後一時半ごろから四時ごろの間に、あのビルに入るのは婦人ばかりで、男の姿は一つも見かけませんでした。時間的にいって回収員ならその時間帯にペーパーを入れた容器を持って本社に入らなければならないわけです」
羽根村「わたしもそう思います。婦人たちだけです」
古沢「君たちが見たところでは、婦人たちはそのアルバイトにたいそう馴《な》れている感じだということだね。だいぶん前からそれにたずさわっている。自宅と新橋のTVスタディ社の間を無駄なく往復して、銀座をブラつくでもない。通いつけているから、もうそんなものには興味がないわけだ」
小山「そうです。あの様子では、少なくとも一年以上はその仕事をしている感じです」
平島・羽根村「同感です」
古沢「それだけTVスタディ社に彼女らは信頼されているんだな。秘密を守らねばならぬ仕事だから、会社側も回収員だけは簡単に変えられないんだろうな」
殿村「そうでしょうな。だって、これまでサンプル家庭が分ったことがないのですからね。サンプルを預かった家庭も口が固いが、その複数の家庭を回る回収員の口はもっと堅固なわけです」
古沢「おしゃべりな女じゃ、つとまらないね。会社側も婦人のアルバイトとはいえ、その回収員は厳選しているんだよ」
殿村「そりゃ、そうでしょう。賃金というか、報酬も高いんだろうな」
古沢「賃金は、婦人たちが買物袋に入れた回収ペーパーを持ってくるのと引替えに会社側が払っているらしいが、それにしては現金を握って帰る婦人たちの行動は、つましいもんだね」
小山「そうなんです。せいぜい喫茶店に入ってコーヒーをのむか、駅の売店でパンを買って食べるかするていどです。デパートに寄っても、Yシャツ一枚買うのにずい分時間をかけていましたからね」
デパートの男もの売場でYシャツを手にとってから買うまでにずい分時間をかけていたのは和服のC号婦人であった。三十七、八歳で、着物を上手に着こなしているところから、小山ははじめ水商売の女性ではないかと思ったものだ。彼女を銀座の地下鉄で見失っている。
古沢「その婦人が買おうとしたYシャツは主人のものだろうが、千五百円均一の棚にあるYシャツ一枚を買うのに四十分もかけているのは、TVスタディ社からもらっているアルバイト料が意外に少ないということだろうか」

小山は、その婦人がデパートで三十ぐらいのおしゃれな男になにか言い寄られそうなのをふり切って行ったことは口に出せなかった。
小山「それは感じました。服装にしてもパンタロンなんかはいているひともありましたが、値の高いものじゃありません。靴の革が剝《は》げかかっているひともありました。まあ、仕事ですから、おしゃれして通う必要もありませんがね」
羽根村「みなさん、つましい身なりをしてらっしゃいます。やっぱり中程度の家庭の婦人ですわ。小さなお子さんを連れた方もおられました」
古沢「君の報告を読むと、婦人たちはみんなくたびれているようだな」（笑）
小山「そうなんですよ。電車の中では、ほとんどが週刊誌をひろげますが、すぐに居眠りです。終点に着いてもすぐに眼を開けないひとがいました」
平島「朝が早いからね。早く起きて、サンプル家庭を六軒も七軒もね、午前中にまわらなければならない。だから電車で新橋の本社ビルにペーパーを届けにきて、またトンボ帰りに電車で引返すときは、疲れが出るんですよ。品物を届けたという安心といっしょにね。電車に腰かけている時間が長ければ長いほど、くたびれが出る」
古沢「だから、千葉県の佐倉の婦人のように、回収には若い男を頼んで車で回らせるのもあるんだね」
小山「それでも、電車の中ではその婦人がいちばん疲れていた様子でしたね。まあ、年齢も五十過ぎだったですが」
古沢「その年齢の点だが、三十二、三歳がもっとも若いところで、四十歳前後が多かったかね？」
小山「ぼくらが目撃した婦人たちはそうでした。見てないほかの婦人たちのことはわかりませんが」
平島「われわれが本社ビル前の喫茶店などでその出入りを見た限りでは、そういう年齢層でしたね。だから、ほかの婦人も同じだと思っていいでしょうな」
殿村「けっきょく、アルバイト婦人は何人ぐらい見たのかね？」
平島「ぜんぶで十三人でした」
殿村「十三人のうち、住所を確認したのは三人か。はっきり回収のアルバイトをしているとわかった意味で」
平島「率としては非常に少ないです」
古沢「率は低いが、それで全体が判るね。もともとサンプル家庭そのものがテレビ世帯数の〇・〇〇五パーセントだからね。十三人のうち三人だから二十五パーセントだ。パーセンテージはずっと高いね」
殿村「アルバイト婦人は、君らが見ただけで十三人と言ったね？　一人が仮りにサンプル世帯を平均七軒まわるとして九十一軒だ。これはあまりにも少なすぎはせんかね？」
古沢「そのことはぼくも考えたがね。十三人はこの人たちが見た数だから、眼にふれない人がその倍だとして、二十六人、まあ、三十人としてよい。それが平均七軒ずつ回収するとして二百十軒だ」
殿村「それにしてもＴＶスタディ社の公称五百世帯の半分にも足りないね」
古沢「じゃ、回収員のアルバイト婦人をその倍にして六十人にする」
小山「そんなに居ませんよ。六十人もいたら、毎水曜日の午後二時ごろから三時半ごろの間、本社ビルの前は婦人たちの行列ができます」
平島・羽根村「ほんと。どう見ても二十人までがせいぜいのところです」
殿村「それを五百のサンプル世帯数にするためには、二十人だと一人が平均二十五軒を回らなければならない」
小山「とても、そんなには回れません。水曜日だけの午前中ですからね。それにサンプル家庭は近所にかたまっているわけじゃないのです。ぽつんぽつんと点になって離れていますからね」
殿村「どうも変だな。回収員の確認でサンプル世帯が存在することはわかった。しかし、数量の点で疑念が晴れないな」
古沢「君はイヤに神経質になったもんだね」

殿村「ぼくらはテレビ・ドラマなどの制作者ですからね。視聴率にはいつも振りまわされたり泣かされている。その視聴率調査の基礎となるサンプル世帯数のことになると、やっぱり気になりますよ」

古沢「おや、君はいつからそんな懐疑主義者に転向したのかね?」

殿村「え?」

古沢「森鷗外の『かのやうに』を引張り出したりなどして、なにごとも実在するかのように信じて暮しているのが人間の生活だと、ぼくに説教したのは君ではなかったかね?」(笑)

殿村「そりゃそうですが、ここまで実際に調査をしてみると、やっぱり現実主義にのめりこみますなぁ」

古沢「そりゃ無理もない。君は常に視聴率の被害者だからね。しかし、ここまでみんなに調査してもらったら、もう、いいじゃないか。もっと徹底調査をしようとすれば、そのアルバイト婦人が立寄る家まで調査して測定器の確認までしなくてはいかん。以前には、ぼくもそう思っていた。しかし、考えてみると、それは行きすぎのようだな。立入りすぎるかもしれない。プライバシーの問題にもかかわるかもしれない。まあ、われわれ素人《しろうと》の調査はこのへんで充分だろう。まあ、片鱗《へんりん》を垣間見《かいまみ》たということで満足しよう。……まあ、みなさん、ご苦労さんでした。言うまでもないことだが、この調査の一件は胸の中にたたんでおきましょうね」

投書の人

喫茶店というのは、時間によって客の波がある。昼間は十二時ごろから一時すぎまでが一つの波、三時前後が一つの波、夕方は五時半ごろからがまた一つの波であった。少なくとも小山修三が経営している神田の路地裏にある喫茶店「シャモニー」ではそうであった。

その日は六時をすぎても客があまり入ってこなかった。波は毎日が同じというわけではない。そこが商売である。

妹の久美子はレジに坐《すわ》って雑誌を読んでいる。従業員の牧村はグラスをならべて磨いている。もう一人の吉井はカウンターを拭《ふ》いている。エアポケットのような時間だった。

客席の隅では若いカップルが一組すわっているだけで、これも話に時間をかけてコーヒーを飲んでいる。二人の頭の上にはモンブランの中腹から見下ろしたシャモニーの町の写真ポスターが壁の小さなシャンデリアに映し出されていた。この店はべつに登山とは関係ないが、「シャモニー」の店名にちなんで客がスイス観光会社のポスターを持ってきてくれた。もっとも、シャモニーはフランス領だが、修三はスイスだと思いこんでいる。客の少ないときは、こういう飾りものだけが輝く。壁にならべた自分の画も。

修三はカウンターに肘《ひじ》をついて配られたばかりの夕刊を読んでいた。一面と社会面をざっと読み、文化面に眼をとおす。この欄にはときどき美術の記事が出る。その対ページが「娯楽」欄だった。ここには演劇や映画の記事が出る。

真白い服をきた男の流行歌手の写真があった。テレビで見あきた顔だが、そのわきに見出しがある。

《歌手にこわい? ゴージャスショートップは井田武二がんばる〝ナツメロ〟派》

これだけなら見すごしたろうが、横にならべた副題に眼をひかれた。

《実力プラス人気が視聴率に反映》

そこで読んでみる。

《AVRの「ゴージャスショー」も約二年つづいた。歌手を中心に数多くのタレントが出演したが、たった一つの単発形式のワンマンショーだけにいずれも〝実力派〟。その視聴率を見ると「実力プラス人気」の一つの目安になるともいえよう。歌手別のベストテンは次のとおり。
①井田武二②高井六郎③足立美禰子④江藤奈良代⑤鳥井洋子⑥太田雄⑦脇坂達二⑧井田武二⑨杵島美代子⑩島原弓子。

目につくのは井田武二。これまでにトップと八位とを取っている。各種歌謡祭での数多い受賞、レコード売上げにみられる「実力と人気」とを裏付け、まず現役歌手の中では第一人者といってよかろう。

次は高井六郎、足立美禰子、江藤奈良代、鳥井洋子など〝ナツメロ〟派の人気ぶり。この傾向は、ワンマン形式で四十五分をもちこたえられる歌のうまい人をメインにする番組の作り方も影響しているだろう。》

新聞「芸能」記事のつづき。

《それにひきかえ、パッとしないのが現役組。ベスト10入りは井田武二のほか鳥井洋子、江藤奈良代、島原弓子だけ。田所ジョージ、長野昭、上村竜夫はいずれも一ケタ。杉京介が二回出演し、二度とも一二パーセントを超えて面目を保ったほか、中村美枝子、八代宅子がワンセット出演でやっと一二・四パーセント。

〝実力派〟が条件とあって、ここ数年来続出しているカワイ子ちゃん歌手はメインスターとして出演していないが、戸坂冴子、村越信夫、菊地秋子、隈部七郎、藤崎陽子、杉山利江、後藤エミ子ら中堅現役組も一〇パーセントを超すのがやっとという結果に終っている。

もちろん、超ベテランへの人気は番組の性格にもよるが、先ごろスタートしたＬＹＤ—ＲＶＵ系「太陽ショー」でも一回横川登喜夫が七・三パーセント、二回目田所ジョージは二・六パーセントという惨たんたるありさま。番組つくりに問題があるにしても、二人とも特定の人気はあるのだろうが、多くのテレビファンをひきつける魅力はなかった、という見方もできる。》

客が五、六人、ドアを煽《あお》って入ってきた。

「いらっしゃいませ」

レジの久美子は雑誌を捨て、修三は新聞をたたんだ。

修三はカウンターの中で仕事にかかる。沸騰《ふっとう》した鍋《なべ》の中にコーヒーの粉を六人ぶん入れて掻《か》きまわし、鍋の下の火を小さくして、再び沸騰しないように二、三分間はそのままにして保つ。そうして鍋の中の粉が底に沈むのを待って、濾《こ》し袋にあけて、別の鍋に濾し取り、飲み加減に温めてコーヒーカップに注ぎ分ける。

順序はこのとおりだが、もちろん要領がいる。修三はそれも習慣的な手順となっている。それで客が満足するコーヒーの味ができる。

が、習慣的な手順は無意識の境地でもある。つまりほかの思いをうつらうつらと追っている境地でもある。修三は顔にかかる湯気の中で、いま読んだ新聞の芸能記事を考えている。

TVスタディ社のサンプル世帯の回収員を追跡調査してから、テレビタレントの人気順位の見方が違ってきたから妙だった。これまでは一二パーセントとか二・六パーセントとかいう視聴率をそのまま鵜呑《うの》みにしてきた。鵜呑みというよりも無関心で、タレントの順位ばかりに興味をひかれていた。

が、いまはそのパーセンテージの数字に回収員たちの行動が一つ一つ堆積《たいせき》していると思うと、数字が人間の息臭さを持っているように見えてきた。あの中年女の閉じて疲れた眼と、律義で、怠惰な息《い》ぶきの堆積が。——

客の波が一区切りついた。

久美子は、修三のたたんだ新聞をいつのまにか取って読んでいたが、それを持って修三の横にきた。

「兄さん。これで見ると、井田武二の人気はすごいわね」

歌手別の視聴率ベストテンの表を指でさしていた。

「田所ジョージは、どうしてこんなに視聴率が低いのかしら。一〇パーセントにもならないわ。『太陽ショー』でも一一・六パーセントなんて、ヘンだわ」

久美子は田所ジョージのファンだった。修三はこの歌手があまり好きでない。いかにも二枚目ぶった様子、表情を崩さないその計算が見えすいていてイヤ味だった。

「ちっとも妙じゃないね。田所ジョージもそろそろ大衆に飽かれてきたんだよ」

「あら、歌はとびきりうまいわ」

「うまいとは思わないね。甘い声の技巧も鼻についてきた。視聴者はよく知っているよ。

テレビはかんじんの歌よりも顔が画面を占領してそっちの印象が強くなる。だから、同じ顔をくりかえしくりかえし見ていると、さすがに飽きがこようというものだ。とくに田所ジョージのように二枚目の顔を売りものにしている歌手はね」

「でも、二・六パーセントなんて、あんまりひどいわ。信じられないわ」

修三は詰った。たしかに妹に言いぶんがある。視聴率の数字についてだが。

「田所ジョージの人気がひところほどではないのはたしかだが、二・六パーセントの数字に絶対の信用がおけるかどうかとなると、それは疑わしいからな」

修三は妹をなぐさめた。

ＴＶスタディ社の発表では、関東地区のサンプル世帯数はわずか五百世帯である。テレビ家庭は約九百万世帯。〇・〇〇五パーセントのモニター率だ。サンプル世帯の五軒が同一番組を視ていると、その番組の視聴率は一パーセントほどはねあがることになる。十軒で二パーセントも違う。

妹の好きな田所ジョージのワンマンショーのチャンネルに、せめてあと四十軒のサンプル家庭が合わせてくれたら、たちまち二ケタになって田所ジョージは「面目を保つ」ことになる。わずか五十軒で視聴率は二ケタの大台に乗る。

テレビ家庭九百万というとゼロがいくつ付くか。９００００００。それに対してサンプル世帯は５００だ。——大海の中に豆を撒《ま》いたとはいわぬが、それに近い形容が浮んでくる。

しかし、その視聴率のモノサシとなる測定器を預かっている、または預かったことがあるという家庭の話を周囲から一度も聞いたことがない。過去に預かったとなれば、現在の秘匿《ひとく》義務は完了しているわけだ。サンプル世帯は二年も三年も固定しているわけはなかろうから、入れかえが行われているはず。なのに、過去にサンプル世帯をひきうけたことがあるという経験家庭の話もまわりから聞いたことがない。

劇団「城砦座」の古沢啓助が、そうした主旨の投書を読んだのがはじまりで、ＴＶスタディ社のビルの前での偵察によってモニターテープの回収員を「発見」、さらにその回収員の水曜日ごとの行動を観察して、とにかくサンプル世帯が実在している感触は得た。

あとは、サンプル世帯数の問題だ。ＴＶスタディ社の公表は五百世帯だが、そうした標本世帯をだれも「見たことも聞いたこともない」となると、それが実数かどうかに興味が湧《わ》いてくる。

だが、古沢啓助は、もうこのへんでよかろう、と追跡調査を打ち切らせた。回収員を確認したのなら、サンプル世帯の存在を確認したのも同様だからいちおうの目的は達した、というのである。これ以上追跡調査をおしすすめると、個人の人権問題にもかかわりかねないとも言った。だから鷗プロの殿村竜一郎が引用した森鷗外の『かのやうに』

の言葉に合わせて、何ごとも、在る「かのように」信じようと古沢は言った。彼も、後輩に他人の行動を尾《つ》けさせるのを気にして、それを中止させたのであろう。修三がそう推測するのは、実は自分にもその気おくれがあったからだ。

「尾ける人間」は、対手《あいて》からも尾けられる。——

修三は、劇団「城砦座」の若い研究生の「どん底」の稽古《けいこ》を参観した。それが古沢啓助に今回のことを頼まれる機縁となったのだが、あのとき、稽古していた研究生の印象的な台辞《せりふ》をおぼえている。

《ワシリーサ　お前は何しに来たの？　わたしの跡を尾けて来たね？》

修三は、ぞっとした。

新宿の歌舞伎町横のキャバレーの入口まで尾けて行ったA号婦人も、デパートのYシャツ売場から地下鉄まで尾けたC号婦人も、居住する佐倉市から京成電鉄高砂駅前の商店街裏通りまで尾けて行ったE号婦人も、みんな彼を振り返って、

（お前は何しに来たの？　わたしの跡を尾けて来たね？）

と、凄《すご》い眼つきで睨《にら》まれているような気がする。

いや、それだけではない、TVスタディ・ビルの前で偵察していたときから、本社に出入りする買物袋を持った婦人アルバイトの回収員たちみんなに気づかれていたのではあるまいか。あの「若草」という喫茶店にたむろしているのも、尾行の対象になる婦人

かもしれない。

を見つけると大急ぎで飛び出して走ったあの行動も、すべて対手側に知られているのかもしれない。

そういえば気になるのは、ビルから出てきて、道路わきで「食後の体操」をするあの眼鏡の四十男だ。あれはＴＶスタディ社の社員で、しかも回収員の婦人アルバイトの係ではあるまいか。体操するのに、あんなに眼を左右にきょろきょろと動かす必要はない。どうもあの男にこちらの行動が察知されているようでもある。

それと、あのビルの窓だ。人間は、左右には眼を配るが、上へはあまり注意しないものだ。窓からのぞかれ、見下ろされていたのをこっちが注意しなかったのではないか。

関係者のことごとくが、

（お前たちは何しにわれわれを尾けるのか？）

と、無言で怒号しているような気がする。

朝刊には民放局の広告が出ていた。

《今夜八時。田所ジョージが四十五分間歌いまくる豪華リサイタル！　チャンネル××に合わそう》

午後二時ごろ、修三は鷗プロの平島庄次に電話した。

この電話も、掛けようか掛けまいかとずいぶん迷ったものだが、けっきょく思いきってかけることにした。そうしないと落ちつかない。

「いや、ぼくのまわりには、隠し撮りだなんて、そんな変な奴はうろうろしてませんよ」

平島の渋い声が笑っていた。

「そうですかねえ。あなたも羽根村さんもぼくといっしょに行動したから、向うから同じように眼をつけられて顔をこっそりと撮られているんじゃないかと思いましてね」

「そんなことはありませんよ。あんたの場合も気の迷いじゃないですかねえ」

「それならいいんですが。あの、羽根村さんは、どうですかね？」

「羽根村君からは何も聞いていません。本人がここに居ますから出しましょうか？」

平島庄次には特徴がない。羽根村妙子は背中までかかるロングヘアだから、あるいはそれがマークになったかもしれない。ロングヘアの女は多いというかもしれないが、それは髭《ひげ》の男についても言える。

「お早うございます」

羽根村妙子の声が出た。たとえ夜でも劇場や演劇関係者はその日初めて声をかける者には、お早う、という。修三は、新宿のキャバレーの建物前でA号婦人が蝶《ちょう》ネクタイの男とホステスらしい女性と、お早う、と言い合っていたのが頭の隅を走った。

「わたしのまわりにそんな様子はぜんぜんありませんわ」

羽根村妙子は明るく言った。

「そうですか。それならいいんですが、ちょっと気になったもんで」

修三は口ごもって言った。

「それは小山さんの思いすごしじゃありません？」

「もしかしたら、そうかも……」

「きっと、そうですわ。かりに、わたしたちの尾行を先方が気づいたとしても、わたしたちは途中で行動をやめたんですもの。実害は何んにも与えていませんわ。先方から抗議されることもないし、蔭《かげ》で何かされるわけもありませんわ。だいいち、小山さんの顔を先方がちょっと見たくらいで、それがどうして小山修三さんだということがわかり、お店をつきとめて行くでしょうか」

「………」

「小山さんの錯覚ですわ。お忘れになったほうがいいと思います。そのうち、平島さんと三人でまたビールでも飲みましょう」

先日の集りで羽根村妙子はビールが強かった。

——おれは少しノイローゼ気味なのかな。

修三は頭を振った。口髭の形も乱れる。

あいにくと梅雨の前ぶれのような曇り日がつづき、新聞の天気予報を見ても、この調子で一週間は晴れそうもないということだった。同じスケッチ旅行するなら、からりと晴れあがった青空のもとでないと眼にうつる色が冴《さ》えない。それが曇天だとどこへ行っても頭をおさえつけられたような重い気分からぬけられない。

そんなことで外へ出かける気分もおこらずに三、四日ばかりぐずぐずしていると、午《ひる》すぎごろ、平島庄次から珍しいことに電話がかかってきた。

「今朝のR新聞の読者投書欄を見ましたか?」

平島は前こごみに受話器をにぎっているような声で言った。

「いや、まだですが」

何か興味のあることでも、と訊《き》こうとするのを先方はおっかぶせるように、

「五、六日前に、人気歌手のテレビ視聴率のことがR新聞に出ていましたが、それは読みましたか?」

と訊いてきた。

「あ、それはざっと読みました」

「今朝出た投書はそれについて言っているのです。参考までに、ちょっとごらんなさい」

平島の声は終りのほうで含み笑いを帯びた。

修三は、平島との電話がすむと今朝のR新聞をさがした。

五月十三日付朝刊の投書欄をめくると、二段ヌキで、

《視聴率への疑惑、サンプル家庭の立場から》

という見出しがあったので、すぐに分った。

その本文。

《先日の本紙娯楽面「実力プラス人気が視聴率に反映」を一読して思わずうなってしまいました。実はわが家はテレビ視聴のサンプル家庭つまりモニターとしてチャンネル局を自動的に記録する測定器をあずかっています。関東地区何百家庭のなかで択《えら》ばれたといわれて承知したのですが、そのとき依頼人はこれは公正を期するためにだれにも言わず絶対に秘密にしてくれということで、わたしはその約束を守り、親戚《しんせき》にも親友にも洩《も》らしませんでした。ところがそれから一カ月ばかりすると、歌手のプロダクションから次から次にいろいろな贈りものが小包で届くようになりました。

そして毎週「この番組に所属のタレントの何某《なにがし》が出演しますから、チャンネルのほうをよろしくおねがいします」という刷りものにスケジュール表がついて郵送されてきますが、それには赤線でカコミがつけてあったり、傍線が引いてあったりします。ワンマンショーのような番組が放映される日は朝から××プロの者ですがと電話が入り、番組時間の直前にもまた念押しの電話がかかります。それが猫ナデ声ながらも妙に押しつけがましいあの外交員のような言葉つきです。さらに「今夜の出演者の何某は何の曲のと

きにマイクを左から右に持ちかえるかよく見ておいてください。正解者には賞品を贈ります。賞品ですからけっして変な意味のものではありませんから安心しておうけとりください」とゆきとどいたご挨拶《あいさつ》です。そこでわたしが「わが家が標本家庭になっているのは絶対秘密になっているはずですが、どこからお聞きになりましたか」ときくと、「それはいろいろなことで」とげびた笑いでゴマ化します。そのプロダクションが三つや四つどころではないので、こっちのほうがくたびれてしまいます。

週一回、テープを回収にくる係員に苦情を言ったところ「サンプル家庭の名前は外には洩れてないはずです」と言いながらも「歌謡番組のベストテンなどには何らかのかたちで裏工作の手が動いているのも実情ですからね」と、暗に歌謡界の暗雲をみとめる口ぶりでした。

こんなサンプル集計で視聴率の上り下りがきまり、そのためにテレビ局やマスコミがふりまわされるとあっては、不公正きわまりありません。わが家は近くサンプル家庭を辞退するつもりです。（神奈川県大磯町・服部梅子＝主婦・37歳）》

修三は、投書欄の「視聴率への疑惑、サンプル家庭の立場から」の全文を読んで、この投書の文句ではないが、思わずうなった。

だれにたずねても聞いたことがないというサンプル家庭が忽然《こつぜん》と紙面に出たのにまずびっくりした。古沢啓助は「幽霊」という言葉をつかって話したことがあるが、まさにその幽霊が眼の前にあらわれた思いだった。また鷗プロの殿村竜一郎は森鷗外の小説のテーマを引いて、なにごとも世の中に存在する「かのように」考えて疑惑を消し、妥協したほうがよいといったが、「かのように」どころでなく、実体が活字となって出現した。

さすがに新聞だ、と修三は最初のおどろきがやがて感服に変った。記事が出ると、たちまち読者からの反応がある。神秘も何もあったものではない。至極、単純だ。

これまでその神秘を知ろうとしてTVスタディ本社の前に三人で張り込み、回収員のアルバイト婦人を尾行したが、そんな面倒な手間も、この新聞の投書の前に「徒労」として光を失った。

しかも自分たちは、回収員を尾行しただけで、その先のサンプル家庭まで追跡調査はしなかった。新聞にはサンプル家庭それ自身が語っているのだ。神秘のベールもあったものではなかった。

視聴率の調査会社に「守秘義務」を誓約したサンプル家庭が、親戚・友人などに洩らすどころか公然と新聞社に投書して名乗りいで、実態を暴露したのはどういうことだろうか。修三はこれまで神秘としてうけとめていただけに瞬時唖然《あぜん》とならないわけにはいかなかった。

しかし、投書者がその禁をあえて破ったのは、プロダクションからその所属タレントの出演番組にチャンネルするように贈りものが来たり、その確認電話が再三にわたってかかってきたりする憤《いきどお》りにある。「公正」の裏におこなわれる不正に腹を立てたからだ。公正

その守秘義務は、公正を前提としているからサンプル家庭も承知したのである。公正が裏取引でゆがめられているとなると、もはや義務を守る必要はない。発表された視聴率は、マスコミをだまし、ファンをあざむき、スポンサーを欺瞞《ぎまん》している。投書者はその公憤に駆られたのである。

もし、投書内容のようなことが事実とすると、どういうことになるか。贈りものや電話がサンプル世帯五十軒について行われたとすると、視聴率一〇パーセントはピンとはねあがる。そのような工作がおこなわれない他のサンプル世帯の無作為な視聴率に加えると、もっと数字はふえる。

この数字は、芸能プロはギャラの高値のために、テレビ局はスポンサーの確保のために、虚飾される。

修三は投書の文句を何度か読み返しているうちに、自分もまた投書者と同じように腹が立ってきた。

サンプル家庭の住所氏名・電話番号を芸能プロダクションに教えたのは、視聴率調査の専門会社にちがいない。それ以外にだれが知ろう。

投書者が、電話をかけてくるプロダクションに、

《「わが家が標本家庭になっているのは絶対秘密になっているはずですが、どこからお聞きになりましたか」ときくと、「それはいろいろなことで」とげびた笑いでゴマ化し》また週一回、テープを回収にくる係員に苦情を言うと《「歌謡番組のベストテンなどには何らかのかたちで裏工作の手が動いているのも実情ですからね」と、暗に歌謡界の暗雲をみとめる口ぶり》だったとあるではないか。

視聴率の公正を期するためにサンプル家庭の所在を絶対秘密にしているモニター調査会社が、こともあろうに芸能プロダクションに内報しているとはどういうことか。世間一般の者にサンプル家庭の存在を「幽霊」のごとく曖昧模糊《あいまいもこ》としておくのは、そこから芸能プロに洩れてゆくのを防ぐためではなかったか。ところが、こともあろうに調査会社が直接にそれらへ内報しているとは……。

投書によると、回収員は「裏工作の手が動いている」と語っている。これは言うまでもなく芸能プロから調査会社への働きかけである。一人の新人歌手の誕生に二億円もの金が動いたという週刊誌の記事が出たのは、つい最近である。視聴率を上げるための裏工作に金品の附随があるのは容易に想像できる。視聴率という神さまを動かすために。もちろん調査会社そのものがその裏工作に加担したとは思えない。加担したのは内部の人間であろう。それもサンプル家庭のすべてを掌握している部署の者だ。

そのような部署はいくつかの係にわけられよう。まず、サンプル家庭をどこに依頼するかを決定する係。これは元締のような役だから相当に高いポジションであろう。彼ならすべてを俯瞰《ふかん》的に知っている。次は、その依頼に先方へ交渉に行く係。これはサンプル家庭のことごとくを知っているというわけではない。上から命じられて行くのだから、担当した一部であろう。その次は、回収員が集めてくる測定テープを受領し、それを点検する係だ。これは、サンプル世帯のリストにしたがってチェックしているだろうからその全部を知り得る立場にある。

考えられるのは、だいたいこの三つの部署であろう。そのどれかに当る人間へ芸能プロやテレビ局からの誘惑の波がおしよせる。これを拒絶することは困難である。

投書者は、贈りものをしてくるプロダクションが「三つや四つどころではない」と書いている。内通はかなり広範囲に行われているらしい。

修三は投書のことをまだ考えつづけている。

投書によれば、プロダクションからサンプル家庭にかかってくる電話のなかには「今夜の出演者の何某は何の曲のときにマイクを左から右に持ちかえるか、よく見ておいてください。正解者には賞品を贈ります。賞品ですからけっして変な意味のものではありませんから安心しておうけとりください」というのがあるという。

これはまことに巧妙な手段である。贈りものだと「贈賄《ぞうわい》」的な意味になるが、賞品だとその非難が避けられるという考え方からであろう。その「懸賞課題」は、出演者がマイクを左から右に持ちかえるのは何の曲のときか、といった簡単明瞭《めいりよう》なもので、たとえば有名野球選手のRの背番号は何番か、というようなばかばかしい単純な懸賞ものに類する。しかも歌手がマイクを左から右に持ちかえるのを知るにはその番組をテレビで見ていなければならず、当然にその局のチャンネルをまわしていなければならないから、その時間のサンプル家庭の視聴率をかせぐことになって、心にくいばかりの狡智《こうち》さである。

投書にはまた、テープの回収員が、歌手や番組のベストテンには何らかのかたちで裏工作の手が動いていると言ったとあるが、そこには単に「回収員」とあるだけである。

この「回収員」というのは、自分たちが見たあのアルバイト婦人たちのことだろうか、それとも別個の回収員だろうか、と修三は考えた。

あのビルに出入りする婦人たちの数を目撃した限りでは、一人が十個のテープを回収するとして、とても関東地区五百のサンプル世帯を半日にして回りきれるものではない。ほかにも回収員が、たとえばTVスタディ社に専属している男の回収員がいるのではなかろうか。これは前にも考えたことだが、この投書者、大磯町に住む服部梅子のサンプル家庭にあらわれる回収員は、もしかすると、そういう連中ではなかろうか。

このように考えたとき、連鎖思考がまた修三に働いた。

回収員はサンプル家庭の住所氏名と電話番号を知っている。週一回は必らずそこにテープをとりに行っているから当り前である。十軒を受けもっていれば、十のサンプル世帯を知る。もし、回収員二人が結べば二十、三人なら三十、四人なら四十のサンプル世帯のアドレスがわかる。

そうか。これは、あの婦人アルバイトの回収員かもしれないぞ。女性のことだ。芸能プロダクションの誘惑にはいかにも負けやすい。

この想像を修三は長い時間持ちつづけた。そうすると、ふしぎにも、いままでのノイローゼ気味な神経が立ち直ってきた。こっちの気怯《きおく》れが消えてきたらしい。うしろめたさが相手側に転移した。

探した先

小山修三は、R新聞に出た投書の主に会いたいと思った。この人なら、投書の内容以外にいろいろなことを知っているにちがいない。

新聞には「神奈川県大磯町・服部梅子」とあるだけで、番地が出ていなかった。新聞社の投書は規定として実際の住所と実名と年齢職業とを書くことになっている。そうして、これも規定だが、新聞には東京の場合は東京都、市の場合は××市、町村の場合は

××県××町または××郡だけで以下は切りすててある。一つには投書者に迷惑がかからぬようにとプライバシーへの配慮であり、一つには活字面の簡略化であろう。だから、新聞社に電話しても「服部梅子」の住所は教えてくれないにちがいない。一般の者には秘匿《ひとく》事項だからである。これを聞き出すにはR新聞社へのコネがなければならなかった。修三にはそれがない。

だれかにたのみたいが、その心当りもなかった。

平島庄次から電話がかかってきたのは、彼がR新聞に出ている投書を見よと電話してきたその翌日であった。

「どうですか、見ましたか?」

平島は笑いながらきいた。

「見ました。いや、内容にもおどろきましたが、サンプル家庭の人がみずから新聞に投書してくるとは意外でした」

修三は正直に思ったとおりを言った。

「まったくですな。殿村さんにも羽根村君にも教えましたが二人ともおどろいていました」

「殿村さんはどう言っておられましたか?」

「やっぱりサンプル家庭というのは本当にあるんだなぁとうなっていましたよ」

「かのように」の懐疑的な観念論者も、実在と知って、かのようにどころではなくなったらしい。

「羽根村さんはどう言っていましたか?」

羽根村妙子はいっしょに「買物袋の婦人たち」を追跡調査したのだから、投書のうけとりかたは自分と同じ実感だろうと修三は思った。

「彼女は、ほんとうにびっくりしていましたよ」

平島は果してそのとおりをいった。羽根村妙子がその一重皮の切長な眼をみはっているところが見えるようであった。

「ところで、平島さん。ぼくはあの投書者の詳しい住所を知りたいんですがね。だれかR新聞の文化部の人を知っている人はいませんかね」

「え、投書の主に会うんですか?」

「できたらね。せっかくここまでやってきたんですから、もう少し追跡調査をやってみたいのです」

「それも古沢先生からの依頼ですか?」

「いや、こんどは古沢先生とは関係がありません。ぼくだけの探求心からです」

「そうですか」

平島はちょっと考えるように黙っていたが、心当りがないでもないから、あとで電話をかけます、と言った。

三日間は何もなかった。平島庄次から修三に電話がかかったのは四日目の午後だった。

「おそくなりました」

平島の不透明な声がまず謝った。

「R新聞社の文化部にコネのある人間がなかなかいませんでしてね。思いついたのが広告部です。ウチの殿村さんがスポンサーの大豊食品株式会社というのにたのんで、広告部から文化部に接触してもらいました。大豊食品はR新聞には月極めで何十段かの広告を出しているので、広告部から交渉すれば文化部もいやとはいえないと思ったからですよ」

「なかなか面倒なものですね」

「そうでもしなければ、文化部も部外秘のことはなかなか出さないからね。投書者の住所も部外秘扱いでしょう。で、その線でうまくゆきましたよ」

「そうですか。それはどうも」

「メモしてください。いまから言います」

――大磯町杉谷五ノ一二ノ三。

「電話番号は？」

修三は書きとめてからきいた。

「電話番号は投書には書いてなかったそうです」

「そうですか」

「いや、ぼくも電話番号が分ればと思って大磯電話局の番号調べ係に問い合せてみたんですよ。電話帳には服部梅子の名前では見あたらないというのです。それはそうでしょうな。投書にも主婦とあるから、電話帳にはご亭主の名前で出ているのでしょう。ところが、服部という姓は無数にあるというのです」

「わかりました。どうも、お手間をとらせました」

「どうしますか。あんた、大磯まで行って服部梅子さんに会ってきますか？」

「ここまできたんだから、乗りかかった船で、ひとつ出かけてみようかと思っています。大磯くらいでしたら、半日の散歩のつもりでね」

　修三は答えてから、気がついて言った。

「どうですか、平島さんもよかったらいっしょに？」

「そうですな、ぼくも行ってみたいのだが、いま急ぎの番組を手がけているんでね。いや、われわれのほうはテレビ局からのシワ寄せで猛急の仕事ばかりですよ」

　民放局の下請け的なプロダクションは、大手企業の下請け町工場にも似ていて、納期ばかりがいそがれる。

「ぼくは出られないが、どうですか、羽根村君といっしょに行っては？」

平島は言った。

「羽根村さんとですか？」

「実は彼女に話したんです。だいぶん乗り気のようですよ」

平島は笑って最後に助言した。

「それに、主婦を訪ねて行くんだから、女性をつれて行ったほうがいいんじゃないですかな」


修三が大磯駅に降りたのは、翌日の午前十一時すぎだった。改札口を出ると、横から羽根村妙子が寄ってきた。

肩にふりかかる洗い髪のようなロングヘアに変りはないが、今日はうすい黄色のブラウスに袖《そで》の半分が淡い桃色になっている「かさねぎ」ルック、それに青いGパンであった。顔を合わせたとき、その切れ長な眼がちょっと照れ臭そうに微笑《ほほえ》んだ。

「お邪魔じゃありませんか、割りこんだかっこうになって？」

彼女は挨拶《あいさつ》がわりに言った。

「いや、ちっとも。平島さんに言われて、そうだったと気がついたくらいです。主婦をさがして行って、その話を聞くんですから、これは女性にやってもらわないとぐあいが悪いと思いました」

「わたくし、とても興味があるんです。サンプル家庭の奥さんが新聞に投書なさったりして意表外でしたわ。まさかと思いました。だれに聞いても視聴率の測定器なんかあずかった話を知らないというなかで、ご本人がいきなり名乗りをあげられたみたいで、神秘性もシラけてしまいますけど」

「神話というのは、案外そんなものかもしれませんよ」

駅前に出た。商店街のうしろに松林が見えた。広場には眩《まぶ》しい陽が降りそそぎ、もう初夏の様相だった。

「杉谷というのは鉄道線路の西側で、山のほうにあるらしいですわ」

所在地を人から聞いたとみえて羽根村妙子は海岸方面にむかってならぶ商店街とは反対の踏切のほうへ歩いた。

長い電車が通過したあと、踏切を渡ったが、待っていた人の数も少なく、車は一台もなかった。正面は松などの茂った丘陵で、道路はその下を線路に沿って南北についていた。

その狭い路には乳母車を押す若い母や、買物に行くらしい自転車の娘などが通っていた。老人が嫁らしいひとの介添で休み休み歩いていた。家は少なかった。

「新開地のようですわね」

「海岸側の東海道のほうが家でいっぱいなので、こっちがひらけてゆくらしいですね」

路は曲って坂になった。松林に囲まれた窪地《くぼち》には昔ながらの農家があってせまい畑には青い麦が伸びていた。勾配《こうばい》を上ってゆくと両側に石垣の住宅がつづいた。ほとんどの家が小さな庭と車庫とを持っていた。うしろの丘陵がやはり松と雑木林だった。

庭さきで蒲団《ふとん》を干している中年の主婦が手を休めて二人を石垣の上から見おろした。

修三はわざとずっとはなれたところに立った。「小川寓」と書かれた標札が見えた。

妙子だけが主婦の傍《そば》に行った。

五分くらいして、その家の石段を降りてくる妙子の顔に複雑な表情があった。

「どう、分りましたか？」

妙子は髪といっしょに首を振り、もう少し歩いてからという素振りを示すと、坂道をゆっくりとした足どりで降りた。修三は引張られるようについて行った。

羽根村妙子は坂道を十歩もおりると立ちどまり、うしろの修三にふりむいて言った。

「あの奥さんのおっしゃるには、ここは杉谷には違いないけど、四丁目の一番地の二だそうです」

「と、五丁目は？」

修三がもときたほうに眼を動かしかけると、

「五丁目はないそうです」

と、妙子は言った。

「え、ない？」

「杉谷は四丁目だけだそうです」

修三は思わずまわりの家を見まわした。そんなはずはない、と眼が「五丁目」を求めていた。

「わたしも意外だったんですが、そう言われると仕方がないので引きさがろうとすると、奥さんが……まだ若い奥さんですが、この前から杉谷五ノ一二ノ三はどのへんですか、と訊きにみえる人が二回あったと言われました」

「なに、五ノ一二ノ三を？」

修三は、はっとなった。

「そうなんです。わたくしもびっくりして、それは服部さんというお家《うち》をさがして来られているんじゃないですか、と奥さんに聞き返すと、やっぱりそうなんですって。一組はその名前をきいただけだけれど、一組は五丁目はないと言ってあげたら、狐につままれたような顔をして黙って立ち去って行ったそうです」

「ちょっと。その一組なんていうのは何のことですか。一人や二人じゃないということですか？」

「そうなんですって。三十前後の男の人が三人づれでハイヤーで来て。その二日あと、やっぱりそのくらいの年齢の男のひとたちがハイヤーで四人で来たんですって。もっとも二人は車の中に残っていたそうですが」

「R新聞に、大磯の服部梅子というひとの投書が載ったのが六日前でしたね。あそこの小川さんの家にたずねて来たはじめの三人組の男は何日前のことですか?」

「わたくしもそれは奥さんに訊《き》きました。四日前だそうです」

「四日前……?」

「あとからきた四人組は一昨日だったそうです」

「すると、はじめにきた三人組のグループがR新聞に投書が出た二日後、あとの四人組がそれよりさらに二日あとということになりますね?」

「そうなります。そして奥さんは、その二台のハイヤーとも、東京ナンバーだといっていらっしゃいました。数字までは読めなかったけれど。こういう寂しい土地に家を建てていると、つい警戒心が強くなって、見なれぬ車がくると、注意して見るようになるんですって。同じ車でくるかたでも、この先の横穴を見にくる人だとわかっていると安心だと話してらっしゃいました」

「横穴?」

「あの山の中に古墳の横穴があるんだそうです」

修三は、杉谷五ノ一二ノ三・服部梅子の家の所在を自分たちよりも前に、男たちが二組も東京からさがしに来たと聞いて、背中に影が動いたような気がした。

「思い出しましたわ」

坂道もだいぶん下に降りてから羽根村妙子が言った。

「え、何を?」

修三は、思い出していることがことだけに、どきりとした。

「この坂道にかかるところに交番がありましたわ。ほら、線路沿いの道を歩いてきて、こっちの坂道と旧《ふる》い家なみのある道と、二つに分れる角に交番があったじゃありませんの?」

「気がつかなかったなぁ」

「小さな交番だから、小山さんの眼には入らなかったのかもしれません。そこに行って聞いてみましょう」

「杉谷五ノ一二ノ三、服部梅子さんの家をですか?」

「それは望みがないかもしれません。あの小川さんの奥さんがあんなふうにはっきりとおっしゃるんですから」

「すると、何を?」

「東京のハイヤーで来た男の人たちのことです」

「そんなこと、交番でわかるんですかなぁ。お巡りさんも前を通る車をいちいち気をつけて見ているわけじゃないから」

「いえ、そうじゃないんです。その二台の車の人たちも、小川さんの家で訊いたあとで、交番に行ったような気がするんです。わたくしがあの目立たない小さな交番を思い出したことから、そんな推量が起りました。人間のすることは、たいてい同じですから」

「………」

「交番に行けば、その男の人たちの様子ぐらい分るかもしれません。カンのいいお巡りさんだったら、その男たちがどういう職業かぐらい推察しているかも分りません。まあ無駄だと思って、とにかく交番に寄ってみましょう」

小さな交番には、四十近い肥えた巡査部長がひとりで机の前で書きものをしていた。入口に二つの影がさしたので巡査部長は赤ら顔をあげた。

「杉谷の番地をさがしている者ですが」

羽根村妙子が頭をさげて言った。

「はあ。何番地ですか？」

「五ノ一二ノ三です」

巡査部長は細い眼で彼女と修三とを見くらべた。

「五ノ一二ノ三？」

おうむ返しに言って、おちょぼ口をぽかんと開けた。

「何というお宅ですか？」

「服部梅子さんです。奥さんのようですから、ご主人は何という名前かわかりませんが」

巡査部長はすぐには何も言わずにうなずいた。それがいかにも、やっぱりな、という思い入れにみえた。

それがまた修三にも反応し、妙子もそれが伝わったようだった。

「そういう番地も、服部さんというお宅もありませんよ」

巡査部長は壁に貼《は》った町内地図もふり返らず、住民票の綴込みも見ずに言った。

「はあ。……」

妙子が肥《ふと》った制服の顔を見つめた。

「いや、実はですな」

巡査部長は、何も見ずに答えたのを誠意がないように取られるのも困ると思ったか、

「その番地と家のことでは前にここに来て訊いた人たちがありましたのでね。そのとき調べて該当するものがなかったのですよ」

と、眼を再び細めて説明した。

「ああ、そうなんですか」

妙子は当惑した様子で、頰にもつれかかる長い髪を指一本でかきあげ、

「わたくしたちは、活字になったその住所氏名を見て、東京から来たんですけれど」

と思い切れないというように立っていた。

「前にそれを聞きにきた男の人たちも、そんなことを言っていましたな。三人づれで東京ナンバーのハイヤーでしたがね」

三人づれの男なら、R新聞に投書が載った二日目に、坂上の角にある小川という家に現われた組のほうである。

「すみません」

修三が横から巡査部長に質問を入れた。

「その男たちは、新聞記者とか週刊誌の記者とか、そういった連中ではなかったですか？」

巡査部長は修三に眼をくれた。その髭《ひげ》に胡散臭《うさんくさ》げな色がよぎったが、

「いや、そうじゃなかったですな。テレビ局の者だと言っていましたよ」

と、すなおに答えた。

修三は思わず身体《からだ》を前に出した。あり得ないことではなかった。

東京ナンバーのハイヤーできた三人の男がテレビ局の者だったと交番の巡査部長の答えに、羽根村妙子も肩の髪を動かした。

彼女は、修三がつづけて尋ねるのを制するように口を開いた。

「ああ、やっぱりテレビ局の人たちでしたのね。思ったとおりだわ」

笑い出すような明るい声を修三にも聞かせた。

「それは、KDO局の人たちじゃありませんでしたの？」

若い女の、いくらか甘たるい声に四十年配の巡査部長はつりこまれた。

「いや、VVCテレビ局だと言ってましたよ」

「あら、そうですか？」

羽根村妙子は首をちょっとかしげ、

「ヘンですわね。KDO局の連中がくるはずだけど。……」

と、不審げに呟《つぶや》いた。

「それじゃ、あとから来た人たちがそうかもしれませんよ」

巡査部長はまるい顔に気のいい表情を浮べた。

「あとから来たテレビ局もあるんですか？」

妙子はすかさずきいた。

「VVC局がきた二日後に、やはり五ノ一二ノ三、服部梅子さんの家をたずねてこの交番にきた東京のテレビ局の人たちがいたそうです。いや、わたしはそのとき居なかったんですが、もう一人の若い巡査がそう言ってました。その巡査は、いま巡回に出ていますが、もうほどなくここに戻ってくると思います」

「ご迷惑でなかったら、ここにいて、その方をお待ちしてもいいでしょうか？」

「どうぞ。ま、そこにおかけください」

壁ぎわに二つならんだ簡素なイスを巡査部長はさした。

「はい。ありがとう存じます」

「あなたがたもテレビ局の方ですか？」

巡査部長はにこにこして妙子にきいた。

「はい、そうです」

相手から、こっちの身分をつくってくれたのはありがたかったが、どこの局かと訊かれそうで修三は返事の用意に困った。

「テレビ局もたいへんですな。有望な新人タレントの発掘には、どこの局も血眼《ちまなこ》のようですなぁ？」

妙子が咽喉《のど》に唾をのみこむ音が修三に聞えた。

前にきた二つのテレビ局の者が服部梅子の家をさがす口実にタレント探がしだと言ったらしかった。さすがにサンプル家庭の内情を公表した投書の家とは言えなかったようである。テレビ局もこれが聞えて視聴率モニター会社を刺戟《しげき》するようなことは避けたのかもしれない。

「ええ。まあ、どの世界も競争が激しいですから」

妙子が適当なことを言っていると、交番の入口に白塗りの自転車がとまり、若い巡査がひらりと降りた。帽子の下からは長髪がはみ出ていた。

若い交番巡査は、中に入ってくると机の前で上司に挙手をした。

「内藤巡査、ただいま、受持ち区内の巡察より帰りました。異常ありません」

直立して報告するのに、肥った巡査部長は、

「ご苦労」

と、柔和に答え、番地探がしの二人を紹介した。制帽を脱いで楽な姿勢になった巡査は衿首《えりくび》を蔽《おお》う長髪で、色白で面長で、眼もとのきりっとしたハンサムだった。

「自分のいるときにみえたテレビ局の人たちはRBC局でした」

巡査は白い歯をちらつかせていった。

「ああ、そうか。KDO局ではなかったか。テレビ局も多いんでな。ややこしい」

肥った巡査部長は苦笑した。

「その人たちは、五ノ一二ノ三が実際にはないとわかると、どう言っていましたか?」

修三がきいた。

「おかしいな、そんなはずはないが、といって、だいぶんしつこくねばられました。しかし、ないものはないのだから仕方がありません。それで、自分がそれは番地の間違いではないですかというと、こんどは服部という家が杉谷にないかときかれました。服部という家は、番地はもちろん違うけど、杉谷に六軒あるんです。で、その六軒の住民簿

を調べてみたら、家族に服部梅子さんという名前のある家は一軒もありませんでした」

番地の間違いは修三もたしかめたいところだったので、長髪巡査の言葉がその答えになった。

「それで、そのＲＢＣ局の人たちは何と言っていましたか？」

「自分がそこまで調べてあげたので、やっと諦《あきら》めたようです。そのとき、あなたがたがさがしておられる番地と名前は架空ではないですか、と自分が言うと、向うも、苦笑いして、そうかもしれませんな、と言っていました。この交番に入ってきた人は二人でしたが、車の中にはまだ二人残っていて、こっちの様子がわかるのを待っていましたよ」

小川という家の主婦が言ったことと同じである。

神奈川県内

線路沿いの道を歩きながら羽根村妙子は小山修三に言った。

「奇妙だわ。Ｒ新聞に投書したサンプル家庭は名前も住所も架空でした」

「いまになって思うんだが、少々話がうますぎると思いましたよ」

修三は、前方に陽をうけて光る大磯駅を眺めていた。

「……あんなに隠されているサンプル世帯が新聞に投書するはずはないですからね。こっちがそれにすぐにとびついたのが、どうかしていた」

「でも、あの投書で昂奮《こうふん》したのは、小山さんやわたくしだけではありませんわ。専門のテレビ局が二局も眼の色を変えてこの大磯に駈《か》けつけているんですもの」

「そうですな。それだけにテレビ局もサンプル世帯の実態を知っていないということですね。そのかぎりでは、モニター会社の視聴率調査の公正は保たれているということだな」

「でも、投書の内容は逆ですわね。サンプル家庭に制作プロダクションから贈りものが来たり、テレビ局筋と思われるところから電話がかかってくるとあります」

「もしそうだとすれば、一部のテレビ局関係やプロダクションだろうな。ぜんぶがそういうわけではないでしょう」

「ああ、それでわかりましたわ」

「なんですか?」

「VVCテレビとRBCテレビとは、そういうサンプル世帯とのコネがないんですわ。それであの新聞投書を見て、どこのテレビ局がそんなことをしているのか投書者に直接に調査にきたんだと思います。だから、ハイヤーに三人も四人も乗っていたと思うんです。人数が多すぎますわ。あれは、服部梅子さんに会ってその局やプロダクションの不正を徹底的に調べようと思って勢いこんできたんですわ。テレビ界も競争が激しいですから」

推測の理由には説得性があった。

「そうかもしれませんね。しかし、連中はカメラを持っていたと交番のお巡りさんはいましたね」

修三はまだカメラが気になっていた。

「それは当然でしょう。調査にきたんですから。調査の資料として服部梅子さんの顔や、服部さんのお家ぐらいは写真にとっておきたかったのでしょうね」

若い巡査は交番に乗りつけてきた車の番号をおぼえていた。マージャンの上り点で48の一飜《イーファン》上が96。マージャンの好きな巡査らしい。

大磯駅前にきた。暑くなった陽ざしの中を歩きまわったので咽喉《のど》が乾いていた。喫茶店があった。

駅前喫茶店の中は閑散としていた。外を歩きまわってきた眼には、そのうす暗さだけでもひんやりとした感じになった。

ジュースを運んできた娘は、奥に引込んでテレビを見ていた。昼の歌謡番組をやっていた。

「あの投書は、普通のいたずらとは違いますね。やはり、視聴率調査の内情をある程度知っている人だと思います」

　羽根村妙子は言った。

「ぼくもそう思うな。プロのテレビ局員が二局もすぐに駈けつけるくらいですからね」

　修三は同感を表した。

「それにしても、その駈けつけかたが少し早いとお思いになりません？」

「というと？」

「だって、小山さんがR新聞社の文化部の人から投書者の住所氏名を教えてもらうのに、よその人から頼んでもらったり、そのために日にちがかかったりしたでしょう。VVC局の場合は、R新聞に投書が掲載されてから二日目にはもう小川さんの家に訊《き》きに行ったり、交番に寄ったりしていますわ。RBC局だって、その二日あとです」

「うむ、そうか。……そうすると、VVC局でもRBC局でもR新聞の文化部とコネがあったということかなぁ」

　投書者の住所氏名は原則的には部外秘のはずである。

「ウチのような小さなプロダクションはそんなコネはありませんが、大きな芸能プロダクションとかテレビ局とかは新聞社の文化部の芸能係記者と仕事の関係上結びつきがありますからね。それだけに投書者へ調査にくるのが早かったのでしょうね」

「それは考えられる。やっぱり、ぼくらのような素人《しろうと》は駄目だな。プロにはかなわない」

「そのプロが眼の色をかえて投書主をさがしにきたんだから、あの内容はプロにも相当なショックを与えたことがわかります」

「そうだとすると、あの投書の狙《ねら》いというか目的は何だろうなぁ？」

「そうなんです。それを考えるのが大事ですわ。……わたくしは、内部告発じゃないかと思うんですが」

「内部告発？　じゃ、サンプル家庭からじゃなくて？」

「あの投書の文面をみると、こういう不明朗さがあるから、近いうちにサンプル世帯を辞退するつもりだとあったでしょう？　そんな言いかたを普通にはしないと思います。投書は、辞退したあとにするのが自然だと思います。そこに、この投書がサンプル家庭からでないということと、そう見せかけた第三者の文面上の手ぬかりがあったと思います」

奥のテレビの画面では、女性新進歌手が身ぶりたっぷりにうたっていた。

羽根村妙子の言葉は理屈に合っていた。修三にはそれを崩すだけの理屈がなかった。

「では、内部告発にもいろいろあるけれど、あなたが想像しているのは、どういうかたちですか？」

「ＴＶスタディ社とコネのあるプロダクションかテレビ局の内部の人です。どこの社でも主流派と反主流派がありますから」

　妙子は言った。

「なるほど」

「もうだいぶん前ですけれど、ウチの企画で汚職をテーマにしたドラマを考えたことがあります。そのとき、脚本を書く人が興味ある話をしました。汚職というのは、すごく緻密《ちみつ》に計画が練ってあって、外部には絶対に分らないような手のこんだ操作になっているんですって。それがどうして検察庁の特捜部や警視庁に洩《も》れるかというと、内部の反主流派の密告によるのが多いんですって」

「タレコミというやつだな」

「内部の者だから、汚職のデータが具体的に詳しく書いてあるわけです。それで特捜部も警視庁もはじめから核心をつかめるそうです。そういう密告の手紙を送らない場合は、電話で言ってくるそうです。もちろん、どこのだれとも名乗らないで。そんなときは、カナメになるところだけを短かく話して一方的に電話を切るんだそうです」

「ツボを話すわけですな」

「そう。ツボを話せば、当局も汚職捜査のベテランですから、合点がゆく。複雑な構造汚職も、そんなところからわかってしまうそうですわ。でないと、いくら当局でも外からの様子だけでは分りっこないと言っていました」

「それはそうでしょうな」

「それと、もう一つは、商売敵《がたき》の商社が密告する場合。これは大きな公共事業とか、お役所の許可認可を要する事業とかを商社間でとり合いになったとき、敗れたほうが腹イセに密告するんだそうです」

「で、そのドラマはものになったんですか？」

「むろん企画の段階でつぶれました。テレビ局がそんなテーマに乗ってくるはずはありませんわ」

「で、こんどの服部梅子の新聞投書はどっちのほうですか？」

「両方とも考えられます。プロダクションなりテレビ局なりの反主流派が、まず新聞投書でアドバルーンをあげておく。その反応を見て、次は何か本格的な動きがあるんじゃないでしょうか。これはべつに汚職犯罪ではないから、検察庁や警視庁に密告することもできないわけです。暴露して社会的に非難を集中させ、主流派に打撃を与えるとか、競争相手のテレビ局を蹴落《けおと》すようにすればいいんですからね」

「そうすると、ＶＶＣやＲＢＣが眼の色を変えて投書者に会いに来たのは、この二つの局じたいがサンプル家庭を贈りもので手なずけていたのかなぁ」

「ＶＶＣ局やＲＢＣ局自身がサンプル世帯をモニター会社から聞き出してそこに贈りものをしていたから、その局の人が新聞の投書者のところにあわてて来たと考えると辻褄《つじつま》が合いますね」

　羽根村妙子は修三の推測にまず同意した。ジュースをストローでひと口吸ったうえ、頰にかかる髪をかきわけた。

「それから、あの投書にはもう一つの線が暗示されてあります」

「どういうことだったかなぁ」

「投書者が芸能プロダクションからサンプル世帯へのプレゼント攻勢について週一回、測定器のテープを集めにくる回収員に言うと、その回収員は、サンプル世帯の名前は外に洩れないはずですが、と言いながらも、歌謡番組のベストテンなどには何らかのかたちで工作の手が動いているのが実情ですからね、と答えたということです」

「そうそう。それは知っていますよ」

　そのことでは修三も考えたことがある。回収員は受けもちのサンプル世帯の住所氏名や電話番号をもちろん知っている。一人が十軒を担当していれば十のサンプル世帯を知っている。もし回収員二人が結合すれば二十世帯、三人が結合するなら三十世帯、四人なら四十世帯を知っていることになる。

　これにテレビ局や芸能プロダクションが眼をつけたとき、回収員たちを買収しにかかることは容易に想像される。モニター会社が絶対に教えないことでも、この方法だといとも簡単にわかってくる。

そのことから投書者である大磯町の服部梅子のところにきて「工作の手」を暗に認めた回収員というのは、あのアルバイト婦人の一人ではあるまいか。――そう疑ってみたのはこの間のことである。

が、大磯町杉谷五ノ二ノ三・服部梅子が実在でなく、架空な住所氏名だとなると、そこにまわってきたという回収員も雲散霧消してしまう。

「たとえ、その投書者の服部梅子さんが架空名だったとしても、これには何か実際の影が落ちていると思いますわ」

羽根村妙子は、修三の頭の中にある思考作業とは関係なく言った。

「というと、どういうことですか?」

「この投書者は、やはり神奈川県に在住している人だと思います」

「しかし、架空の名前で出す場合、なるべく離れた住所を書くものですよ。たとえば千葉県にいる人だと神奈川県と書き、神奈川県の人だと栃木県の住民とかいうようにまったく逆な方向の住所にするんじゃないでしょうかね。なるべく分らないようにするために」

「それが普通ですね。でも……」

でも、と羽根村妙子は修三の言葉をさえぎった。

「わたくしには、やはり神奈川県に居る人があの投書を出したような気がするんです。

なぜかと聞かれると困ります。直感でそう思うだけですけれど」

「神奈川県といえば、D号婦人が町田市だったなぁ。町田市は東京都だが、神奈川県境に近いので、相模原市、大和市など神奈川県のサンプル家庭の回収を担当しているらしい。これは平島さんの調査でしたね」

修三は思い出して言った。

「わたくしも、いま、それを思っていたところですわ。神奈川県担当といっても、県別の専任ではないんじゃないでしょうか。近いところだったら、適当にまわっていると思います。ほら、佐倉市のE号婦人、あの方だって千葉県だけど、東京都の高砂町のサンプル家庭に行ってたじゃありませんか?」

「あ、そうそう」

修三は妙子といっしょに佐倉から京成電鉄高砂まで尾行して行った五十二歳の大柄な女性を眼に浮べた。佐倉市白原町の川端常子。夫と娘の三人暮し。電車の中では始終居睡りしていた。そういえば、アルバイト婦人の回収員のほとんどが疲れた顔をしていた。

「これから東京に帰るコースを変えて、町田を通ってみませんか?」

妙子が急に言い出した。

「え、D号婦人のところへ寄ってみるんですか?」

「べつにご本人とお話しするわけではありません。家の前を通ってみるだけです。住所は平島さんから聞いています。町田市中森町二ノ五ノ六、尾形恒子さん。わたくしたちがTVスタディ社の前で眺めていた限りでは、あのビルに出入りするショッピング・バッグの女性のなかでいちばん若くてモダンな方でしたわ」

黄色いブラウスに赤いズボンの姿が修三の眼にも戻った。毎週水曜日の午前中、マイカーでサンプル世帯をまわり、そのあと車を小田急線町田駅前の有料駐車場にあずけて、電車で新橋駅にくる。

「マイカーをもっているんだったら、相当に回収の行動範囲はありそうだな」

「でしょう? もしかしたら、あの尾形さんの回収する神奈川県内のサンプル家庭に投書者が居るかもわかりませんわ」

「まさか。……」

修三は言ったが、心が動かぬではなかった。どうせ東京への帰り路である。いくらかまわり道にはなるが、あの女性の家を見たい気持も起った。

家を見ただけではどうということもないが、これが好奇心というものであろうか。尾行いらい、どうもこの気分にとりつかれている。

東京のベッドタウンとして急速に発展した町田市は、電車が駅に近づくにつれて窓にも住宅のひしめいた市街地風景を展開したが、降りてみると、商店街もにぎやかな新興都市の風情《ふぜい》であった。

有料駐車場は駅前の近くにあった。乗用車や小型トラックが二十台くらい入っていたが、スペースはだいぶん残っていた。昼間なので使用中の車が多いらしかった。入口の料金所では工員服の老人が所在なさそうに本を読んでいた。

羽根村妙子は、前にD号婦人、尾形恒子のマイカーの車体番号を見ており、修三もそれを憶《おぼ》えていたので、二人は車体番号を手掛りに尾形恒子の車を探してみた。だが、該当する車は見つからなかった。

「小型車もここにないですね」

妙子が駐車場を眺めて言った。

その言葉で修三は、尾形恒子が回収に乗りまわしているのが白色の小型乗用車だったという平島の「報告」を思い出し、番号以外にもそれが一つの目安になると思った。だが、小型車もここにないのは、尾形恒子が乗り回しているか自宅に置いているかしているのであろう。

中森町二ノ五ノ六というのは、駅前に出ている大きな地図を見ると、ここからはかなりの距離があった。そこを通るバスは十分後に出る。

中森郵便局前というバス停で二人は降りた。平野部についたバス道路は、横浜と八王子とを結ぶ町田街道であった。中森町は町田市から横浜寄りにあって、このへんになると、さすがに市街というよりも新開地で、大きな都営住宅があちこちに見られた。

二ノ五ノ六はもちろん実在の番地だった。郵便局の前から南に入ると、雑木林を背に一筋道の両側に小さな店と住宅とがならんでいる。それにはいくつもの小さな十字路があって、二丁目五番地は三つ目の辻を東に入ったところであった。

そこは分譲地で建てたらしい家の一画と、以前からの農家とが隣合っていた。新しい住宅はせまいながら庭を持ってささやかな植込みがある。農家は五、六軒かたまって防風林に囲まれていた。

四つ辻にはこのへんの住宅案内の地図が掲示板になって立っていた。そこには「尾形」の名も書き入れられてあった。

二人はそれを目標に歩いた。人はほとんど通っていなかった。

妙子が修三の肘《ひじ》をつついた。道路の右側に「尾形」の標札を見たからである。八十坪くらいの敷地に、面積にして二十五坪くらいの和風の二階家であった。建ててから七、八年といったところ。横に小さなガレージがあったがシャッターがおりている。車庫だけでなく家の戸がぜんぶ閉っていた。

修三と妙子とは肩をならべて尾形家の前を通りすぎ、百メートルくらい先まで歩いた。このへんはあまり家がなく、原野の名残りの雑木林と田畑がひろがっていた。

「留守のようでしたね」

道が畑の中に入るところで立ちどまって羽根村妙子が言った。

「そうらしい」

「もうあの家の前を通らずに引返しましょうか」

「見ましたか？」

「え、何を？」

修三が急に言ったので、妙子は意味が分らずにその顔に眼をあげた。

「あの尾形さんの家の反対側の路地に近所の婦人がたが四人くらい集まって立話をしていました。ぼくは、ちらっと見て通ったのですが」

「わたくしは、そっちのほうは見ませんでしたけれど。この時間だと、夕方の買ものの前だし、奥さんがたのたのしいおしゃべりの時間じゃないですか？」

四時前だった。日もだいぶん長くなっていた。

「いや。ひそひそと低い声で話し合っているようで、ふつうの井戸端会議の雰囲気《ふんいき》とは違うようでしたよ。そのうち、二人は確実に尾形さんの家のほうに顔をむけていた」

「歩きながら、ちょっとご覧になっただけで、よくそんなことまで観察なさいましたね？」

「瞬時に眼に入った光景だが、直感ですよ。あれは尾形家のことを噂《うわさ》し合っていると思う。それも、あまりいい話ではない噂をね。もっとも、ご婦人がたが路上に集まってする立話にはいい噂は出ない。他人の不幸をよろこぶような話が多いようです。顔には同情をこめた表情をたたえて」

「小山さんも案外意地悪なんですね」

「あの主婦たちのヒソヒソ話は、たしかに尾形家のことを言っていると思います。留守をしている尾形家の暗い話をね」

「暗い話ですって?」

「なんだか気になる。戸を閉めている尾形家に不幸な事件がもち上っているような予感がする」

「いやですわ」

「いや、ほんと。気がかりだから、ちょっとあの婦人たちのところに行って様子をきいてくれませんか? 男のぼくがそんなことをするわけにもいかないので。まだ、婦人がたは解散しないでいると思うけど」

「でも、どんなふうに聞いていいかわかりませんわ」

「生命保険の婦人集金員でも、化粧品の外交でもなんでもいいじゃないですか。尾形さんのお宅にきたけれど、お留守のようですが、長いご旅行ではないでしょうか、とでも言って。ヒソヒソ話が尾形家のことだったら、確実に反応がありますよ」

羽根村妙子は修三に言われて決心したようにひとりで歩き出した。

もとのほうへ引返して尾形家の前に再び出た妙子は、戸の閉っている留守の家を見あげ、門についているブザーのボタンを押した。その応答を待つようにして、姿勢を変えると、その前から反対側についている路地には近所の婦人が四人立って、顔を一斉にこっちにむけていた。

やはり小山の言ったとおりだと妙子は思った。留守にしている尾形家を話題にしているところに、訪問者がきたので、みんなの関心がこっちへ集中した感じであった。

妙子はまた背中をかえし、もう一度ボタンを押した。家の中からの反応は依然としてなかった。彼女は途方にくれた様子をして家を眺めていた。

「もしもし」

うしろのほうから声がかかった。

「尾形さんは居らっしゃいませんよ」

振りむくと、佇《たたず》んでいる四人の婦人のうち、眼鏡をかけた肥えた中年女が首を横に振っていた。

妙子は、軽く頭をさげながら四人のほうへ歩み寄った。

「わたくしは生命保険会社の者ですが」

長い髪をかきあげ、なるべく営業的な明るい笑顔をつくった。

「……尾形さんはお留守でしょうか?」

眼鏡の肥《ふと》った女のほか、顔色の悪い瘠《や》せた女、背の低い女、両肩の張った女がいたが、どれも三十から四十くらい、声をうしろからかけた女がいちばんの年かさであった。

「尾形さんはご主人のほうですか、奥さんのほうですか？」

口をきいたのはやはり黒ぶちの眼鏡をかけた女であった。

「奥さまのほうですが」

「奥さんでしたら、当分お帰りになりませんよ」

眼鏡の女はいくらか突放したような言い方をした。

「当分、とおっしゃいますと、二、三日でしょうか、一週間ぐらいでしょうか？」

妙子は、さらに愛嬌《あいきょう》をつくった。

「さあ。それが、いつお戻りになりますかねえ」

ほかの三人とこっそりと眼を見合せていた。

「ご夫妻でご旅行でしょうか？」

「いえ、奥さんのほうだけですが。それが、旅行ではないらしいんです」

「そうですか。実は奥さまに今日来てくれと電話で言われたものですから伺ったのですけれど」

「その電話は、いつでしたか？」

背の低い瘠せた主婦が早口にきいた。

「そうですね」

うっかりしたことは言えぬと妙子は思い、要心して、十日前ですが、と言った。

「十日前ね。十日前だったらまだ奥さんがいらしたわね。姿が見えなくなったのは一週間前だから」

眼鏡の主婦が三人に言った。

一週間前から姿が見えなくなったと聞いて、妙子はどきりとした。「見えなくなった」という言い方が普通でなかった。それが旅行でもないとなると、どういうことだろうか。

「何かご事情があるのでしょう」

眼鏡の肥った主婦が代表格で言っているが、ほかの三人も眼を見合せて複雑な顔つきをしていた。それが、むやみと他言はできないが、隠しておくのも惜しいといったふうにみえる。

眼鏡の主婦も、そのまま口をかたく閉じるではなく、唇を半開きにしていた。こちらでもっと言葉を誘ってくれるのを待っている様子にもみえた。

「あの、ご事情というと、なにかご心配ごとでも……?」

妙子は眉《まゆ》をひそめ、気がかりげな表情をして訊《き》いた。得意先のことを憂《うれ》える気持を懸命にあらわした。

「さあ。……」

主婦は言うのをためらって、ほかの三人の顔を相談するように見た。三人はなんとなくうすい笑みを交わしていた。

「あの……お世話になっているお客さまのことですから、ほかの方には絶対に洩らしませんけど」

妙子は尾形家への気がかりと、主婦たちへの愛嬌とを半々に見せ、低い声で言った。

彼女もまたいつのまにか主婦たちのすぐ傍に来ていた。

「尾形さんとお仕事でご交際のある方がまだご存知ないのでしたら、お知らせしましょうか」

眼鏡がやっと唇を動かした。

「はい。どうぞ。どんなことをうかがっても他言はいたしません」

妙子はもういちど、誓約するように言った。

「どうぞ、そうおねがいします。そして、このことは、わたしどもの口から聞いたというのは内緒にしておいてください」

「それはもう、おっしゃるまでもありません」

「実は……」

眼鏡の主婦は、また三人に眼を走らせたあと、

「尾形さんの奥さんは、一週間前から行方が分らないんです」

と、妙子の耳のそばにきて、圧《お》し殺した声で言った。

「えっ。それは、ほんとうですか？」

妙子が眼をみはると、主婦は四人とも相手の予期した反応に満足そうなうなずきかたをした。

「ほんとうです。実は、ご主人が四日前に警察に捜索願いを出しておられるんです」

妙子はあまりの意外さにすぐには声が出ないといったふうに、眼を大きく開いたままでいた。実際、意外でもあったのだが。

「おどろきましたわ。それであの、尾形さんの奥さまの行先にはまだ手がかりがございませんの？」

唾《つば》をごくりとのみこんで妙子はきいた。

「警察のほうからご主人への連絡には、まだ奥さまの行方に何も手がかりがつかめないでいるそうです」

眼鏡の主婦は太い首を妙子の前にすり寄せてきて言った。

尾形恒子が夫と二人暮しというのは平島の話であった。

「はあ。そうですか」

妙子はしばらく息を呑《の》んだ顔でいたが、思い切ったようにおずおずと質問した。

「あの、奥さまは家出をなさったのでしょうか、それともだれかに誘われて行方がわからなくなったのでしょうか？」

「それがねえ、どうもはっきりしないのです。ご主人は家出の原因は何もないとおっしゃるんですが」

「奥さまはご主人のお留守に出られて？」

「奥さまは何かのアルバイトをなさっておられたようです。そのお仕事に出られたままなんです」

アルバイトに出たまま帰宅しなかったとすると、それは水曜日ではなかったろうか。妙子の心は急に波打ってきた。

「その行方不明になられた日は、いつでございましょうか？」

「さあ。……」

眼鏡は三人の主婦とまた顔を見合わせた。両肩の張った主婦が言った。

「奥さん。あれは今月の十二日でしたわ。ご主人がわたしにそうおっしゃったのをはっきりとおぼえていますわ」

「十二日というと水曜日じゃございませんかしら？」

妙子はひとりで言うと急いで手帳を出して開いた。七曜表を見ると、五月十二日はたしかに水曜日であった。

「毎水曜日に尾形さんの奥さんがアルバイトのため東京へ出ておられるのを、あなたはよくご存知ですのね？」

背の低い主婦がすかさず妙子にきいた。唇がうすかった。

「はい、それは、水曜日には留守をするから保険の集金には来ないでほしいと奥さまに言われておりましたので」

「ああ、そう」

唇のうすい女は納得してうなずいた。

「そうすると、奥さまのアルバイトと申しますのは、どういうお仕事だったんでしょう？」

主婦たちがそれを知っているかどうかをさぐってみたかった。

「なんでも新橋のほうにある新製品の販売状況を調査するお仕事だと奥さんは言っておられました。毎水曜日の朝に、車で出かけていらしたわ」

新橋にある新製品会社の販売調査。——妙子はTVスタディ社のビルの入口に銅板で掲げられたさまざまな会社名を思い出した。実際のアルバイトを秘匿《ひとく》するために尾形恒子は上手な口実をあの銅板標示の一つに求めたものだ。

ふいに主婦たちが一斉に沈黙した。

瘠せぎすの丈の高い男が尾形家の通用口から道路に出てきたのが見えたからである。

婦人たちはにわかにそわそわし、顔をうつむけたりそむけたりして、尾形には口もきかずに、さも用ありげに散って行った。

妙子が顔をなおすかっこうで佇みながらそっと眼をやると、その丈の高い男は年齢五十ぐらいで、髪はもうだいぶんうすくなっていて、瘠せているせいもあって顔は面長というよりも顎《あご》の先がとがっていた。色が黒く、眼は落ちこんでいるけれど、よく光っていた。これが恒子の夫尾形良平であることは、彼がその家からシャツとズボンだけの姿であらわれたことと、当人の噂をしていた主婦たちが彼を見て四散したことでもわかった。

尾形恒子宅の近所の路地で主婦たちがこっそりと言った以上の話は、待っている小山修三のところに戻った羽根村妙子の報告した内容であった。——

「十二日は水曜日です。近所の奥さんがたも尾形さんが毎週水曜日にアルバイトに出ていることは知っていますが、尾形さんはそれを新製品販売の調査だといって、テレビのモニター会社のことは隠しています。さすがだと思います」

妙子は言った。

「新製品の販売会社というと、あのビルにそれに似た会社の看板がかかっていたなぁ」

修三もそれに思いあたっていた。

「それからヒントをとってアルバイトの内容をすりかえたのでしょうけれど、うまい口実だと思います」

「で、尾形さんは、十二日のアルバイトの帰りに居なくなったんですか？」

「そうだと奥さんがたは言っています」

「おどろいたな。妙な予感がしていたが、こんなにピタリとあたるとは思わなかった。しかも、あの夫人が失踪《しっそう》したとはね」

修三は髭を無意識に撫《な》でていた。昂奮《こうふん》気味になると、つい、そこに手が行くのである。

「主人の様子はどういうことですか？」

「気の毒なくらい、おろおろしてらっしゃるそうです。それはあたりまえでしょう」

「その主婦たちは、尾形夫人の行方不明をどう見ていますか？」

「それは、さすがに遠慮してはっきり言われませんでした。でも、内心では、ちょっぴりぐらいは、わたくしに洩《も》らしたいふうでした」

「それはそうでしょう。隠したいほど、話したくてうずうずとなるものですからね。それが人間の心理です。とくに婦人にはその衝動が強いようです。で、あの婦人たちは自分たちの推量くらいは洩らしたでしょうな？」

「ええ。控え目ながらね。やっぱり第一に疑ってらっしゃるのは、恋人の関係でしたわ」

「あの夫人に恋人がいたんですか？」

「そうじゃありません。尾形さんの奥さんは、きれいで、おしゃれ好きだというのをさかんに口にしておられたんです。これは自分たちの推量ということにはしないで、警察が恋人の線で捜索しているというのを署員から聞いたといって話してくれました」

「警察がね。警察が捜索願いが出たくらいで、本気に捜索をするものかなぁ？」

「それは分りませんわ。近ごろは捜索願いの出たものを警察も殺害された疑いで捜査するそうじゃありませんか。新聞にはそう出ていたわ」

「うむ。新聞にはそう出ていたが……」

修三は、気づいたように眼を大きく開いた。

妙子の話から修三は言った。

「家出人が殺されている事件例がこのごろ多いのでね。警察が捜索願いの出ているのを調べているのは新聞にも出ていたが、それは殺害された疑いが強いケースらしいです。警察の署員が近所の奥さんがたにそんなことを洩らしていたとは、捜査のために聞込みをしているということですか？」

彼は妙子の顔をのぞきこんだ。

「さあ。それはわかりません。恋人の線は、奥さんたちがその推量では言いにくいので、警察の話というのをつくって言ったのではないかとも思うんですが」

妙子は、自分でも首を傾《かし》げていた。

「たしかに尾形夫人は、われわれが見たあのアルバイト婦人のグループでも、若くて、美しくて、身なりもおしゃれではあったですな」

恋人説が出るのも無理はないという口吻《こうふん》であった。

「それに、ご主人は年齢がだいぶん上で、東京のどこかの商事会社の事務員としておつとめだそうです。そのご主人のことは、平島さんも言ってらっしゃいましたわ」

妙子は言った。

修三も、それは平島庄次から「追跡調査」の結果として話を聞いていた。

平島が尾形恒子の家を確認してあらためて翌日そこを観察に行ってみると、家の庭には主人の尾形良平と思われる五十近い男がうすい頭髪の後部を見せて立っていた。茶色のセーターに作業ズボンをはいていた。うしろむきなので顔はよく分らなかったが、尾形恒子は一度だけ家の中から派手な姿を見せたという。夫婦二人きりだが、その年齢差は十以上に見える、といっていた。

「夫婦の年齢が少し開いている。それに奥さんは少しおしゃれなほうだ。そういうところから近所の奥さんがたの噂《うわさ》も恋人存在説になるんですね」

「小山さん、そろそろ駅のほうに歩きましょう。もう、夕暮になってきたわ」

妙子は修三をつついた。うす暗い、人通りのない場所に二人きりでいると、それこそ恋人どうしに間違えられるのをおそれていた。

尾形家の前を通れば、また近所の主婦たちが佇《たたず》んでいるかもしれないので、道を変えて駅のほうに歩いた。

「そのほかに、尾形夫人が失踪する原因としては、何が考えられますかね?」

道々、修三が言った。

「あとは金銭問題かしら」

「さあ。それはどうかな。ぼくらはアルバイト婦人たちを尾行して観察していたが、ほとんどの婦人が疲れた顔していましたね。電車に乗ると、すぐに居眠りしたりして。ぼくが観察したC号婦人なんかはデパートのワイシャツを見て歩いたうえ、ようやく安い正札のを一枚えらんだくらいだからな。あのアルバイト婦人ということからいえば、金銭問題はちょっと……」

尾形恒子の失踪は、本人の家出か、それとも外部からの連れ出しか、前者とすれば恋人説、後者とすれば金銭問題のもつれ、というどちらも不確かな想像が起る。

だが、テレビ視聴率測定ペーパーの回収員である彼女らを見ていると、買物袋に入れた回収ペーパーをモニター会社に届けたあと、銀座あたりを遊んで歩くでもなく、すぐさま自宅に引返してゆく事務的な行動といい、帰りの電車の中での疲れ切った様子といい、尾形恒子が失踪するほど大きな金銭的な悶着《もんちゃく》がからんでいるとは思えなかった。

だが、それはあのアルバイト婦人としての共通的なイメージで、尾形恒子の個人的な内情となると特殊ということになる。

小田急町田駅から新宿に向う電車の中でも、小山修三はそのつづきを考えていたが、

「ほかに、もう一つ、原因が想像できそうだな」

と、隣の羽根村妙子の耳を掩《おお》っている髪に話しかけた。

雑誌を読んでいた妙子が、その切長な眼をあげた。

「どういうことでしょうか？」

「もしかすると、大磯町服部梅子の新聞投書に関係があるかもしれない」

妙子は、その瞳《ひとみ》に一瞬の表情をみせたが、

「それには何か連絡的な要素がありますか？」

ときいた。窓外はすでにまったく昏《く》れていた。

「いや、連絡的な要素といわれると困るな。そういうものはないんです。ただ、連絡もなしに、ぽつんと浮んだ思いつきですがね」

妙子は黙って、もとの無表情な眼差《まなざ》しに戻った。彼の思いつきにすぎないと分って詰らなそうな顔だった。

駅のあたりだけは町の賑《にぎ》やかな灯の塊りを見せるが、そこを通過すると電車は暗い中を走り、平野部の遠い灯が断続的に動いていた。

これまで知り得たことはいくつかある。が、それはあの遠い灯の点在のようにつながりがなかった。修三は自分で言ったことだが、尾形恒子の行方不明と服部梅子という仮

名の投書とにつながりの糸があるとも思えなかった。

しかし、ここで修三はふいと思い当ることがあった。測定ペーパーの回収員尾形恒子の失踪は、五月十二日の水曜日であった。いまから一週間前だ。

服部梅子の投書が新聞に出たのもそのころではなかったか。——

修三が念のために投書が新聞に出た日を妙子にきくと、

「あれは六日前でした。五月十三日付の新聞でしたわ」

と、妙子は睡たそうな眼で答えた。

無関係な記事

大磯に行った翌日、小山修三は区立図書館に行った。三種の新聞綴込《とじこ》みを閲覧するためであった。

町田市の尾形恒子が失踪《しっそう》したのが五月十二日である。そのことを報じた記事でも出ていないかと知りたかった。

羽根村妙子が聞いてきた尾形家の近所の噂《うわさ》だけでは十分でなかった。それは詳しいことも、深いことも分っていない。

それをさぐるには三つの方法がある。

一つは、家出人捜索願いが出されている警視庁（所轄署《しょかつ》）に行って事情を聞くこと。

もちろん、これは関係のない者が行っても警察では何も言わないにちがいない。

もう一つは、尾形恒子の夫に会って委細を聞くこと。

これも実現困難である。こっちにその理由がない。

あとの一つは、新橋のＴＶスタディ社に行って様子を聞くことである。尾形恒子は同社の回収員である。たとえアルバイトであろうとも、すでに長期間それに従っているようだから常勤に近い。とくに、その失踪が水曜日の回収日にあたっているのだから、詳しい事情がわかっているはずだ。

しかし、これは以上の二つよりも最も実行が不可能であった。それを聞きに行く理由のないことは前者と同じだが、その上に、自分たちが婦人回収員たちを張りこんだり尾行したりしている。たとえその動機が「好奇心」から出ているとはいえ、いわば「企業の秘密」を内偵したのと同じ行為である。そんなことをやっていて同社の訪問もないものだった。

したがって、そうした三方面からの聞込みは見込みがない。

また、昨夜の電車の中で思いついたことだが、例の新聞投書の件と尾形恒子の失踪とが関連があるものやらどうやら皆目わからない。あれは電車に揺られているうちに、その動揺から頭の中に浮び上った泡沫《ほうまつ》のようなものだった。

そうなると、あとは新聞記事だけである。図書館で三つの新聞の綴込みを見たが、尾形良平が妻の捜索願いを出したという日のあとには何もその記事が出ていなかった。近ごろは幼児が行方不明になると、すぐに記事になるが、亭主が女房の捜索願いを出したくらいでは記事の対象にもならないのだろう。それにそんな新聞記事が少しでも出ていたら、尾形家の噂をしていたという近所の主婦たちが羽根村妙子にその話をしないはずはなかった。話に出なかったのは、新聞に報道されていないからである。

修三は、ついでに五月十二日よりも前の新聞もめくってみた。べつにそこから婦人回収員の失踪に関連した出来事をさがし出そうという気持からではないが、もののついでで、社会面の記事のおもしろさに惹《ひ》かれたのだった。

そのうちに「誘拐《ゆうかい》された恵子ちゃん無事戻る　犯人も場所も不明」という見出しが眼についた。

その見出しを見て、そうだ、こういうこともあったな、と修三は思い出した。さっき、幼児の誘拐事件ならすぐに新聞に出ると思ったのは、一つにはこのケースが頭に残っていたかららしい。

渋谷区松濤《しょうとう》のほうに家がある会社役員の三女で、恵子という六歳になる女の児が近くの小公園で遊んでいるうちに姿が見えなくなった。四月十六日のことである。誘拐されたとみて警察で捜査をはじめた。

誘拐された当時の目撃者がなかったので、警察は秘密裡《ひみつり》にその地域一帯の聞込みを行なった。誘拐犯人から身代金の要求はなかった。なんの連絡もしてこない。

身代金目当ての営利誘拐の線は、いまにその要求を犯人がしてくるだろうと考えていた。父親は商社の重役である。そうでないほうは、単純誘拐で、可愛《かわ》いかったから連れて帰ったという線で、よくある例である。この場合、多少、精神的に異常な者がそうする。

しかし、最も心配されたのは、もっと極端な性格異常者による犯行で、この場合は女の児の生命が気づかわれた。日が経《た》つにつれ、この懸念《けねん》が増大した。各所轄署によって管内のアパートや独身寮が調査の対象になった。とくに変質犯罪歴のある者が重点的に洗われた。

しかし、新聞報道は女児の生命の危険を考慮して、各社が協定して報道を中止していた。

ところが幼児が居なくなってから二週間目の四月三十日の午前十時ごろ、当人が小公園の中にぼんやりと立っているのを近くの人が見つけた。

《誘拐された恵子ちゃん無事に戻る　二週間「やさしいおばちゃんの家」にいた　犯人

も場所も不明》

これが報道の自己規制を解除した新聞の第一報の大見出しである。人々ははじめて誘拐事件を知って驚いた。

六歳の子のたどたどしい話を綜合《そうごう》するとこうである。

四月十六日午前十時ごろ(推定)、恵子ちゃんが小公園から家に帰るためにひとりで道を歩いていると、うしろから車がきてとまり、運転している「おばちゃん」がお家《うち》までこの車で送ってあげようか、と窓から顔を出し、にこにこしながら言った。小公園からお家までは五百メートルくらいある。恵子ちゃんがうなずくと、「おばちゃん」は車から降りて恵子ちゃんを助手席に乗せた。

小公園には、授業中の時間なので、学童は居ず、小さな児が三、四人遊んでいるだけであった(調査で分る)。小公園から恵子ちゃんの家までの道路の両側は大きな家ばかりで、それぞれの長い塀《へい》がつづいている。だからこの様子を家の中から目撃した者はなく、通行人もいなかった。

「——おばちゃん」は車をゆっくりと運転しながら、これから、ちょっとおばちゃんの家に遊びに寄ろうね、おもしろいオモチャも漫画本もいっぱいあるわよ、ちょうどオヤツだから、おばちゃんといっしょにおいしいものを食べようね、と言った。恵子ちゃんは、うん、とうなずいた。そのとき、名前は何て言うの、ときかれた。

車は恵子ちゃんの家には行かないで、途中の角を曲った。そこから下り坂となり、そのまま行くと、いつもママが連れて行ってくれる賑《にぎ》やかな渋谷のほうに出る。けれども車はそっちのほうへはむかわずに別の道を行った。車がたくさん通っている大きな道路に出て走った。信号がいくつもあった。そこから別の道に入ると、お店屋さんがたくさんあった。おばちゃんはそこで車をとめ、恵子ちゃんが好きだと言ったチューインガムを三個買ってくれた。

それを嚙《か》んでいるうちに、恵子ちゃんは睡《ねむ》くなり、おばちゃんがうしろの座席に移して横にしてくれた。だから、あとの道のことはおぼえていない。

恵子ちゃん、恵子ちゃん、とおばちゃんに起された。まだ睡かったので、おばちゃんに抱かれて、お家の中に入った。お二階があった。きれいなお家だった。あとから買ってくるからね、とおばちゃんはああ言ったのに、オモチャも漫画本もなかった。プリンに、パイナップルや赤い桜んぼうが添えられてあった。

そのうち、テレビが漫画をはじめたので、恵子ちゃんはそれを一心に見た。前から見ているテレビ漫画だった（そのテレビ漫画は午後五時四十五分からである）。

そうしているうちに、「おじちゃん」が外から戻ってきた。おじちゃんはパパより若かった（恵子ちゃんの父親は四十七歳）。おばちゃんもママより少し若かった（母親は三十八歳)。

その晩は、おばちゃんとおじちゃんの間に寝た。おじちゃんがおとぎばなしをしてくれた。それから毎日そのお家にいたが、おじちゃんもおばちゃんもとても可愛がってくれた。お母さんやお父さんやお姉ちゃんたち（五つ上と二つ上の姉）に会いたかったけれど、そのうちに迎えにきてくれるとおばちゃんが言ったので待っていた。けれどもさびしくはなかった。

表に出てはいけないと言われたので、家の中ばかりで遊んでいた。おばちゃんが遊び相手になってくれ、夜はおじちゃんが遊んでくれた。漫画本や絵本やオモチャをたくさん買ってもらった。おばちゃんが好きなごちそうを毎日つくってくれた。

そういうたのしい毎日を送っているうちに、おばちゃんにお家に送ってあげようね、と言われて朝のうちに車に乗せられ、家の近くの公園で降ろされた。──

警察では、恵子ちゃんの誘拐を「子供のいない妻が恵子ちゃんの可愛いらしさに小公園付近から自家用車に乗せて家に連れ帰った。夫もこれに協力した」と見た。ことは恵子ちゃんを見ての「出来心」だったが、家に置いておくうちに恵子ちゃんを完全にぬすむ心になったかもしれない。

その目的を達しなかったのは、恵子ちゃんが見えなくなったとき、大騒ぎするはずの新聞やテレビニュースがまったく沈黙を守っており、それが逆に犯人夫婦に強い圧力となったのではないか。当初こそこれ幸いと思ったものの、三日、四日とたつうちに、何も報道されないことがたまらなく不気味になったにちがいない。警察が捜査のために報道関係と協定したのが分ったのであろう。

ふつうの読者と違って犯人は報道に神経を尖《とが》らせているから、全く報道がされなければ、それだけ警察の真剣な捜査を直感したであろう。報道のないことは、それだけ警察の動きが分らないことで、それがまた誘拐者の不安を募らせたにちがいない。その心理的な圧迫から、犯人は二週間目に恵子ちゃんを家に戻したのであろう。

そのように捜査側の意見を、恵子ちゃんの帰宅後、一斉に報道を始めた新聞は書いた。

捜査陣は、恵子ちゃんの記憶をたよりに渋谷区松濤の小公園付近から、犯人の家に達する道順を追跡した。

おばちゃんはママより少し若く、おじちゃんはパパよりは下だということで年齢の見当はほぼついたが、六歳の幼児では人相のことにはまったく、表現力がない。車は、青い色だったというだけで、もちろん型も番号もわからない。家は「二階のある、きれいなおうち」と言うだけである。

道順もそのとおりで、恵子ちゃんとママを警察の車に乗せて松濤からあらゆる道を辿《たど》った。渋谷の繁華街に出る方向ではないというので、ほかの「車がたくさん通っている」道をいくつか走った。その道はどうやら渋谷から新宿へ行く通称神宮通りらしい。だが、そこから青色の車はせまい道に入って、おばちゃんはにぎやかなお店のならんでいるところで車をとめ、チューインガムを買ってくれた。捜査側は、その「せまい道」と、四月十六日の午前十時十五分から四十分ごろのあいだ（推定）に、車に六歳の女の児を残してチューインガムを買った店とをさがしたが、見つけることができなかった。

それから先の道順は、かんじんの恵子ちゃんが誘拐された車の中で睡ってしまっているので、手がかりを失った。誘拐犯人の夫婦はいまだに逮捕にいたっていない。

——これが「誘拐された恵子ちゃん無事に戻る」の見出しが出てから以後の関係記事の概略であった。

うむ。そういうことも新聞で読んだな。

小山修三は思い出しながら、新聞の綴込みを繰った。

小山修三は新聞の綴込みを慢然と繰る。区立図書館の中は、ほとんどが中学生や高校生の群れで占められ、大人はわずかしかいない。

前のほうの社会面には、相互銀行の金を約八千万円持ち逃げした行員の拐帯事件が出ている。持ち逃げしたのは土曜日の午後五時ごろらしいとある。

行員はその盛栄相互銀行浅草支店の内勤係次長で四十二歳になる男である。土曜日の午後をねらったのは、逃走時間に余裕をつくるためだったと警察では見ている。土曜日の夕方から日曜日一日と月曜日の半日と、まる四十三時間もある。月曜日の午前中に次長が出社しないので、家に電話で問い合せると「関西に出張する」といって土曜日に家を出たままだという。金庫と帳簿を調べて八千万円の不足を知ったという。内勤係次長は出納係の責任者でもある。いまだに行方がわからない。新聞にはその顔写真が出ている。

八千万円というと、一万円札束で普通のスーツケース一個に入るだろうかと修三は考える。見当がつかなかった。二個でないと入りきらないかもしれない。

四十三時間以上もあると、どんな遠くにでも逃げられる。もっとも海外には旅券などで行先にアシがつくだろうから、国内にひそんでいるのだろう。計画は以前から練られていたにちがいない。このまま見つからなかったら、うまくやったと修三もうらやましい気持がしないでもなかった。

そのほか、殺人事件は五日おきぐらいに出ている。原因の単純なのもあれば複雑なのもある。犯人が逮捕されたのもあるし、そうでないのもある。捕まってないものの中にも重要参考人として捜査されている者と、まったくだれの犯行か見当のつかないのがある。そういうのには強盗殺人が多いが、なかには一物も取られないで殺されているバアのマダムなどもあった。

修三は、新聞綴りを返して図書館を出た。頭が少々痛くなった。結局、町田市の視聴率測定テープ回収員尾形恒子の失踪につながりそうな、あるいはそのヒントになりそうな記事はなにもなかった。

当り前だろう。そんなに都合よくいくわけはない。新聞を見たら何かあるかもしれないと考えたのは、たんなる思いつき、思いつき倒れであった。

修三は歩いて帰る。天気のいい日で、街には人通りが多かった。前から来る群れ、うしろから歩いてくる人たち、無関係な人ばかりであった。

が、修三は背中に貼《は》りついた他人の眼を感じて落ちつかなくなり、ふいと振り返った。知らぬ顔ばかりで、かくべつ彼を凝視していたようなのもいなかった。

修三が暗くなって戻ると、店に平島庄次がきて、コーヒーをのみながら待っていた。

「やあ」

平島庄次はテーブルにかがんでいたまるい背中をあげて修三に笑った。

妹の久美子が、

「もう一時間近くもお待ちよ」

と、修三の傍にきて言った。

「どうも失礼」

修三は平島の前にすわったが、まさか彼がこの店にやってくるとは思わなかった。

「いやいや。連絡もしないで、ぼくのほうから勝手に来たのでね」

修三は店の中を見回した。若いアベックや学生などが十人ばかりいるくらいで、その多くは常連客だった。平島ははじめから隅のほうに席をとっていた。

「羽根村君から大磯の様子や町田市の尾形恒子の一件を昨日聞きましたよ」

修三が落ちつくのを待って平島は低い声で言い出した。

「そうですか。で、どういう感想を持ちましたか?」

羽根村妙子の早速の報告で平島がやって来たとは修三も察していた。

「ご苦労でした」

平島は先《ま》ず言った。

「……新聞に出た服部梅子の投書は、はじめからくさいと思っていたが、さっそく二つのテレビ局がさがしに大磯まで来たとは、さすがに投書の内容がテレビ局にショッキングだったんですな」

「ところが平島さん、その投書主も架空ですが、さがしにきたテレビ局のうち、あとからさがしにきたというRBC局のほうは、どうやら偽者のようですよ」

平島は、久美子が運んできた何杯目かのコーヒーをかきまぜていたが、少し考えたあと、

「そりゃ、テレビ局の者じゃなくて、プロダクションの者かもしれませんね。プロダク

ションでは幅が利《き》かないので、ＲＢＣ局の者だと名乗ったのかもしれません。前にきたというＶＶＣ局のほうは本ものかもわかりませんがね」

「ぼくもそう思います」

「テレビ局もプロダクションも両方が投書者をさがしに行ったと解釈できるが……」

平島はあとのほうをプロダクションと推察しているが、そうも決定できないといった口ぶりでもあった。それが何のことだか修三には分らなかった。

「この前も言ったように、あの投書の内容は視聴率調査についての内部告発と同じだからね。いろんな方面から投書者へのせんさくがあったと思いますよ」

平島はただそれだけを言った。

「次に、町田市の尾形恒子が行方不明になっていることですがね。これにはおどろきましたよ。Ｄ号婦人の尾形恒子は平島さんが追跡されたんですからね」

「いやあ、それはね、羽根村君から尾形恒子の行方不明のことを聞いて、ぼくもびっくりしましたよ」

平島庄次は話をはじめて耳にしたときと同じように眼をまるくしてみせた。

「そうでしょう、あなたが町田市まで行って家族構成まで調査されたんですからね。羽根村君とも話したんだが、あなたが聞かれたら、おどろかれるだろうとね」

修三は、平島の眼のふちの深い小皺《こじわ》を眺めた。

「そりゃ、おどろきます。当人をよく見ているからね。それに、あのひとのご亭主も、家もね。まるきり、ひとごとではないような気がしますよ」

「その実感はわかりますね」

「ところで、羽根村君からもざっと聞いたんだが、あんたの推測はどうなんです？　D号婦人尾形恒子の失踪《しっそう》ですが」

「まだ何んにも判断の資料がないのですが、想像としては三つ考えられる。通俗的な考えだが、まず、ご亭主以外の男との愛情関係。ご亭主とはちょっと年齢が開いています」

「うむ。彼女はアルバイト婦人仲間ではいちばん若くて、おしゃれで、それにちょっと男好きのするような魅力的な顔だったからね。たしかに、あのご亭主は迫力がなさそうです」

平島は尾形良平の痩《や》せた色の黒い顔を眼に浮べている表情だった。

「もう一つは、金銭問題のトラブル。金の貸し借りで、よく悶着《もんちゃく》がおこり、それが悲劇的な事件に発展することがあります」

「うむ、なるほど」

「しかし、この線はいちばん弱いと思います。ぼくらがあのアルバイト婦人たちを観察したところでは、みんな疲れていましたからね。アルバイトをするくらいですから、そう余裕のある家計とは思えません」

「けど、それだからこそ金を借りるということはありますよ。借金でも悶着はおきる」

「あんな、つましい生活をしていて、大金を借りるでしょうかね。借金も多額でないと、よくない事件に発展するほどのトラブルにはなりませんよ」

「それはそうだが。……ま、それはそれとして、もう一つ考えられるのは、テレビ関係のことだそうですね？」

「羽根村君とも帰りの電車の中でそう話したんです。尾形恒子は五月十二日の水曜日の朝に家を出たまま行方が知れなくなっている。水曜日は例の品の回収日です。もっとも近所の婦人たちは、彼女がモニター会社の回収員のアルバイトというのを知っていないですがね。その水曜日に居なくなったのだから、これはテレビと何らかの関係がある、と思うんです」

「テレビの視聴率調査とかね？」

「いや、それはわからないけど」

「そこでだな。あんたに見せたいものがある」

平島は、ポケットから折りたたんだ紙を出した。

平島庄次がポケットから出してひろげてみせたのは、タブロイド版の大きさ一枚の二つ折りで、表裏全面に活字がべったり印刷してあった。

その表一ページの上段には横長の枠《わく》どりがしてあって赤刷りで「旬刊TR通信」という題字が意匠文字でならんでいた。

「これはテレビ・ラジオ界の業界紙のようなものです」

平島は言った。もちろんTはテレビでRはラジオである。その一ノ面の題字下は、あるテレビ局社長と記者の一問一答があり、二ノ面は各テレビ・ラジオ局の幹部の動静とか、技術開発がどこの局で成功したとか、外国の最新機材の購入をどの局が行なったとか、海外放送事業界の情報とか、「主張」とかそんな硬い記事面となっている。

三ノ面は、新番組の内幕とか、タレントとのインタビューとか、匿名《とくめい》座談会とかいった気楽な記事で、四ノ面つまり裏側が各局の現場の声とか読者の声とかになり、その下段には各局の人事異動が出ている。

要するに、おだやかな業界紙であって、その証拠にはどのページも下の三段が各テレビ・ラジオ局の広告が多く出ている。

修三は各ページをざっと繰って見ていたが、どういうつもりで平島がこのような業界紙を持ってきたのかよくわからなかった。

「そんなところは見んでもいいです」

平島は、修三の前にある紙を向い側から手を出して四ノ面をめくった。

「そこに各テレビ・ラジオ局の人事異動の辞令が出ていますね。この旬刊紙の中に、T

Vスタディ株式会社辞令というのがあるでしょう。各局の異動の最後のところです」

平島はやはり向い側からその箇所を指で示した。

「あります、あります。ほう。TVスタディ社のことまでこれに載っているんですね？」

ちょっと意外だった。

「そりゃ、やはりテレビ視聴率のモニター会社だからね。そのTVスタディの辞令のところだけを見てください」

TVスタディの人事異動は四件であった。
○停年　資材課長（部長待遇）　南庄三郎
○資材課長を命ず　資材課次長　近藤歳夫
○資材課次長を命ず　資材課員　山崎猛夫
五月一日付（各通）
○依願退社　管理課次長　長野博太
五月十五日付
――今日は五月二十日である。
これがどうしたというのか、と修三は平島に顔を上げた。

辞令と失踪《しっそう》の間

「旬刊TR通信」に載っているTVスタディ株式会社の一社員の退社辞令がどうして問題になるのか、と小山修三は、平島庄次の顔を見まもった。

「この社の管理課というのはね、例の視聴率調査の標本世帯を担当しているところらしいです」

平島は、ぼそぼそと言った。

「え、ほんとうですか?」

修三は、それを聞いただけで、これは何かありそうだと思った。サンプル世帯の担当社員といえば、アルバイト婦人の回収員らと関連がありそうである。平島がわざわざここに来た理由がのみこめた。

「管理課というのが、そんな担当だとは、ちょっと気づきませんね」

修三は、平島の話をひき出すように言った。

「ぼくも知らなかった。管理課の内容は会社によっていろいろあるものだと思ったけれど、やはりテレビ視聴率のモニター会社らしいと思いましたな」

平島は言う。

「で、それがどうして、平島さんに分りましたか？」

「この旬刊TR通信社に電話したんです。すると、そういう答えがあった。ぼくも一般の放送会社の人事異動には興味はないけど、その中にTVスタディ社の名があったので、おりもおりなので、眼を惹《ひ》きつけられた」

「わかりますよ。で、その管理課次長の長野博太という人の依願退社というのには、なにかとくべつな意味があるんですか？」

「それを話す前に、TVスタディ社の管理課の構成を言わんといけない」

「はあはあ、なるほど」

「管理課は、標本世帯の管理が主な仕事らしい。それには、標本世帯の選定と委託、そして視聴率測定ペーパーの回収です」

「それはアルバイト婦人の回収員のことですね？」

「もちろん、そうでしょう。回収員の依頼とその標本世帯の受けもちなどもそこで決めるらしい」

修三はうなった。

「まだ、ほかに仕事がありますよ。それはアルバイト婦人たちが回収した測定ペーパー、つまりパンチ・ペーパーを、器械にかけて数字に復原することです。それがテレビ視聴率順位の基礎になる」

「中枢《ちゆうすう》だ」

修三は小さく叫んだ。

「そうです。テレビ視聴率順位の基礎となるというのは、TVスタディ社の中枢機構ということになりますね」

「平島さんは、それをどこで聞きましたか？」

「それも旬刊TR通信社が電話で教えてくれた。もっとも、その程度だけどね」

「しかも、その程度だといっても、旬刊TR通信社は、TVスタディ社の機構をよく知っていますね？」

修三は、TVスタディ社に神秘感を持っているので意外に思った。

「それはTVスタディ社といえども商事会社ですからね。会社としての機構内容は秘密でもなんでもないからです。だが、それ以上に、例の標本世帯の実数とか、配置された委託家庭の名前とかになると、秘密のトバリの奥にある。これは旬刊TR通信社などでも、やっぱりわからない」

平島は話す。

「旬刊TR通信社は、その方面の専門紙でしょう？　それでもTVスタディ社が秘匿《ひとく》している部分がわからんですかねえ？」

「そりゃ無理でしょう。げんに、そこにならんでいる広告を見なさい。ほとんどが民放テレビ局やラジオの放送会社ばかりじゃないですか。みんなツキアイ広告です。それをもっても、この旬刊TR通信の性格がわかる。業界紙といっても、業界の裏面を抉《えぐ》るといったものではなく、業界の『仲よしクラブ』的な機関紙ですよ」

「そういえば、記事面もそうですね」

修三は、眼の前のタブロイド版をあらためてめくった。

「だから、TVスタディ社なんて、この旬刊TR通信から見ると、あまり問題にもしてないんだろうな。本命は、なんといっても各テレビ局ですよ」

「しかし、われわれからすると、せめてTVスタディの正体をもう少し調査してもらいたいですね」

「そりゃあ望みがないですな」

平島は首を振った。

「というと?」

「それはだな、このTVスタディ社には各民放局が出資し合って、それぞれが株主になっているからだ。だから、旬刊TR通信社も、このモニター会社はつつけないでいると思います。大切なお得意のご機嫌を損うことになるからね」

「TVスタディ社の秘匿性をついてもらいたくないという各民放局の気持というのは、

例の視聴率の内容について、民放局とモニター会社とに暗黙の諒解《りようかい》があるということですか？」

「さあ、そこまではどうですかな。しかし、これは言えると思う。ＴＶスタディの視聴率調査が民放間の視聴率の基準になっていることはたしかです。それは絶対の権威として守らなければならないという考えは、民放局の側にある。そこをつかれて、内容の弱点が暴露すると、『視聴率は神さま』という神話が崩れてしまう。その神話が崩れることは、視聴率に統制されている内外の秩序が乱れるということでもある」

視聴率に統制されている内外の秩序が乱れると平島庄次は言う。その理由を平島は言う。

「視聴率は神様という神話がテレビ界の秩序になっているんです。これが内にしてはテレビ局やプロダクション、外にしてはスポンサーや世間一般の視聴率は厳正公平、科学的調査結果という信用になっている。つまりモニター会社の視聴率数字がそういう秩序を統制しているといえると思う。したがってテレビ局もモニター会社をあんまりつつかれるのは、その種の秩序を崩されることになるから歓迎しないでしょうな」

「そういう意味なら分ります」

小山修三は髭《ひげ》の端に付いたコーヒーの雫《しずく》をハンカチで押えてうなずいた。

「……なるほど、それじゃ旬刊ＴＲ通信がＴＶスタディ社の徹底調査をやれないわけですね。あそこは一種の聖域ですかね」

「親睦《しんぼく》的な業界紙の性格では、聖域といえるでしょうな」

「で、ここに載っているTVスタディ社の辞令、管理課次長の依願退社が、何か意味をもつんですか?」

これこそ平島がここにやってきた目的であろう。一見、平凡ともみえる辞令の紹介記事から平島は何をかぎつけたのだろうか、と修三は彼のこれからの話を唾《つば》をのみこむ思いで期待した。

「その前に、もう一つ、つけ加えますとね。TVスタディ社の管理課には、課長一、次長一、係長二で、課員は八人居る。なに、これは旬刊TR通信社に問い合せて向うで教えてくれたことです。内部機構は秘密でも何でもないからね」

平島は小さな手帳を見て、

「係長の二というのは、一は標本世帯の撰定、その交渉、謝礼、測定器の貸与、ならびに測定ペーパーの回収、つまり婦人アルバイト回収員の管理です。係のもう一つは、その回収されたパンチ・ペーパーを器械じかけで数字に復原し、その集計をするいわば技術方面の担当だということです」

パンチ・ペーパーは巻きとりの細長い紙にキイパンチのように穴の羅列となっている。集計はコンピューターでやるのだろう。各放送局の番組順位が小数点以下のパーセンテージまで翌日のうちに出るのはコンピューターの操作によると思われる。

「そこでです」

平島はつづけた。

「……この依願退社の管理課次長は、二つの係が担当する仕事を実務的に見ていたらしいです。課長は総体の管理職だが、次長というのは課長と係長との間にある立場だから、実務はよく分っている。それは、どこの企業体でもそうだが」

平島は、「総論」の前置きばかりで、容易に中心に入らなかったが、遂《つい》に言った。

「ところで、この五月十五日付で退社した管理課次長の長野博太という人は、TVスタディ社ビルの前で昼食後の体操をしていたあの人だったんですよ」

「えっ」

修三はおどろいて平島を見た。

額のひろい、眼鏡をかけたまる顔の男がワイシャツ姿で両股《りょうもも》をひろげ、両手を上下させ、腰を回転させている。下腹が出ている。眼鏡の中の眼も大きい。その眼を左右にきょろきょろさせながらの全身体操だった。ちょうど婦人アルバイトの回収員たちがテープを届けにTVスタディ社に届けに来はじめる時間だった。

あの男が婦人回収員を尾行したり張りこんだりする者はないかと警戒している様子には修三も平島も、そして羽根村妙子も気づいていたが、それがいま平島がいう退社辞令の長野博太という名だとははじめて知った。なるほどTVスタディ社の管理課次長と聞けば、あの警戒ぶりと符節が合う。修三はおどろいたけれど、意外ではなかった。

「あの人が長野博太ということがどうしてわかりましたか?」

「TVスタディ社の受付の女の子に知らん顔で訊《き》いたんです。本屋になり済ませてね。こういう人相の人がおたくの社におられるはずだが、本の予約をもらったけれど、うっかりお名前を忘れたといったら、受付の女の子は、ああ、それは長野次長さんです、けれど長野さんはもうやめられましたよといいました」

「ははあ、それなら間違いはないですな」

「確かです。もっとも女の子は退社の事情まではむろんいわなかったし、また、知りもしなかったでしょうがね。ぼくも訊かなかった。……けどね、この長野博太次長がやめたのは、円満退社ではなかったのですよ」

「それは、どういうことですか?」

TVスタディ社の管理課次長の依願退社が円満な退職ではなさそうだという平島に修三はその顔を見つめた。

平島は、テーブルにかがめた背をよけいにまるめた。

「それも旬刊TR通信社の答えからヒントを得たんです。なにしろ、こっちは鷗《かもめ》プロダクションの平島という名前を出してたずねたんだからね、小なりといえどもプロダクションだから旬刊TR通信社も一般の問合せに対するように冷淡な返事もできない。で、ぼくの質問は、その次長の長野博太という人が現在何歳くらいかという点でした」

「というと?」

「まあ、聞いてほしい。さすがは業界紙でね、旬刊TR通信社には資料としてTVスタディ社の社員名簿がきていて保存してあった」

「ほう」

「長野博太氏の生年月日をその社員名簿を見て教えてくれました。現在が満三十四歳です」

「わりと若いんですね」

「若い。入社は大学を出てすぐだった。そういう若さで管理課次長にまでしてくれた社を途中で辞めるというのは、これは何かあるんじゃないかと思いましたな」

「しかし、ほかにもっといい就職先を見つけた場合もあるでしょう。あるいは独立して何かをはじめるとか……」

「ぼくも言いにくかったけれど、旬刊TR通信社に長野氏が退社した理由をTVスタディ社にちょっと聞いてもらえないだろうかと頼んだのです。鷗プロダクションは曾《かつ》て長野氏に世話になったことがあるので無関心ではいられないからと言ってね。そこはプロダクションの名を応用できるありがたさです。で、その返事は一時間後にありました。

旬刊TR通信社が言うには、長野管理課次長の退職については、どうもTVスタディ社の言葉が煮え切らない、外部にはあまり公表したくない口ぶりだと言うんですな。それ以上には、通信社も先方に押せないわけです」

「というと、その退社は？」

「そう。形式上、依願退社にはなっているが、どうやら長野氏は退社させられたらしいとぼくは判断したな」

「そう早急に判断を下していいものですかね？」

「長野博太氏の住所を聞きましたよ。社員名簿によると、杉並区高円寺のクヌギ団地の3号八ノ二三です」

「なんですって？」

修三の脳裡《のうり》の隅にある「記録」に光があたった。

——高円寺の団地というと、羽根村君が尾けたB号婦人のところと同じではないか……。

「おやおや、その口ぶりだと、平島さんは長野博太氏のことを調べましたね？」

「実は、今日の午後、高円寺まで行って来たところです。長野氏が退社させられたらしい点がどうも気にかかるもんですからな」

ああ、やっぱりそうか、そういうことがあるから平島庄次はこの店まできて自分を待っていたのだな、と修三は合点した。

「で、結果は？」

「長野氏は三日前から居なくなっている」

「長野氏は三日前から出たままになっている？」

修三はオウム返しに訊いた。平島庄次のしょぼついた眼を再び見つめた。

「ああ。奥さんが居てね。その3号八ノ二三号室というのにね。主人は新しい勤め先の相談で大阪に行っていると言われた。ぼくは、あるプロダクションの者で、ご主人にお会いしたいと訪ねた」

平島は背をかがめて話す。

「三日前？　三日前というと十七日ですね。依願退社の辞令が出て間もなくではありませんか？」

「そう。その数日後に、新しい勤め先の相談で大阪に行ったというくらいだから、いよいよ長野氏の依願退社はやめさせられたというのが真相らしい。でなかったら、あわてて就職先をさがしに大阪へ相談に行くはずはないね」

「大阪には、親戚《しんせき》か知った人が居るんですか？」

「そこまでは、元気のない奥さんに訊けない」

「奥さんはしょげていたんですか？」

「元気がなかったですね」

「そうすると、やっぱりあんたの言うように、長野氏はＴＶスタディ社をクビになったんですかね？」

「クビというよりも詰め腹かもしれませんね。ほんとのクビなら、辞令も〝退社〟と出るだろうから」

修三は片肘《かたひじ》をつき、髭を無意識に撫《な》でた。

「……原因はなんでしょうな？」

「そこが知りたいとこだけどね」

「会社の金の使いこみ？」

「使いこみをするような大きな金は扱ってなかったろう」

「しかし、標本世帯の謝礼を扱っていたでしょう？」

「あ、それは安いんじゃないかな。薄謝だろうね、たぶん。一カ月に一軒に対し二千円か三千円ぐらいじゃないだろうかな」

「標本世帯となった家に一カ月二、三千円？　そんなに安いんですかね、まさか、そんなことはないでしょう？　測定ペーパーのために放送があるかぎり、一日じゅうテレビのチャンネルのどれかを毎日見ていなければならないという面倒な義務があるのに」

「いや、標本世帯にはそんなに高くは払ってないと思うよ」

「それにしても数が多いですからな。三千円として関東地区の標本世帯数が五百で、百五十万円」

「それはＴＶスタディ社の公表数字」

「うむ、そうか。そこが問題でしたな。じゃ、三百世帯として九十万円ですか」

「標本世帯数が関東地区に実数としてどれくらいあるか、また一カ月の謝礼金がいくらかは不明だとしてもね、それは管理課次長の使いこみには結びつかないよ」

「どうして？」

「そうした金は、経理課から各標本世帯の家庭に小切手か小為替かで直接に郵送されていると思う」

「…………」

「長野氏が詰め腹を切らされたのはほかの原因だ」

「よくある企業内の派閥争いですかね？」

修三は思案顔で呟《つぶや》いた。

「いや、それは考えられないだろうな。管理課の次長ていどだもの。派閥争いにまきこまれてギセイになるのは、もっと上のほうでしょうな」

平島の意見だった。

「すると、女ですかな」

修三はそのまま呟きをつづけた。

「女?」

修三は、これに似た言葉を前にも言ったような気がした。あれはだれについて言ったのか。そうだ、D号婦人の尾形恒子だった。そう気づいて修三は胸が高鳴ってきた。はじめてTVスタディ社ビルの前に張りこんだ日、黄色いブラウスに赤のパンタロンの尾形恒子と、白のブラウスに赤のパンタロンのB号婦人は、あのビルに仲むつまじげにいっしょに入っていったのを見たものだ。その尾形恒子は五月十二日の水曜日いらい行方が知れなくなっている。長野博太の退社の辞令はその三日後の十五日。そして彼が大阪に新就職のことで相談に行くと言って出たのが十七日である。それぞれに日が接近している。

「長野氏とB号婦人とのことはB号婦人の身もとそのものがまだはっきりしないから何とも言えませんな」

平島は、修三の胸の中には関係なく、その前の彼の呟きに答えた。

「どうも長野氏の奥さんが話していた口吻からは、女性が退社の理由にからんでいるようには感じられなかったね」

「そりゃ、どこの亭主も女房には女のことは隠すでしょう」

「いやいや。それは日ごろのことで、詰め腹で会社をやめるとかクビとかになれば、亭主というものは隠し切れずに女との関係を女房に告白するものですよ」

「そんなものですかね？」

「それはそういうものです。ぼくも、長野次長の退社と、昨日羽根村君から聞いた尾形恒子の失踪《しっそう》といちおう結びつけてみたんだが、いまも言うとおり、長野氏の奥さんの口吻《こうふん》に女の影がないことから、ひとまず別の理由を考えています」

「その理由というのに心当りがつきましたか？」

「あたっているかどうか分らないがね。例の新聞投書ですよ。大磯町・服部梅子の投書……」

「ほう。あれがどう関連するんですか？」

「あの投書は、偽名による内部告発ではないかともわれわれは考えましたね。ぼくはね、あの投書は長野次長が新聞に出したんじゃないか、と想像しているのだが」

修三は聞いて、あっと思った。

大磯町・服部梅子の名による新聞投書はＴＶスタディ社の管理課次長の長野博太の行為だとする平島庄次の「想像」を聞いて、修三はびっくりした。

おどろきはしたが、その下から一脈のつながりのようなものはうすぼんやりと浮んできた。

「服部梅子」の新聞投書が「内部告発」ではないかとは前にも考えの中に出ていたこと

である。管理課次長は標本世帯のすべてを見ている立場にある。

もし、民放局や芸能プロダクションが標本世帯にその局のチャンネルや、特定のプロ所属のタレントが出演する時間帯の設定を贈与品で誘惑している事実があれば、それを知り得るのも管理課次長の立場ではないか。

ＴＶスタディ社の社外極秘事項になっている標本世帯の住所氏名を民放局や芸能プロダクションに知らせている社内からの内通者があるわけだが、その内通を一方からみれば、それこそ投書の文句にある「何らかのかたちで裏工作の手が動いている実情」の告発である。投書ではそれが「回収員の話」となっているが、実は投書者自身の糾弾の言葉であろう。

「そうすると、長野次長が『服部梅子の投書』を書いた『犯人』というわけだが、どうしてそれがＴＶスタディ社に判《わか》ったのでしょうか？」

修三は平島庄次に訊く。

「そりゃ蛇の道はヘビだからね。これは内部告発だとは見当がついたのでしょう。そうすると被疑者はしぼられる。内部でもその事情を知り得る立場にあるもの、そして社内では冷や飯を食っているとか出世がとまっているとかで不平顔でいる奴が目をつけられる」

「長野次長は不満分子だったのですかねえ？」

「さあ、それはまだわからない。ぼくのは一般論で言うのだから」

「長野博太の退社辞令が出たのが五月十五日、その数日後から大阪へひとりで就職口さがしに行ったとすると、だいぶんあわてているのですね？」

「そうらしい。本人は投書の一件がばれるとは思わなかったでしょうからね」

「しかし、あの程度の投書ぐらいでクビになるもんですかね？」

「特殊な企業だからね。さっきも言ったように、厳正な視聴率調査を標榜《ひょうぼう》する会社が社内からそんな視聴率のインチキ性を公表するような人間が出ると、第一、民放局やプロダクションの株主に申し訳がない。また加盟会員のスポンサーにたいしても面目がつぶれる。たかが投書ぐらいとは言えないのさ」

「長野が大阪のどこに行ったのか、奥さんもほんとうは知らないんじゃないですかな」

修三は予感を口にした。

「さあ、女房が亭主の行先を知らないということはないでしょうな」

平島は、修三の予感から発した言葉を半ばうち消した。

「……もっとも、ぼくは奥さんに大阪の行先までは遠慮して訊かなかったけれどね」

「もしかすると、蒸発したんじゃないでしょうか？」

修三は急に言った。

「蒸発？」

平島は修三をちらりと見て、言った。

「うむ。いま流行《はやり》のね」

と、いくらかくすぐったそうな顔をしたうえで、

「長野博太氏が蒸発したくなる気持もわからなくはないですな。なにしろ彼にとっては激動期だからね。大阪の知人を訪ねて新しい働き口がすぐに見つかるにせよ見つからないにせよ、その機会に関西をしばらく歩いてくる気になったのはわかりますな。家族にも連絡しないで、ぽかーんとひとりで旅してくるのはね」

修三が口にした「蒸発」の意味はそれとは違う。彼のは何となく悪い予感から言ったのだが、平島のほうはそれを呑気《のんき》にとった。

そのわけは次につづく平島の言葉でわかった。

「男の蒸発が相変らず多いですな。もっとも近ごろは蒸発したっきりというのは少なくなったようだが。それでも長いのは一年、二年と所在をくらませている。たいていが中年のようです。自由を求めているんですね。職場にも家庭にも息の詰るような被圧迫感か、無味乾燥な沙漠《さばく》を感じてね」

平島もその「中年男」であった。それだけに共感をおぼえているような口吻であった。

「それは新聞に出ていることですか？」

修三は、そういえば今日図書館で見た綴りこみの新聞にも「蒸発」の小さな記事が一

つか二つあったなと思い出しながら言った。だが、当節は「蒸発」もそう珍しくない。

「新聞にもよく蒸発記事が出ているけどね。そういえば、つい先日だったか、どこかのテレビの技術係がロケ地からにわかに姿を消したというので新聞にかなり大きく出ていたが、二日目には家に戻っていたというのが小さな記事になっていましたな。あれなども、その技術係はロケ現場から発作的に蒸発を思いついたのかもしれないね」

修三は平島の「新聞にも蒸発は出ているけどね」と言った言葉が気になった。

「新聞記事以外にも、蒸発のことを聞かれたことがあるんですか？」

「ありますな」

平島はうなずいた。

「これは直接には知らない人だけど、広告代理店の或る社員だ。もう一カ月近く蒸発したままになっているそうです。……」

「広告代理店の社員が一カ月近くも蒸発しているんですか？」

修三は、長野博太のことからはなれた話題に興を殺《そ》がれ、無関係な世間話を聞く思いだった。

「これはウチの営業係がＡＡＢ放送局から聞いてきた話ですがね」

平島は言い出した。鷗プロはＡＡＢ局の仕事もときどきやっていた。

「ＡＡＢ局によく顔を見せていた日栄社という中位クラスの広告代理店の担当社員が一

カ月近くも姿を見せなくなっている。それでＡＡＢ局の営業部員がほかの同社員にきいてみると、無届欠勤をつづけている。家にも帰っていない。まあ蒸発ですね」

「どうしたんですかね？」

修三はただ受け答えのつもりだった。

「うむ」

平島は口もとをゆるめ、

「その日栄社の小高君というのは、なかなか女性にはモテるんだそうです。年齢も三十二歳、仕事も熱心だが、女性とのつき合いも熱心らしい」

と、眼を笑わせながら言った。

「プレイボーイなんですね」

修三はやはり気のない声を出した。

「プレイボーイの中に入るだろうけど、金をつかって女を次々とひっかけて遊びまわるといったいわゆる優雅なプレイボーイ型ではない。そんなことをしようにも、だいいち本人に金がないですからな。そのかわり女性には、すごく親切で、それに、まめに動く。それが独身の女性であろうが、家庭婦人であろうが、未亡人であろうが、みんなひきつける」

「たいしたものですね。そんなにハンサムなんですか？」

「ぼくもそうかと思ってきいたら、決してハンサムでもなんでもない。顔も貧相で、身体《からだ》も細い体格だが、とにかく女性には親切だそうです。西洋のナイト（騎士）のように よく気がついてケアーが行きとどく。女性は、男の顔や形よりもそういう親切に参るらしいですな」

「へえ。そんなもんですかね。その小高という人は、バアのホステスなどという水商売の女性よりも、シロウトの女性が主な相手ですか？」

「バアなどで遊ぶには金がかかる。だから、普通の娘さんや、よその奥さんを街頭とか喫茶店とかデパートなどでねらうらしい」

「なに、デパートで？」

「そう。当人もそういう経験はかくしていないで、社内の同僚にもよく話していたそうです。デパートでよその奥さんがひとりでいると、ちょっとしたチャンスを見つけて話しかけて、喫茶店なんかに誘うんだそうです。いままでに、それが五人や七人どころではない。……」

修三の頭をよぎる風景があった。和服のC号婦人がデパートでワイシャツを択《えら》んでいるときに、さりげなく寄ってきて低い声でいいかけているおしゃれな三十すぎの男。濃紺の地に赤い線のチェック。燕脂《えんじ》に黄の縞が入ったネクタイと同じ布のハンカチ。丈は高くないが、頬骨がやや目立ち、顎《あご》が張っていた。C号婦人が逃げると、にやにや笑いしながらあとを見送っていた。

あれが話に出ている日栄社の小高という営業部の外交係ではなかったろうか。

だが、修三はすぐには口に出せなかった。

広告代理店日栄社の小高という社員のプレイボーイぶりの話はまだ平島の口からつづいた。

「女にモテたという男の自慢話にかぎって実際にモテた例は少ない。はじめのうちは社内の同僚も小高君の言うことを話半分にも聞いていなかったが、そのうち、どうやらそれが嘘《うそ》でもないらしいことがわかった。彼は、友だちに、そのデパートで親しくなった女性とこんど同じデパートでデートするから自分について来て見ていろと言うんだな。で、同僚がのこのこデパートに行ってみると、はっきりとよその奥さんとわかる婦人と親しそうに話して、二人づれで表に出るとどこかに消えてしまったそうです」

「その小高君という人は、デパートで主婦と親しくなるのが専門ですか?」

「専門ということはないだろうが、とにかくチャンスをのがさないらしいです。広告代理店の外交係だから、スポンサー回りや民放局の連絡などで、しょっちゅう外に出ているが、仕事は熱心、成績も相当に上げている。その中でいろんな女性とつき合っているというマメさで、始終忙しがっているそうです」

「よく身体がもつものですね」

「まったく、あの細い身体でよく保《も》つもんだと社内のみんなが感心しているらしいです。女性からの電話もしきりとかかってくるそうです」

「そんなのでは、家庭争議が起るでしょう？」

「奥さんも半分は諦《あきら》めているらしいですね。浮気は主人の病気だといっているそうです。次々と相手の女性が変るので、かえって安心なんでしょうね。だから、こんどの蒸発も女性とどこかを遊びほうけていると思って、あんまり心配もしてないということです」

「一カ月近くもですか？」

「以前にも、ちょくちょく居なくなっているらしい。いつも違った女性とでね。一年に一回くらいだが、行方不明になると二週間から二十日ぐらい戻ってこなくなる。そのときは会社も叱言《こごと》をいうが、何しろよく働くし、仕事も熱心で、成績も上げているから辞めさせるようなこともしない。憎めない男で、スポンサーからもよく可愛《かわい》がられる。だから、無断欠勤でも会社では年次休暇にふりかえてやっているそうです。まあ、蒸発でもいろいろで、そういう艶《つや》っぽい蒸発もあるんですな。営業係がＡＡＢ局から聞いてきた話を思い出したので、つい、こんなことをしゃべりましたよ」

「しかし、ＴＶスタディ社管理課次長を辞めさせられた長野博太さんの場合は、そんな蒸発とは事情が違うでしょう？」

「そりゃ、その広告代理店の社員の場合とは違うけど、どこかで鬱憤《うつぷん》晴らしをしてるんじゃないかという気もしないではないです。長野氏は、退社といっても依願退職にしてもらっているから、退職金はもらっているしね。……ま、もう少し、長野氏が出てくるまで、様子を見てみましょう」

謎《なぞ》のテープ

小山修三が自分の店で平島庄次と会った数日後が水曜日であった。

その正午すぎから修三と平島と、それに羽根村妙子を加えた三人は新橋のTVスタディ社の前に張りこんだ。

――先日、平島が帰る前に修三との話で決ったことで、ビルの前で久しぶりにアルバイト婦人の回収員たちを観察してみようというのである。理由は、失踪《しっそう》したという尾形恒子があれから戻っているかもしれない、帰宅しているならテープの回収日の今日にTVスタディ社に姿をあらわすかもしれない、という可否が一つ。

尾形恒子が姿を見せない場合でも、彼女と仲がよさそうな同年配で白いブラウスに赤いパンタロンをはいた女を追跡してみようというのも狙《ねら》いだった。この女性が高円寺のクヌギ団地3号棟の九階でエレベーターを降りているところまで羽根村妙子は尾行した。

それから先は尾行困難で、どの室にいるのか確認できなかった。その一階下の八階二三号室にはTVスタディ社を「投書」の件で退職させられたらしい長野博太が住んでいる。長野は目下大阪に再就職のことで行っているという。白いブラウスの女性は、尾形恒子と長野博太の両方に糸がありそうな重要な回収員である。今日、再び尾行し、その部屋をつきとめて後日の接触の手がかりにするか、ことによると今日にでも話しかけてみたい。尾形恒子の失踪も管理課次長、長野博太がクビになった真の原因もわかるかと思われる。

そのほか、多勢の回収員たちを観察している間には、それらの手がかりになるようなアルバイト婦人が目につくかもしれないという期待があった。

羽根村妙子には平島から昨夜のうちに電話で連絡したので、彼女は車を持ってきていた。二人の午後からの早退は鷗《かもめ》プロの代表殿村竜一郎には断わってある。

ビル前から少しはなれたところに駐車させている妙子の車の中に三人は坐《すわ》っていたり、例の「若草」という喫茶店の中からビルの前を眺めたり、外に出ると、そのへんの物蔭《ものかげ》にしゃがんで張込みをつづけた。

「こうしていると、なんだか二カ月前のつづきのような気がするね」

「ほんとうだわ。あの風景を見ていると、そんな錯覚が起りそうですわ」

羽根村妙子が眼でさす方向に杖《つえ》をついた老人が幼児のような足どりで歩いている。散歩は老人の日課であるらしいが、この街の建物の中にその老人にかぎらず前に見馴《みな》れた通行人の姿を置くと、「観察」という「時間」の中断が無かったように思われる。

しかし、やはり「連続」はなかった。午後一時半になっても二時になっても、あの買物袋を持った婦人たちは一人もTVスタディ社のビル玄関にやってこないのである。

おかしい、と思いはじめたのが一時半ごろからで、決定的な「異変」を知ったのが三時ごろであった。

買物袋をさげたアルバイト婦人が一人もTVスタディ社にやってこないのである。この前は、午後一時ごろから三々五々にその婦人たちがやってきて、ビル正面玄関を出入りしていたのに、今日は一人も姿をあらわさなかった。修三たち三人は四時まで張込みをねばった。

「ヘンね。水曜日というテープの回収日が、ほかの曜日に変ったのかしら?」

羽根村妙子が首をかしげて言った。張込みを引きあげて、近くの一流ホテルのロビーに三人で坐ったときである。

「いや、そんなことはないだろう。視聴率の発表は変っていない。発表の曜日は以前から決っていて、そう勝手に途中から変えるわけがない。発表の曜日が変らない以上、回収の曜日にも変更はないはずです」

平島が言った。

修三もそう思う。が、その不変のはずの今日の水曜日に、アルバイト婦人の回収員が一人としてTVスタディ社に現われないのは、どういうことだろうか。

「これは、ぼくの想像だがね」

平島が前こごみの背をよけいにまるめて低い声で言った。

「……もしかすると、TVスタディ社では、われわれの張込みや《や》尾行に気がついて、回収員にアルバイト婦人を使うのを止めたのかもしれないな」

「止めた？」

修三も妙子もいっしょに平島の顔を見つめた。

「そうすると標本世帯の測定テープ回収のほうは？」

「もちろんやっている。それはアルバイト婦人ではなく、こんどは男かもしれないな」

「だって、そんな男もあのビルに出入りしませんでしたわ」

「だからさ、回収テープの持込みはほかの方法かもしれない。たとえば、TVスタディ社の別館がほかにあって、そこに男たちが回収したテープを持ち寄るといった方法だよ。これをまとめて車でTVスタディ社に運べば、われわれの眼には分らないで済む」

「そういえば、今日の三時から四時ごろの間に、あのビルの前には車が頻繁《ひんぱん》に来ていたわ。わたくしは、買物袋の婦人たちがあらわれるのを待って、そっちに気をとられていたから、その車のほうはあまり注意しなかったけれど」

妙子が思い当ったように言った。

「それはだれも同じだった。あのビルにはたくさんの会社が入っているから、車が頻繁に来ていてもおかしくはない。……」

「でも、かりにTVスタディ社のほうで、わたくしたちのことに気がついたとしても、そんな回収員の変更までするでしょうか？」

「TVスタディ社にとっては、回収員が張りこまれていたり、尾行されていたりしてはたいそう困るだろうね。そこから標本世帯の分布状態や実数がわかってくると、視聴率の『神話』は崩れる」

羽根村妙子の疑問に平島は答えて、

「いや、それだけではない、尾行者によって標本世帯となっている各家庭まで知られる。これこそTVスタディ社にとっては破壊的な危機感だろうね。その破壊から脱《のが》れるためには、全回収員のとり替えなどは、同社には問題ではないかもしれない」

と、両手の指を組み合せた上に顎《あご》を乗せた。

平島の推測どおりだとするとTVスタディ社の回収方針変更も充分に考えられる、と小山修三も思った。

「でも、どうして、わたくしたちのことがTVスタディ社側にわかったのかしら？」

妙子がうつむいて呟《つぶや》いた。

「そりゃ、婦人回収員たちの報告からだよ」

平島が苦笑して言った。

「……われわれは、買物袋の婦人たちをしっこく尾行したからね。あれだけ執拗《しつよう》に尾行したり、突きとめた婦人の自宅にまで張込んだりすれば、先方だって気がつくだろう。そういう報告が会社側に集まってくると、会社も対策を講じるだろう」

そう言われてみると、修三にも心あたりはある。尾行の途中でも相手が振り返ってみることが多かった。とくに妙子と千葉県佐倉市のE号婦人を追跡したときは、彼女の家から京成電鉄高砂駅まで尾行した。いまにして思えば、電車の中でE号婦人の川端常子が疲れて眠りこけていたのは、その実、うす眼を開いて逆にこっちを観察していたのかもしれない。高砂の街でも彼女はよくふり返っていたし、ときには思わぬ辻《つじ》に立ってこっちの様子を見ていた。

和服のC号婦人だってそうだ。デパートのワイシャツ売場をゆっくりと品物を選択するように歩き回っていたのは、尾行に気がついてこっちの様子を知らぬ顔で見ていたのかもしれない。あのとき売場にいた警備員がやってきて、さりげなく誰何《すいか》したのも、あのC号婦人が警備員にささやいたためかもしれぬ。そういえばデパートの地階に通じる地下鉄のキップ販売機の前で、おりからの団体客の混雑に姿を見失ったのも、先方のほうで意識的に逃げたフシがある。

——平島の推定には、修二も思いあたることが少なくなかった。

それにしても、TVスタディ社の警戒心の旺盛《おうせい》なことにはおどろいた。これには三人とも眼を剝《む》かれた思いである。

TVスタディ社のきびしい警戒心の前に三人は立ちすくんだ思いだった。かりに、自分たちの張込みや尾行に気がついたとしても、今までの婦人回収員のすべてを一挙に変更するほど徹底した措置に出るとは夢にも考えていなかった。

「あのたくさんな奥さんたちはどうなるのかしら？　回収員のアルバイトとしてずいぶん長いあいだ働いてらしたようだけれど」

羽根村妙子が眼を落し、気がかりげに言った。

彼女でなくても二人の男にも自責に似た衝撃の憂鬱《ゆううつ》が重くのしかかってきている。婦人たちはみんな真面目《まじめ》にあのアルバイト仕事にたずさわっていた。それはTVスタディ社からの帰りを尾行したときにわかっているが、そのつど報酬の金をもらっていると思われるのに、店に立寄って買いものをするでもなく、おいしいものを食べるでもなかった。銀座が目と鼻の先なのに、ほとんどがまっすぐに家に帰っている。

それはアルバイトの賃金が低いからにちがいない。ショッピング・バッグは持っていても、自分たちの買いものをする余裕はないのである。ささやかな収入をみんな家計の足しにしているといった感じであった。たしかに婦人たちは疲れていた。

そのアルバイトをTVスタディ社はあの婦人たちから切った。外部からの偵察にたいするモニター会社の自衛手段である。テレビ視聴率の秘密の崩壊をアリの一穴から防ごうというのであろう。自分たちが婦人たちからアルバイトを取り上げた、と思うと何ともうしろめたく、後味の悪い気持が全身をつきあげた。しかし、これは婦人たちの家庭を回って詫《わ》びることもできず、TVスタディ社に出むいて抗議を申込むこともできなかった。

「さあ、外に出て、どこか気安いところでスシでも食べませんか」

平島庄次が自分も含めて二人の気分をひき立てるように言った。ホテルのドアはうす暗くなった外と灯を映していた。

ロビーのクッションから起って、三人はその玄関出口のほうへ歩いた。ロビーの中は、三人を憂鬱にした原因とはまったく縁遠い雰囲気《ふんいき》だった。輝きを増した水晶宮のようなかたちの大シャンデリアの下では着飾った婦人たちが満足そうに屯《たむろ》し、歩いていた。

「ちょっと失礼」

平島が出口のドアの手前で急に足をとめ、横手の売店にちょこちょこと歩いた。

買った夕刊を彼はその場で開いていた。売店の店員がツリ銭を整える間を利用してのことだったが、憤《いきどお》ったように新聞を叩《たた》くように閉じると、ツリ銭もつかむようにして待っている二人のもとに戻ってきた。

「長野博太が死んだ。この夕刊に出ている」

平島が息を詰めた声で二人に言った。

出口のドアの前からあと戻りした平島は、修三と妙子とをロビーの片隅に引張って行き、手に握った夕刊を開いて二人に見せた。彼が指をおさえていた社会面の下のほうには、

《居ねむりタクシー、トラックに激突　二人死ぬ——町田街道》

とあった。

それだけでは、べつに目をひく記事ではないが、長野博太の活字が二人の視野に躍った。

《五月二十六日午前十一時四十分ごろ、東京都町田市南方の町田街道で、西豊運輸自動車会社のトラック（運転手鈴木秀夫）が町田市方面からきた太陽交通会社のタクシーに正面衝突、タクシーに乗っている客一人とタクシーの運転手の杉原二郎さん（52）は死亡。客は洋服のポケットにある名刺で杉並区高円寺クヌギ団地三ノ八ノ二三、会社員長野博太さん（34）と判《わか》った。原因は死亡した杉原運転手の運転ミスから。トラックの鈴木運転手の話によると、タクシーのほうが突然センターラインをこえてトラックの前に突込んできたといっている。現場検証でもその通りなので、杉原運転手の居眠り運転とみられる。同運転手は十年間無事故で表彰をうけている。なお、長野さんは町田市内で

杉原さんのタクシーを拾ってこの奇禍に遭ったもの。現場は東名高速の横浜インターチェンジまで二キロのところだった。》

今日の出来事であった。

「いったい、どういうことだ」

平島が唸《うな》った。もし、場所がホテルのロビーでなかったら、大きな叫び声になったにちがいない。

修三は新聞を手にとって二度読み返した。羽根村妙子は頬に両手をあてて立ちすくんだようになっていた。

とにかく出よう、ということになってホテルのドアを回した。むろん、これで別れる気持はだれにもなかった。すぐ前が公園だった。広い道路を横切り、黒い木立の中に外灯がならぶ遊歩道をゆっくりと歩いた。道にもベンチにも木蔭の闇《やみ》にも若いアベックがいた。

「長野氏は尾形恒子さんの家に様子を見に行ったんですね」

噴水からも花壇からもはなれた人影のまばらな場所に立ちどまって修三ははじめて声を出した。

「やっぱり長野さんは尾形さんの失踪が心配になって、大阪から戻ると、すぐに尾形さんの宅に向われたんですわ」

妙子は衝撃のおさまらない気持を押えるように言った。

「……お気の毒だわ。長野さんは会社をあんなふうにお辞めになったあとで、交通事故で亡《な》くなるなんて」

「尾形恒子さんは、家に帰っていたでしょうかね、それとも……？」

「いや。帰宅してなかったろう。帰宅していれば、長野氏がタクシーで急いでどこかに行くはずはない」

平島は黒い木立に円く滲《にじ》む外灯の光を背にして黒かった。


小山修三は朝起きても、後頭部に鈍痛が睡気《ねむけ》とまじっていて頭が重かった。

朝刊をとってきて見たが、むろん交通事故などの続報が出ているわけはなかった。

――長野博太は、どういう理由で大阪から帰ると町田市の尾形恒子の家に行ったのか。

昨夜は、この問題から発していろいろな思案が湧《わ》き、それが夢のなかにまで持ちこまれた。夢のなかの思考はとりとめのないものだったが、そのせいで浅い睡眠となった。

その思案は、今朝もつづいている。

長野の奇禍が尾形恒子の家に行っての帰りだったのは確実だ。でなければ町田市からタクシーを拾うわけはない。タクシーは町田街道を南へ向い、東名高速道路の横浜インターに入る手前二キロのところで、十年間無事故のベテラン運転手が居眠りしたというのも長野の不運か。運転手の居眠りによってトラックと衝突した。思うに、長野はそこから高速道路に乗って東京へ向い、高円寺のアパートに帰るつもりだったのだ。

長野博太は新しい就職先のことで大阪に行っていた。だが、行方知れずになっている回収員尾形恒子のことが気にかかって、東京に戻るとすぐその安否を問いに彼女の家に行ったのであろう。尾形恒子が帰宅していたかどうかはわからないが、どうもまだ行方知れずのままのような気がする。長野は尾形恒子の夫から話を聞いたにちがいないが、それがどんな話だったかは、むろんわからない。

長野博太がそれほど尾形恒子の行方不明を気にしているのは、管理課次長だったことと回収員の関係からにちがいない。アルバイト婦人の回収員たちの任務は、次長の彼が掌握していたであろうから、尾形恒子が回収日にあたる水曜日に失踪《しっそう》したことは、仕事の上で当時次長の彼に思いあたることがあったのではなかろうか。

視聴率測定テープの回収と、回収員の失踪。――これがどうつながっているのかとなると、修三には推測もつかなかった。もし、彼女の失踪に犯罪的なものがからんでいるとすれば、どうなるか。しかし、標本世帯からのテープ回収という平凡なアルバイトには犯罪的な要素のかけらもないのである。

それでは彼女の行方不明はそのアルバイトとはまったく関係のない原因で起ったのだろうか。それなら金銭関係とか愛情関係とかが普通に考えられる。金銭は貸借のことでなくても、保険金の問題もそれに入る。彼女の夫が彼女にどれくらいの額の生命保険をかけていたかはわからない。

愛情関係は、前にもいちど考えたことがある。その夫との年齢の開きと、彼女の派手好みの点からである。だが、それでは彼女の失踪を長野次長がそれほど気にするはずはない。

しかし、その愛情関係を長野と結んでみたら、どうだろうか。

その日の四時ごろ、平島庄次から電話がかかってきた。

「あんたの都合がよければ、すぐに会いたいんですがね」

いつもの平島にしては、珍しく少々高い声であった。

「ぼくはいつでも手が空いていますよ。わたしの店に来てくれますか？」

「いや、そこでは、お客さんがいろいろと入ってくるから、内緒の話をするのは、少し都合が悪い。羽根村君の車の中で話しましょう。それがいちばんよさそうです」

「羽根村さんも来るんですか？」

「前からの行きがかりですからね。大事な話のときにはずすと、あとで彼女に恨まれます」

平島は電話口でくすりと笑った。

「では、どこに行けばいいんですか？」

「ひとまず、四時四十分に神保町の交差点に行きますから、そこに立って待っていてください。あんたを拾ってから、行先をきめますよ」

「わかりました」

あと四十分だった。

平島庄次は何を話そうというのだろうか。いつになく勢いこんだ声だったが、長野博太や尾形恒子のことで何か「発見」があったのかもしれない。それとも新しい事態が起ったのだろうか。それ以外には考えられなかった。

急いで仕度をして店を出かけると、レジにいた妹が、

「兄さん、おデート?」

と、にやりと笑った。

車は、神保町から九段坂のほうへむかった。行先は平島と打合せてあるとみえ、羽根村妙子は何も言わず、ときどき長い髪を振り払いながらハンドルを動かしていた。

夕方で車が多く、信号ごとに渋帯して時間がかかる。

「あんたにどうしても話したいことがあってね。明日まで待っていられなかったんです」

隣で平島庄次が猫背の格好で言った。電話で声を聞いたとおり、その横顔にも緊張がみえた。

「その前に、ちょっと伝えておくと、尾形恒子さんはまだ自宅には戻っていませんな。これは電話で確認しました。男の声だと都合が悪いから、羽根村君にかけてもらいました」

妙子が背中でうなずく。

「電話に出られたのはご主人でしたわ。だって、家内は留守をしています、とおっしゃってましたから。わたくしは、保険の集金日の都合を訊《き》いたんです」

前に生命保険の集金人を装《よそお》って尾形家の近所の主婦たちに話を聞いた経験を妙子は生かしたらしかった。

「奥さまは、いつお帰りでしょうかとたずねると、あと、二、三週間さきになるだろうというご主人の声でした。あんまり訊くとボロが出そうなので、それくらいでやめましたけれど」

「二、三週間さきに奥さんが戻るというのは、行先が分ってご主人は言っているのですか？」

「いや、人から聞かれると、ご主人としては、そう言っているだけじゃないかと思いますよ。まだ、様子がわからないというのが本当のところじゃないかな」

平島が想像で答えた。

昨夜から推測している尾形恒子の失踪の理由を修三は言えなかった。こっちの口を抑えるように、平島のほうがはずんで話をしたがっていた。

「実はね、今日の午前中に、高円寺の団地に長野博太さんの奥さんを弔問にお訪ねしたんです」

平島が、溜《た》めていた言葉を言い出した。

「えっ。それはまた、早いですな」

修三は平島の行動力におどろいた。

「少々早かったけれど、こういうのは早いほうがいいと思ってね。おそくなると、先方にもいろいろと配慮ができて、ほんとうのところが聞けなくなるおそれがあると思ったからです」

夫の交通事故で妻が動顚《どうてん》しているのにつけこんだかたちで正直な話を聞き取ろうというのだった。相当ドライな行動である。

車は、九段坂上から左に折れて三番町のほうへ下るところで、赤信号にかかった。

「で、話は聞けたんですか?」

「話よりも、奥さんから、重要なモノをもらってきましたよ」

「え、なんですか、長野さんの奥さんからもらってきた重要なモノというのは?」

修三は、停止信号にかかっている前のタクシーの尻《しり》を見ながら訊いた。後窓には中年の男女が肩を寄せ合っていた。

平島はそれを答える前に、アパートの部屋には故人の遺体はなく、遠縁にあたるという女の人が二、三人、夫人からはなれて立ったり坐ったりしていたから、内密な話を聞くには都合がよかったと言った。遺体は親戚《しんせき》にまもられて火葬場に送られ、習慣として妻は残されていた。葬儀はあらためて故郷の奥三河で営むということであった。

夫人は——正確には昨日を境にして未亡人になったのだが、ＴＶスタディ社からは昨夜の通夜《つや》にはだれも来なかったといって腹を立てていた。それでなくとも、夫を追い出した社の仕打ちに憤懣《ふんまん》を持っていたので、前の上司や同僚がだれ一人として弔問に来ないことから不満が輪をかけていた。クビにした元社員だから、もう縁はないと冷酷に考えているのか、というのだった。

平島は、前回の訪問で言ったように、あくまでも長野氏に世話になった芸能プロダクションの者でおしとおした。夫人が涙を流して語る言葉に同情をこめて相槌《あいづち》をうち、いっしょになって社の冷たい仕打ちを非難した。

話を、退社の関係に自然なように持ってゆくには骨が折れたが、奥さんとしては何か深いところに心当りはありませんか、とたずねた。いろいろと話し合っているうちに、夫人が、そういえば、こういう物を退社させられる十日ぐらい前に主人が家に持って帰ったことがあります、と言って奥からとり出してきた、それを夫人から預かってきたのがこれです、と平島は茶色の大きい紙袋を修三に見せた。

「何ですか、それは？」

「もう少し先に行って、車を停めてからあとを話します」

平島は紙袋を膝《ひざ》の上に置いてから、運転席のガラス窓を見た。

話の間に車は三番町のほうへむかって広い道路を下りていた。左側には皇居の高い石垣と濠《ほり》とがある。右側は外国の大使館をまじえた高級住宅がならんでいた。前方には遠く白いビルがかたまっていた。

「そのへんで車を停めてくれますか」

平島が羽根村妙子の後ろ肩に声をかけた。

車を道路わきの広いところに寄せて停めたのが千鳥ヶ淵の傍だった。

六時近かったが、太陽は空に残っていた。

平島は紙袋から三個の円い形のものをとり出した。リールに捲《ま》いたテープレコーダーのテープと同じである。

「視聴率測定テープです」

平島が手に持って言った。

「へえ、それがサンプル世帯に委託《いたく》してある視聴率測定器のペーパーですか？」

修三は平島の持つリールに捲いたテープに眼を近づけた。名前だけはとっくに承知だが、実物を見るのは初めて、というときの好奇心が瞳《ひとみ》に溢《あふ》れていた。

千鳥ケ淵付近には、ほかに車も駐《と》ってなく人もいなかった。ただ、はなれたところにアベックのそぞろ歩きが一、二組あった。

「そう」

平島は、その測定ペーパーが長野博太の家に置いてあった理由を未亡人の話として説明した。運転席の妙子も身体をねじむけて聞いていた。

「いまも言ったように、長野さんはこれを退社する十日ぐらい前に持って帰ったのだが、どうもおかしい、おかしいと言って首をひねっていたという。この三巻のテープの記録に疑問を持ったようだった。……」

「ちょっと。それはもう用済みのテープですか？」

「そう、TVスタディ社で器械にかけてチャンネルの数字に復原したあとのものです。普通なら、そこで破棄されるのだが、長野さんはそれを持って帰った。疑問があったからだろう」

「じゃ、長野さんは復原されたチャンネルの数字は見ているんですね？」

「見ている。彼は管理課次長だったからね」

「見ていれば、用済みになったテープを家まで持って帰る必要もなさそうだけれど」

「疑問が深かったわけだね。家で詳しく検討するつもりだったんでしょうな。またじっさいに検討もしていたらしい」

「そのテープは、どこの標本世帯から回収してきたんですか?」

「大事な質問ですな。しかし、残念ながらそれが分っていない。このとおりテープの端が切り除《と》ってある。ここに記号が書いてあったと思うんだな。その標本世帯の家を示す記号がね。それさえ残されていれば、標本世帯の住所氏名を知る手がかりになったかもわからない。けど、長野氏は要心深く、そこは切りとっている。万一、外部に知れたときを考慮に入れたんだろうが、標本世帯は絶対に秘密という警戒心が頭にしみこんでいるんですな」

「では、だれがそのテープを回収してきたのですか?」

修三の頭には尾形恒子の姿がよぎっていた。

「その回収員もだれだかわからない。長野さんは、奥さんには何一つ話さなかったそうだから。……では、これから、このテープがどこのチャンネルをどれくらい視《み》ていたか、ここで見てみましょう」

「ここで見る? しかし、ここにはテープを器械にかけて復原する設備は何もないじゃありませんか?」

「あんたの言うとおり、ここには器械はない。けど、見当はつきますよ。じっと眺めていればね」

小さな穴が点になって連続しているだけのパンチ・ペーパーである。器械にかけて復原しなければ、なにを記録しているのやら見当もつかなかった。

三個のリールに巻かれたその紐《ひも》のような紙は二センチほどの幅で、中央に穴の点線がつづき、その両側にも同じ穴が一つか二つずつ不規則にならんでいた。それが三巻だ。

「器械にかけて復原すればもちろん判《わか》るが、それにはTVスタディ社まで持って行かないといけない」

平島は言った。

「それ、コンピューターの器械と同じでしょう？　ほかの社に持って行って器械にかけてもらったら、わかるんじゃないですか？」

身体を座席にむけている羽根村妙子がのぞきこんで言った。

「ところが、そうはいかない。これはTVスタディ社だけにつくられた器械についているものだからね。よそに持って行っても器械が合わないから記録の復原はできないね」

「それじゃ、TVスタディ社の設備に持ってゆくしか方法がないんですか？」

「いや。方法はある。そんな設備がなくともね。推理だよ。いいかね」

平島は、修三にも三巻のうち一巻のテープを見せながら言った。

「このまん中の穴はテープを自動的に送るためのものだろう。一つの穴が何秒というように時間を示しているんだろうな。チャンネルはね、両側の穴の配置であらわしていると思うね」

「しかし、これだけじゃ、いったい、いつ、どこのチャンネルを見ているのか、まったくわかりませんよ」

修三は、思案するときの癖が出て、髭《ひげ》を撫《な》でながら言った。

「このテープは一週間ぶんの記録です。三つだから三週間ぶんだね。何月何日からのぶんというのはテープの端に書いてあったんだろうが、長野さんがその標本家庭の名前といっしょに切りとっているからわからない。けど、見当はつきますよ。というのは、これを長野氏が家に持って帰った日が未亡人の言葉でだいたいわかっている。長野氏は会社がこの三巻を復原してから、用済みになったものをすぐに持ち帰っている。だから、四月の十日ごろから月末ごろまでのものでしょうね」

「ははあ」

「夜、テレビの放映が終了したあとは、真ん中の送りの穴しかあいてない。見ているときは、両側のチャンネルを示す穴があいている。だから、それが区切りとなって、何日目の記録かというのもわかりますよ。したがって、スイッチを入れて消すまでの両側の穴の連続を何等分かすれば、時間についてもだいたいの見当はつく」

「どういう穴の配置がどこのチャンネルを示しているのかということだが、それは、どうしてわかるんです?」

配列の異変

パンチ・テープの穴の配置だけでは、どこのチャンネルを指示しているのかわからない、という修三の疑問に、

「それには、解くカギがある」

と、平島は紙袋の中からパンフレットを三冊出した。

表紙には「TVスタディ社視聴率調査週報」とあり、中に番組の名と数字がびっしり印刷してあった。

「この三巻のテープに入っていると思われる週の視聴率の発表数字です。四月十四日水曜から五月四日火曜までの三週間だ。あるテレビ局のディレクターから借りてきたんだがね」

死んだ長野博太は五月十五日に退社したが、その少し前に復原して用済みになったばかりのパンチ・ペーパー三巻を自宅に持ち帰り、しきりと調べていたというから、一巻目は逆算して四月十四日水曜からの視聴率測定記録だと推測した、と平島は言った。TVスタディ社のペーパー回収は毎水曜日の朝からで記録はその前日の毎火曜日までとな

っている。

「なるほど、それはわかりました。しかし、この週報の表は、四百軒か五百軒の標本世帯数のをまとめてパーセンテージをはじき出したものでしょう。ところが、このテープは一軒の標本世帯のものです。その週報の全体調査発表のものが、これに役立ちますかね」

「いや、それは役立つと思いますよ。全体調査発表のものは平均値だが、それは普通に好まれている番組ということになる。たとえば、ある標本世帯の家庭が、いつも異常なチャンネルを選択していれば、TVスタディ社ではそのテープを除外してしまうでしょうな。だから、このテープがその除外例でなかったら、週報の調査結果とそう違わないはずだね」

「それはそうですね」

「そこで、この三巻のテープと、この週報の視聴率とをくらべながら、テープが穴で記録しているチャンネルを推定してみよう。いいですか。関東地区ではNHKはじめ七つのチャンネルがある。だから、チャンネルを示す穴の配置も七種類のはずだ。ほかにとくべつなサインがあったとしても、それほど数は多くないし、そんなサインはあまり多くないでしょうな」

平島は、テープの端をリールから引張り出して伸ばしながら、話をつづけた。

「まず、NHKです。視聴率表を見ると、数字が極端に高いのがウイークデーの朝七時から八時半にかけての番組やニュースだ。これは各家庭が時刻を知るために時計がわりにかけっぱなしにしているから五十パーセント近い数字になっている。もう一つは日曜日のゴールデンアワーの連続大型ドラマで、これは二十五パーセントに近い。これがこのテープのチャンネルを知る一つの手がかりになる。……」

羽根村妙子も運転席から座席のほうへ身を乗り出して聞いていた。

「そこでだ」

平島は説明の言葉をついだ。

「……いま言ったNHKの週日朝七時から一時間半の番組と、日曜日の夜のゴールデンアワーの時間を、この三巻のテープで求めてみると、やはり同じ穴の配置となっています。また、この穴の配置は、午後十一時半以後の深夜の時間帯には一つも見られないところからも、これをNHKときめてよいでしょうな」

「そうだと思います」

修三につれて、羽根村妙子もうなずいた。

「そこで、他の局にいこう。もっとも特徴があるのが、ABB局だ。ここは野球のG軍のナイター中継の権利を一手に持っていて、中継のある日は午後七時半から一時間半、視聴率は三十パーセント近くもハネ上ってる。このテープもその時間帯に一致する穴の配置となっている。ということはだな、この標本家庭の主人が野球好きだということになる」

平島は、テープを伸ばして見せながら言う。

「VVCも同じようにして推測がつくね。この週報によると、毎日曜日の八時からの連続時代劇がいつも三十パーセント近い視聴率だし、金曜日夜九時からの連続現代劇ドラマが二十パーセント、日曜日夜九時からの大手電気製品会社がスポンサーになっている『サンデー劇場』は約二十パーセントとなっている。この三巻のテープに記録されてあるその時間帯は、みな同じ穴の配列となっている。これはその標本家庭の奥さんの好みだろうね。だからこの穴の配列はVVC局を表示していることになるね」

平島は、暗号を解読するように言った。かなり得意のようである。

「……こんどは、第二巻のテープから週報にしたがって、KDOを見よう。ここでは四月二十四日の土曜日に話題をあつめたボクシングの世界選手権試合の中継があって四十パーセント近い数字が出ている。このテープでは、それがこの第二巻目にあたるが、その時間帯にはまた違ったかたちの穴の配列となっている。だから、この配列のかたちはKDOを表示していることがわかります」

「そうですな」

「ま、そんなふうにして、この週報の報じている高い視聴率の時間帯とこの三巻のテープの穴の配列とを比較してゆくと、ほかのテレビ局がどういう穴の配列のかたちになっているか見当がつくね」

「その理屈は納得できます」

「逆に、少ない視聴率の番組を三巻のテープの穴に対応してみる方法もあるよ。七つのチャンネルのうち、NHK教育テレビがいつも一パーセント台だ。それから東京のローカル局も視聴率は低い。テープのなかで少ない穴の配置が、この二つだから、それでこれと対応する。こうして、この週報の視聴率と三巻のテープの穴の配列とをいちいちつき合せると、七つのテレビ局がわかるし、このテープが何日の何時の時間帯にどこの局の番組を記録しているかがわかります」

平島庄次が穴だけのパンチ・ペーパーを復原の器械にもかけず、関東地区の七つのテレビ局を割り出し、その日と時間帯の番組を推定したのには、小山修三も意外だった。いっこうに冴《さ》えない彼の風貌から、こんな知恵が出るとは思わなかった。

聞いてみれば何でもないが、これはちょっとしたエドガー・アラン・ポーの「黄金虫」であった。「黄金虫」では、記号ばかりならんでいる暗号書から、もっとも多い記号に目をつけてそれが英文の綴《つづ》りで頻出度の多いeだと判断する。すると、eで終る三字の単語で最も使用されるものはtheだから、前の二つの記号によってtとhとが得られる。以下、それらの組合せを解いて、全部の暗号を解読するという小説である。

これは当時の読書界に大きな話題を投げたという。あとではドイルがシャーロック・ホームズもので「踊る人形」というのにこれを応用しているが、なんといっても「黄金虫」のオリジナリティにはおよばない。

修三は、はじめて「黄金虫」の暗号解きを読んだときのおどろきに似たものをいまの平島の推理に感じた。

「これは、びっくりしましたな。たいへんな暗号解読です」

修三が思わず言うと、

「ほんとうですわ。素晴らしいですわ」

と、羽根村妙子も頰に流れくる長い髪の毛を搔《か》きあげることも忘れて感歎《かんたん》した。

「いや、そうまともにほめられると恥ずかしいですな」

平島の顔が赤くなったのは、おりから初夏の日輪が西に沈んで空にひろがる紅の色が車の窓ごしに射《さ》しこんだだけではあるまい。彼は手を顔の前で振った。

千鳥ヶ淵のあたりには相変らず人影は少なく、うしろの道路では車がこっちに一顧もすることなく忙しげに流れていた。

「ところが、奇妙な現象がこれに出ているんですな。見てください」

平島がもとの表情にもどって、手のテープの一つをかざした。

「なんですか?」

修三も妙子も眼をそこにつけた。

「以上述べた割り出しによって、この穴の点の配列はVVC局のもの、こっちの点の配列はRBC局のものということがわかった。いいですね?」

「はい。わかりました」

「このテープの三巻をぜんぶ伸ばしてから見るのがいちばんいいのだけれど、それではたいへんだから、ぼくが調べた結果を手帳に控えたのがここにある。それを言うとね。……」

平島は、よれよれになった手帳をポケットから出して、マッチの軸を栞《しおり》がわりにはさんだところを開いた。

平島庄次は、手帳を見ながら言い出した。

「この三巻のテープは、さきほども言ったように、一巻は四月十四日水曜から二十日火曜までの一週間だ。順序からいって、これを1号としましょう。二巻目は二十一日水曜から二十七日火曜まで。これを2号とする。三番目は二十八日水曜から五月四日火曜まで。これを3号としよう。いいですね?」

「はあ」

修三はうなずく。

「この三巻のパンチ・ペーパーを長野氏が自宅に持って帰って、何やら調べていたわけです。そこで、ぼくも長野氏の気持になってペーパーの記録に疑問の点はないかと眼で点検してみた。するとあったんですよ」

「どういうことですか?」

「疑問は、1号ペーパーにあった。午後五時から七時半までの時間帯だ。四月十四日水曜日と十五日木曜日の両日の時間帯では、記録が穴の点の配列によってNHKとなっている。とくに七時からはニュースがはじまるからね。だが、そのあとの十六日金曜日から二十日の火曜日までの五日間とも午後五時から七時半までの時間帯が、VVC局とRBC局とSKT局とABB局とに次々とチャンネルが切りかえられている。つまり四つの民放局に合わせられている。この四つのテレビ局は、さっき言った方法で穴の配列からよみとれた」

「ははあ」

「この現象をTVスタディ社の視聴率週報について照合してみると、四局ともその時間帯はぜんぶ子供むけの番組です。それも特殊撮影の多い怪獣と超人との格闘ドラマや漫画です。とくに七時から三十分までVVC局の連続漫画の番組です。つまり、四月十六日の金曜日から、この標本家庭はNHKの七時のニュースも視てないのですな」

「ほう」

「つまり1号のペーパーでは最初の二日間が普通の大人番組のチャンネルで、あとの五日間は子供番組のチャンネルです。それが2号ペーパー、3号ペーパーにつづく」

「この標本家庭に、子供が遊びに来ていたんじゃないかしら」

羽根村妙子が考えてから言った。

「そう思われるね。もし、この家に子供が居れば、はじめから子供向け番組のチャンネルになっているからね。だから四月十六日の午後からでも親戚《しんせき》の子供でも泊りにきたのかもしれない。というのは、十七日以降午前七時から八時半までの時間帯が、ときどき子供向けの番組になっているからだ。午前七時のNHKニュースはだれでも見たいところで、げんに視聴率も高いのだが、この標本家庭では十七日以後は毎朝のニュースも見てないことになる。つまり、午前七時のニュースも午後七時のニュースも、子供のために大人が犠牲になっている感じだな」

平島は、ここでいったん言葉をやすめた。

「このように、2号テープはぜんぶ朝と夕方の時間帯が子供向けのチャンネルになっている」

平島は手帳を見ながら口を開いた。

「日づけを割り出すと、これはさっきも言ったように各テレビ局が夜間に放映を中止するために消えるテープの穴を一日の区切りとして日時を推定したのですが、2号テープは四月二十一日水曜から二十七日火曜までの一週間なんです。その一週間の朝夕が子供番組に占領されている」

「やっぱり親戚の子供さんがずっと滞在していたんでしょうね」

妙子が前と同じ観察を言った。

「そうかもしれない。この家には子供がなくて、親戚の子供でもきて逗留《とうりゅう》していたらしいことは、3号ペーパーが証明している。3号ペーパーは四月二十八日水曜から五月四日火曜までの記録だが、その一週間のうち、2号ペーパーにひきつづき朝夕が子供番組のチャンネルになっているのは、二十八日の一日だけだ。あと二十九日から五月四日までの六日間は、もとに戻っておとな用の普通のチャンネルになっている。もちろん午前七時以後と午後七時以後の時間帯は、ちゃんとNHKのニュースに合わせてある」

「待ってください。それでは、三巻をとおして言うと、四月十四、十五日の二日間がおとなのチャンネル、十六日から二十八日までの十三日間が子供用チャンネル、二十九日から五月四日までの六日間が再びおとな用のチャンネルというわけですね？」

修三はたしかめ、じぶんでもメモした。

「そうです。だから、羽根村君が言うとおり、この標本家庭には、もともと幼い子供はいなかった。居ても怪獣や漫画の番組にこのように毎日かじりついている子はいなかった」

「わたくしの隣の家がそのとおりですわ。小学校二年生と幼稚園に行く五つの子がいるんですが、午前七時と午後七時のニュースはぜんぜん見られないといって、お父さんがこぼしています。子供は、そういう番組をがむしゃらに見たがるので、親が負けてしまうらしいです」

妙子が言った。

「子供の暴力だな。その子供むきの番組がまたチャンネルを変えると、えんえんとつづく。それはこの週報に時間割りが出ていて、それに対応してこのテープに記録されているとおりだ」

平島が妙子に答えた。

「それはわかります。けど、なぜそれが疑問なんですか?」

「わからない。このテープに疑問を感じたのは長野氏だった。ぼくの不審は、その長野氏の疑問が何だったかというにある」

三巻のパンチ・ペーパーを苦労して解読したのは、長野博太がこれをTVスタディ社から家に持ち帰ってしきりと調べていたその疑問をつきとめたいからだと平島は言う。

「その三巻のペーパーは、ただその標本世帯の家庭に、子供が四月十六日から二十八日まで泊りに来ていたというだけじゃありませんか。どこに不審があるのですか?」

妙子が平島に顔をむけた。

「たしかに、これで見るかぎり君の言うとおり何の変哲もない。子供がその期間泊りにきて、おとなの番組を奪ったということだけだな。しかし、その平凡なテープの記録を、なぜ、長野前次長が自宅まで持ち帰って調べていたのだろうか？」

「………」

「それに、この標本世帯がどこだかを示す記号がテープの端に付いていたはずだが、そこは切り除られている。これはたぶん長野氏がやったことだ。各テレビ局の視聴を記録したテープなのに、長野氏は、なぜ、そんな要心深いことを作業したのだろうか。さっきも言ったように、この家に持ち帰ったテープが万一第三者に見られたときのことを考慮して標本世帯の記号切除となっている。もっともこのパンチ・テープを見ただけでは、何が記録してあるか分りはしないが、なかにはぼくのような方法で穴の配列を解読する者もいるからね。長野氏がそこまで気をつかっている理由は何だろうな。それこそ疑問じゃないかね？」

平島が妙子の顔を見返すと、彼女も切長な眼を半分に閉じてうなずいた。

修三はまだ口を開かなかったが、彼の胸には海の潮が差してきたようにふくらむものがあった。映画などで新聞の大見出しを次々と重ねて見せる場面（カット）があるが、あれに似て新聞活字が躍って堆積《たいせき》した。昂奮《こうふん》はあったが、舌はまだ抑えていた。

「それにさ、もっと大事なことがある」

平島は、修三の気持とは無関係につづけた。

「標本世帯の記号が切り除られているとなると、もちろんその住所も分らないのだから、回収員の受持ち区域も分らなくなる」

羽根村妙子が口の中で、あっ、と低い声を上げた。

修三も平島のこの言葉には胸の中の新聞活字が瞬時に吹き散った。

「そうすると、その標本世帯の回収を担当していたのは、町田市の尾形恒子さんですか？」

妙子が眼をみはった。

「それは何とも言えない。この標本世帯の住所氏名が分らないんだからね。ただ、いえるのはこの標本世帯の記号の切断で、回収員の担当区域まで不明だということです」

平島は憮然《ぶぜん》とつぶやいた。

「このテープは尾形恒子さんがご自分の受持ちとなっている標本世帯から回収されたにちがいないと思います」

運転席から後部座席の二人にむかって身体をねじまげている羽根村妙子はたかぶった声で言った。

空にいつまでも停滞していた残照はようやく消え、蒼然《そうぜん》と昏《く》れなずむ中に城の石垣の上にならぶ松林が黒く、濠《ほり》の底から夜が這《は》い上ってきていた。道路をはさんだ一方の高級屋敷町には灯の列がきらめきを増している。車内には明りをつけず、三人は暗いなかで顔をつき合せ、低い声で話した。

「それは尾形恒子さんが居なくなっているからかね?」

平島がきいた。

「ええ、そうです」

「そこんところは、どう結びつくのかな?」

「具体的なことはわからないけど、尾形さんは五月十二日の水曜から行方がわからなくなっています。水曜日は回収日です。その仕事に出たまま消息を絶っておられます。このテープ三巻の記録は四月十四日水曜から五月四日火曜までですから、尾形恒子さんは三巻目を五日に回収してTVスタディ社に届け、その翌週の水曜、十二日の午後に行方知れずになったと考えられます。ですから、長野さんが家に持ち帰って疑問点を調べていたこのテープは、尾形恒子さんの受持ち区域に入っている標本世帯の一軒にちがいないと思います」

「このテープの記録期間の最後が五月四日の夜の放映。尾形恒子はたしかに四日火曜までの記録テープをTVスタディ社に届けた翌週に居なくなっていますね」

平島が考えてから言った。

「……だが、ではなぜ尾形恒子は失踪《しっそう》したのか、その理由はどうだろう?」

「それはわかりません。でも、テープを調べていた長野さんの疑問にそれは関係があるのかも知れません」

「テープの疑問といったところで、子供番組の視聴記録が急にふえたというのが変っているだけだ。それも子供がその期間に泊りにきていたのが考えられるという単純なことだがね」

「でも、長野さんがそのテープを調べていたんだから、どこかに疑問があったにちがいありませんわ」

「それはそうだが。しかし、どう考えても、このテープ記録には疑問はないように思うんだがなぁ」

平島は暗い中で首をひねっていた。

修三は、もう黙っていられなくなった。

「実は、そのテープ記録については、ぼくに心当りがあるんです」

平島庄次も羽根村妙子も修三の「心当りがある」という声に彼の顔をいっせいに見た。

その場では修三も明瞭《めいりよう》に言わなかった。日時の点をはっきりと憶《おぼ》えてなかったからだ。

翌日の午前中、修三はさっそく区立図書館に行った。前に見た新聞綴《とじ》を繰った。ひろげたところは渋谷区松濤《しようとう》で起った六歳の女の児の誘拐《ゆうかい》事件である。

前は、これに慢然と眼をとめたものだ。その記憶がどこかに残っていて、平島が解読した三巻のパンチ・ペーパーの内容を聞いたとき、にわかにそれが脳髄のなかで動き出したのだった。

いま、その新聞記事にしたがって修三はメモをとっていった。

その会社役員の三女で恵子という子が近くの小公園から見えなくなったのは四月十六日午前十時ごろである。

《女の児《こ》の行方不明——四月十六日午前十時ごろ》

修三はメモ帳に書く。

通りかかった車を運転していたのが、年齢はよくわからないが、三十五、六ぐらいのあいだとみられる「おばちゃん」である。三十八歳のママよりは少し若かったから。

車は渋谷のにぎやかな通りには行かずに別の道を走った。信号がいくつもあった。途中でチューインガムを買ってもらったが、そのうち、車の中で眠ってしまった。だから、その児が無事に発見されたあとで捜査側が道順を追跡捜査してもその連れこまれた家が分らなかった。

恵子ちゃんは、その家が二階のあるきれいな家だったと言っている。おばちゃんはテレビの漫画を見せてくれた。それは恵子ちゃんが前から見ている連続漫画だった。午後五時四十五分からはじまる。

《連続テレビ漫画。毎日午後五時四十五分から七時二十五分まである。ただし、テレビ局はその間に違って放映される》

修三はメモに書く。

恵子ちゃんは二週間、そのおばちゃんの家にいた。おじちゃんは毎朝出て行っては夕方に帰ってくる。

テレビ漫画は毎日、朝と夜とを恵子ちゃんは見た。家に帰してもらうまで一日も欠かさなかった。

修三は、メモにそう書く。

恵子ちゃんがおばちゃんの車で、家の近くの小公園に連れてこられて置き去りにされたのは、その場所から誘拐されて二週間目の四月三十日午前十時ごろであった。

《四月三十日午前十時ごろ、恵子ちゃん戻る》

修三は書く。

——綴込みの新聞記事をもういちど詳細に読んで、メモをつけた修三は、そのメモのデータにじっと見入った。

修三は、恵子ちゃん誘拐事件の新聞報道から書きぬいた自分のメモを見て、恵子ちゃんが渋谷区松濤の小公園から車を運転する三十五、六歳くらいの女に連れ去られた四月十六日と、もとの場所に戻された三十日までの二週間が、三巻のパンチ・テープのなかにすっぽりと入っていることを知った。

一巻目（No.1）のテープ＝四月十四日（水）から二十日（火）まで。

二巻目（No.2）のテープ＝四月二十一日（水）から二十七日（火）まで。

三巻目（No.3）のテープ＝四月二十八日（水）から五月四日（火）まで。

平島庄次の解読によると、右の1号ペーパーのうち四月十四・十五日は普通の番組だが、十六日午後五時から七時半までは子供番組（漫画や怪獣・超人ドラマ）となっている。

2号ペーパーの全部（四月二十一日から二十七日まで）は朝夕とも子供番組。

3号ペーパーは、四月二十八日だけは前のつづきで子供番組。四月二十九日から五月四日までの六日間は普通番組で、子供番組にチャンネルはまわされていない。

恵子ちゃんの誘拐は四月十六日午前十時ごろであった。1号ペーパーを見ると、この日の午前中は普通の番組で、午後五時からはじめて子供番組がはじまっている。これは恵子ちゃんが誘拐された家に来たのが午前十時以後だったから、朝の時間に子供番組のチャンネルがない記録と一致する。

帰ってきた恵子ちゃんは、毎日、その「二階のあるきれいな家」で子供番組を見ていたと言っているが、十六日以後のペーパー記録の各局チャンネルがそれを裏書きしている。それは2号ペーパーの全巻から3号ペーパーのはじめにかかっている。

ただし、最後は四月二十八日までだ。恵子ちゃんは三十日午前十時に、そのやさしいおばちゃんによって小公園に戻されているから、二十九日の朝夕と三十日朝の子供番組が記録されていなければならないが、それは無い。しかし、これは何かの都合であろう。とくに三十日朝は午前十時に恵子ちゃんを渋谷松濤の小公園に連れもどすためにテレビを見せる時間的な余裕がなかったと思われる。

恵子ちゃん事件は、子供は無事に戻されたけれど、誘拐犯人はまだわかっていない。警察では報道管制を解除したのちも厳重な捜査を続行しているが、現在も未解決のままである。

修三は、昨日は日時の点をはっきりと記憶していなかったので平島にも妙子にもこの幼児誘拐事件と測定ペーパーとのつながりを話さなかったけれど、いま、それを確認して、あらためて昂奮が起った。

ＴＶスタディ社の管理課次長長野博太は、この三巻のテープ記録から新聞を騒がした恵子ちゃん事件との関連を推測し、回収員についてその標本家庭を調べはじめたのではなかろうか。

二週間のあいだ子供番組を入れた測定ペーパーはどこの標本家庭のものか、またその回収員がだれかはＴＶスタディ社の管理課次長の長野博太にはもちろん分っている。そのペーパーの記録が幼児誘拐事件と関連していると推定したとき、長野博太の取るべき方法はどうだろうか。

まず、長野博太が自分でその標本家庭を調査することだ。これがいちばん彼にとって納得できる。

次は、回収員に調査させることである。これは迂遠《うえん》のようだが、安全な方法である。長野が自身で調査に乗り出したのでは、TVスタディ社管理課次長（当時）として事が表向きになりすぎる。問題が問題だけに調査は内密を要する。

その点では、毎週水曜日ごとにその標本家庭を訪問する回収員を使ったほうが安全である。女だから、世間話にまぎれて探りを入れることができる。

また、近所の噂《うわさ》も仕入れてくることができよう。その家庭に子供がなかったかどうか。あっても、子供向きのテレビ番組に熱中するような子供だったかどうか。つまり十歳以上だとそれほどの興味はないだろうし、三歳以下の子ではまだ興味が湧《わ》かない。

その家庭に四月十六日から六歳の女の児が来て三十日朝まで滞在したとなれば、いくらその女の児を外に出さないようにしていたとしても、近所のだれかは気づいていたろう。

また、新聞に出ている恵子ちゃんの「話」によると、その家の主婦は三十五、六歳くらいだというし、「きれいな二階家」というから、回収員にはその標本家庭と一致しているかどうかはもとより分っているはずである。

それに、恵子ちゃんを誘拐した主婦は、車の運転ができた。幼児だから、その車体が青色だったというだけで、型までは言い得ない。が、回収員ならその家に車があることも見ていようし、主婦が運転するのも知っていよう。

こういうことから、長野博太が担当の婦人回収員に意図をうちあけて、不審なテープを出した標本家庭を探らせた可能性は強くなってくる。では、その回収員はどう行動しただろうか。その場合、「探り」かたがあっさりしていれば無難に済んだだろうが、もし興味を起して「探り」が行き過ぎになったときは、当然に相手方には警戒というよりも恐怖を与えるだろう。

女性は、とくに中年の婦人は好奇心が強い。その好奇と興味から「探り」に深入りしすぎたことは十分に考えられる。その深入りが回収員の災いとなったと思われる。

三巻のテープがＴＶスタディ社に回収されたのが五月五日水曜、尾形恒子の失踪は十二日水曜、その一週間のあいだに長野博太のテープ検査と尾形恒子の内偵行動とがある。

——

問題は、その標本家庭の所在である、と修三は考える。

回収員が尾形恒子とすると、その担当区域となるが、町田市に住む彼女は東京都の南部を受けもっていると思われる。南部といえば広いようだが、標本世帯そのものが「その存在をだれも聞いた者がない」というくらいきわめて少ないのだから、回収先もごくわずかにちがいない。尾形恒子が毎水曜日の午前中、マイカーで走り回っているだけで用が足りる理由もそこにある。

そこで、修三は「恵子ちゃんの話」に沿って捜査した経緯の新聞記事をもういちど頭の中でくりかえしてみた。

――捜査陣は恵子ちゃんの記憶をたよりに渋谷区松濤の小公園付近から、犯人の家に達する道順を追跡した。

おばちゃんはママより少し若く、おじちゃんはパパより下だということで、誘拐した女は三十五、六歳、その夫と思われる男は四十二、三歳と見当をつけたが、顔の特徴などについては六歳の幼児に表現力はなかった。

警察は恵子ちゃんを車にのせて松濤からあらゆる道をたどった。渋谷の繁華街に出る方向ではないというので、「車がたくさん通っている」ほかの道をいくつか走った。恵子ちゃんの言う道は、どうやら渋谷から新宿へ行く通称神宮通りらしい。

そこから青色の車はせまい道に入って、にぎやかなお店がならんでいるところでおばちゃんは車をとめ、チューインガムを買ってくれた。捜査側は、そのせまい道と、推定される四月十六日午前十時十五分から四十分ごろのあいだに車に六歳の女の児を残してチューインガムを買った店とをさがしたが、該当するものを発見できなかった。

それから先の道順は、かんじんの恵子ちゃんが誘拐された車の中で眠っているので、手がかりがとぎれてしまっている。

これでみると、誘拐した車は渋谷から新宿方面へ行く明治通りに出て、途中から狭い道路へ入っているから、行先は新宿ではない。その狭い道も左側なのか右側なのかわからない。左と右とは、その先の方向がまるきり違ってくる。

これを尾形恒子の回収担当区域の町田市を中心とする東京都南部にしぼると、その道順はどうなるのだろうか。

それには渋谷のインターチェンジから入って東名高速道路に乗るほかはない。ところが、このインターチェンジは松濤から明治通りに出ると新宿方面とは反対側の方向となっている。狭い道に曲ったというのも怪しい。

——誘拐車はストレートに目的地に向ってはいない。

修三はそう判断した。わざとはじめは反対方向に走り、ぐるぐるとまわって追跡車がないことをたしかめてから目的のコースに変えて走ったのではあるまいか。

修三の思案はつづく。

テープ三巻は、四月十四日から五月四日までの測定記録である。このうち、子供番組が入っていないのは、十四、十五日と十六日の午前の番組である。

恵子ちゃんは十六日の午前十時ごろに誘拐されてその家に来ているのだから、テープにはその日の夕方から子供番組がはじまっているのは理解できる。

まだよく分らないのは四月二十八日夕方の子供番組を最後にして、二十九日から五月四日までが普通番組になっていることだ。

恵子ちゃんは四月三十日午前十時ごろに自宅近くの小公園に帰されている。それなら二十九日はまる一日その家に居たのであるから、その日のテープにはそれまでの継続として朝夕とも子供番組が記録されていなければならない。また、三十日にしても子供番組は午前七時からはじまるので、恵子ちゃんを渋谷区松濤へ午前十時ごろに届けるまで、その子供番組を見せていなければならない。その道程の所要時間をさし引いても、七時からの番組が少しは記録されていなければならない。子供は、どんなに短い時間でも、見なれている子供番組を望むものである。

それは修三の経験でもわかる。親戚《しんせき》の家に小学校三年生の男の子と一年生の女の子とがいるが、学校に出かけるまで子供番組にしがみつき、登校の仕度をしながらふり返りふり返りしてテレビに眼をやっている。まだ小さいので親が言っても聞き分けがなく、叱《しか》れば泣き出す。これでは朝七時のニュースも午後七時のニュースもまったく見られないと父親は歎《なげ》いていた。

誘拐した家では、恵子ちゃんを手なずけるためにはずいぶん苦労したと思われる。その家の三十五、六歳と思われる主婦が「やさしいおばちゃん」だったのはその気づかいによる親切からだろうが、それなら当然に二十九日の午前午後と三十日の午前七時からの子供番組を恵子ちゃんに見せているはずだ。

しかし、それが無い。

はじめ修三は、その家の夫婦がしだいに自分たちの行為に恐怖をおぼえ、恵子ちゃんを自分らの子にするのを諦《あきら》めて、三十日の朝にはもとの小公園にもどすのを決心したので、二十九日と三十日朝とはその準備のために子供番組をつけなかったのかとも思ったが、これはまったくあり得ないことであった。記録は普通番組になっているのだから、子供番組にも変えられたはずだ。

修三は、四月二十九日が天皇誕生日の祭日であるのに気がついた。祭日には子供番組は無いのではないか。

「祭日でも子供番組はやっております」

電話で問い合せた或るテレビ局は答えた。

祭日でも日曜日でも子供番組を放映していることは、テレビ局の電話でわかった。

そうすると、テープの四月二十九日ぶんに子供番組の記録がないのはどういうわけだろう、と修三は考えた。その家で、何かあったのだろうか。

何かあるにしても、子供に見せないはずはない。その家では恵子ちゃんをなだめすかして置いているからである。

そうすると、この家では二十九日にかぎって外出したのではないか、と修三は思ってみた。祭日なので、朝早くから夜まで車に恵子ちゃんを乗せて、夫婦で何処《どこ》かに遊びに出かけたのではなかろうか。

一日じゅう留守をしても、テレビをつけ、測定器を動かしているかぎり、テープは回転して記録をつづける。そこは標本世帯として契約したモニターの義務感からである。

無人の家でもテープに視聴番組が記録されるのは、いわゆる「猫の視聴率」である。標本家庭ではテレビを人間が見ないで飼猫が見ていてもそれが視聴率になるという比喩《ひゆ》だが、その比喩を現実なものとして飼猫の平均数を割り出し、それを視聴率に算定した例がある。

前にも考えたことだが、ある婦人雑誌の調査によると、猫を飼っている家は十五軒に一軒ぐらいの割で六・五パーセントである。そうして飼猫だけがテレビを見ている期待値は小数点二ケタ以下のパーセンテージ、つまり数万分の一の確率となって標本誤差の中に吸収される――なんでもそういう理屈であった。

関東地区九百万世帯のなかに標本世帯数がわずか五百だから、誤差の幅も大きいはずである。小数点二ケタ以下の「猫の視聴率」がその「標本誤差の中に吸収される」のは当然だろう。

だが、このナンセンスな「猫の視聴率」の条件「猫がテレビの部屋に在室し、しかも人間は在室していない」というのに、もう一つの条件を加えなければならないのは、記録されているチャンネルが終始一つだということである。猫はチャンネルを回すことができないからだ。

四月二十九日の祭日、恵子ちゃんを誘拐した家庭が朝から晩まで外出していれば、留守中に動いている測定器のペーパーは同じチャンネルになっていなければならない。もし、その記録にチャンネルが変っていれば、その一家は外出しなかったことになる。

修三はそこまで平島から聞いていなかったので、それをたしかめるために平島に電話してみた。

「四月二十九日のテープにはチャンネルが次々と変っていますよ。子供番組ではなく、普通の番組です。昼でも主婦に人気の〝よろめき〟番組にね」

平島の声は答えた。

こと問い独言

とにかく三巻の測定ペーパーの回収先をさがし出すのが先決だと修三は思った。その標本家庭は未解決になっている幼児誘拐《ゆうかい》事件の犯人か、またそれと関係がありそうである。当時TVスタディ社の管理課次長だった長野博太がモニターのテープに疑問を起したのも、新聞に出ていた記事を思い合せたのにちがいない。

その回収が町田市の尾形恒子だったことは、長野の交通事故が町田街道で起っているのでも明瞭《めいりよう》である。長野は尾形恒子の失踪《しつそう》を心配してその家を訪ねての帰りに奇禍に遭遇した。尾形恒子の失踪は恵子ちゃんを誘拐した標本家庭に関連があると思われる。そのサンプル家庭の内偵を彼女に言いつけたのは、長野にちがいない。修三は三巻のテープに収められた記録には幼児誘拐事件と尾形恒子の行方不明とが秘められていると推定した。

こうなると、自分ひとりの力では及ばない。少なくともこの推測だけは平島庄次と羽根村妙子とにはうちあけなければならぬと思った。

この考えがかたまったのは一晩寝てからであった。そうなるとすぐにでも両人に会いたくなった。

午前十一時ごろ、彼は鷗《かもめ》プロに電話した。

「平島は今日は休みをとっていますので出社していません」

電話に出た人が言ったので、羽根村妙子を呼んでもらった。

「お早うございます」

妙子の声が出た。

「平島さんは、今日は休みだそうですね？」

「ええ。今日と明日と休暇をとっています」

「平島さんとあなたとお二人に聞いてもらいたい話があるんです。少々急いで話したいので、平島さんが休みなら、あなただけにでも話して相談したいことがあるのです。例のテープの一件です。ぼくなりに、ちょっと解ったような気がするのですが、それがかなり重大な意味なんです。昼の休憩時間でも近くでお会いできませんか？」

「ええ。けっこうです。どこにしましょうか？」

テープの謎《なぞ》を解明し、それが重大な意味を持っていると言ったものだから、妙子の声も弾んですぐに応じた。

「銀座のほうが人が多くてかえって目立たないと思いますが」

「それなら、いっそ、デパートの前ではどうですか？デパートは人の出入りが多いから、そこでお待合せして、どこか喫茶店にでも入りましょう。こちらは十二時から一時までの一時間しか休憩時間がありませんから」

「一時間もあればけっこうです」

十二時十分に銀座の角にあるデパートの前という約束になった。

十二時十分の約束だったが、修三が銀座角のデパートの前に到着したのが十二時半だった。二十分おくれたのは、出がけに画を描く仲間がきてすぐには放してくれなかったからである。

タクシーで駆けつけると、銀座の目ぬきの角にあるデパートの前には男女の群れがいずれも人待ち顔で立っていた。街頭へむけて眼をきょろきょろさせている。

羽根村妙子の長い下げ髪がその中にあった。相変らず顔が小さく見える。その近くまで来て修三は急いでいた脚をにわかにとめた。彼女に男性の伴《つ》れがあるらしいのを眼にしたからである。

その伴れらしいのは四十を越した中年の男で、妙子の背後に寄り添うようにして口を動かしていた。あきらかに彼女にものを言っているのだが、彼女のほうはそれに受け答えをせずに佇《たたず》んでいる。

修三は迷った。自分の知らない男と妙子がいっしょにここに来ているんだったら、そのつもりで会わなければならない。しかし、話は重要だと彼女に電話で伝えてあるのに、どうしてほかの男を待合せ場所に連れてきたのだろうか。少々無神経すぎると思った。彼女が引張ってくるからには、鷗プロの人間かもしれない。

羽根村妙子の顔が修三を認めて微笑し、彼女のほうから歩いてきた。中年男はそれを見ると、身体の向きを変えてデパートの中に入ってしまった。

「どうもおそくなって。お待たせして済みません」

修三は妙子に詫《わ》びた。

「いいえ」

「あの……」

修三はデパートの中に消えた中年男が気にかかって、

「伴れの方が居たんじゃないですか？」

そうだとすると、先方のほうで遠慮したのかもしれないと思った。

「違いますわ」

妙子は妙な笑いを浮べ、修三を促した。

「お話のできるお店、どこにします？」

並木通りにある喫茶店に決めて歩いた。

「いずれ店に落ついてから話しますが、あのテープの記録に重要な意味があるのを発見したんです。それが合っているかどうか、あなたに判断してもらいたいのですが、さっきデパートの前で伴れの人が居た様子なので、ちょっと困ったなと思いました」

「伴れでもなんでもありません。知らない男のひとです」

「けど、あなたにしきりと話をしかけていたじゃありませんか？」

「あれは、あのかたのひとり言でしょう」

妙子はほほ笑んだ。

「あれは、ひとり言ですか？」

修三は、妙子のすぐうしろに立っていた男が口を動かしている様子を眼に浮べた。

「ひとり言にしては、ずいぶん長くしゃべるもんだな」

「わたくしが、小山さんを待って三十分もあんな場所にひとりで立っているからです。

ひとり言というよりも、言問《こと》いですわ」

「言問い？」

修三は首をひねった。

「言問いというと、向島のほうと何か関係があるんですか？」

「ああ、向島のほうには言問橋もあれば、言問ダンゴもありますわね」

妙子は歩きながら修三に顔をむけ、切れ長な眼をいたずらげに細めた。

「どういうことなんですか？」

「あの男の人は、わたしのうしろでひとりごとをこう呟《つぶや》いていました。お嬢さん、待っている人が見えないようでしたら、ぼくといっしょにそのへんでお茶を飲みませんかって」

「へええ」

「黙っていると、なんでしたら食事をしませんか、おいしいところがありますよ。ぼくがご馳走《ちそう》しますって。こっちが知らん顔をしていると、食事が済んでから、そのへんを散歩しませんか、待っている人が見えないのだったら、どうせ時間は空いているのでしょうって、だんだんお誘いがエスカレートしていきました」

「おどろいたな。それをどうしてあなたのうしろから言うんですか？」

「断わられたときの体裁悪さを考えてのことじゃないですか。やっぱり男の面子《メンツ》がなくなりますもの。ひとり言とすれば、ご当人も気が軽くなります」

「それは、ぼくがあなたを待たせた責任だな」

「いいえ。そういうことは、わたくしだけじゃなくて、女のひとにはざらにある経験ですわ。わたくしの友だちなんか、いつかこの並木通りから新橋駅前まで男のひとにあとから歩いてこられて、そのあいだじゅう、ひとりごとを聞かされたそうです。奥さん、奥さん、おヒマなら、お茶をのみませんか、一時間ほどつき合いませんか、いいでしょう、奥さん、お茶を飲みましょうよ、そこで愉しいお話をしましょう。それがずっとうしろから呟きつづけられていたそうです。けっして話しかけるというふうにはしない。ひとりで、ぶつぶつと言っているんです」

「へええ。女のひとがひとりで歩くと、そんなことがあるんですかね?」

「昔の誘いは、もっと堂々としてましたわ。言問いの歌なんか詠《よ》んで」

「ああ、言い寄ることを言問いというんですか?」

橋やダンゴとは関係がなかった。

修三は髭《ひげ》を撫《な》でた。

「……しかし、見ず知らずの男のそういう言問いの呟きが成功するもんですかね?」

「そんな、言問いを呟く男の人があとを絶たないところをみると、なかには成功することもあるんでしょうね」

羽根村妙子は修三の疑問に言った。

「おどろいたな。そんなことがそう簡単にうまくゆくとは信じられないけど」

彼は半信半疑だった。

「だって、ほら、この前、平島さんが話していた広告代理店の人の場合だってあるでしょう?」

妙子に言われて修三も思い出した。

「ああ、そうか」

その平島が話していたのは広告代理店日栄社の「小高」という社員のプレイボーイぶりであった。それもデパートや街頭の人妻をおもに口説く。

小高は広告代理店の外交係だから、スポンサー回りや民放局の連絡などで始終外に出ているが、仕事も熱心、女性とのつき合いもマメで、しょっちゅう忙しがっている。小高の友人がデパートまでついて行くと、じっさいに彼はそのデパートで誘った人妻らしい女性と、友人の眼の前で、いっしょにつれだって出て行ったという。

ときどき、彼は女と遊ぶために年次休暇を利用して会社を休む。いまも休んでいる。奥さんも呆《あき》れて、あまり文句も言わず、それほど家庭争議にもならない。「浮気は夫の病気」だと言って奥さんは諦《あきら》めているらしく、それほど気にもかけていないという平島の話であった。

世の中には、同じような趣味の男が多いとみえるが、男だけではなく、そんな誘いに応じる女にも好奇心があるようである。だから「言問いのひとりごと」を呟く男があとを絶たないのであろう。

これを身上相談係的な意見からすれば、そんな誘いに応じる人妻の心理には、夫への不満、家庭の煩悶《はんもん》といった原因のほかに、人妻の倦怠《けんたい》感とか、閉じこめられた家庭からの一時的な解放願望といったこともあげるであろう。

また、社会心理学者的な人は、テレビの「よろめきドラマ」が主婦たちをそのような心理にさせているという発言にもなるだろう。

修三は、言問われた羽根村妙子の下げ髪の顔をちらりと見たが、二十五、六という年齢からいって、あるいは人妻と見誤られたのかもしれない。このごろは服装などからして、未婚の女性だか人妻だか少しも判別がつかなくなっている。

羽根村妙子には落ちつきがある。動作も決して活発ではない。そこがその種の男に人妻に見え、また何かしら倦怠を持っている女にも映ったのであろう。

そう思って眺めると、これまで眼に入らなかった魅力も少しずつ見えてくるような気がした。

修三の眼についたのは喫茶店よりも小さなレストランだった。考えてみると、羽根村妙子は十二時から鷗プロダクションの事務所を出てデパートの前で待っていたので、昼食をとっていない。

だが、午《ひる》の休み時間に出てきているので、一時までには彼女を事務所に戻さねばならない。もう一時までには十五分しかなかった。

「話が少しこみいっているのです。それには少なくとも三十分はかかりそうです。どうですか、事務所のほうに電話で断って一時四十分まで休み時間を延長してもらっては。そうすれば、ぼくも腹が空いているので、話しながら食事ができるんですがね」

修三は小さなレストランの前に立ちどまって言ってみた。

「四十分ぐらいでしたら、事務所に断ることもありませんわ。電話しなくてもいいんです。今日は平島さんも休暇をとってらして、忙しいには忙しいんですが、そのくらいの時間延長でしたらかまいません」

妙子は切長な眼の中の瞳《ひとみ》を彼のほうに寄せて言った。

ランチ・タイムなので店の中はかなり混んでいた。五分ほど待たされて、客が立った隅のテーブルに案内された。妙子はコーンスープとエビフライとをたのんだ。修三は牛肉のブドウ酒煮を注文した。なるべく料理の手間がかかるほうが、話がゆっくりとできる。

「平島さんは、休暇を何日くらいとる予定ですか？」

テープのことを言い出す前に、そんな雑談からはじめた。

「今日と明日の二日間だということです」

坐《すわ》ったテーブルの位置で、窓の光線が彼女の髪を白くふちどり、顔には店内の照明が橙色《だいだいいろ》にあたっていた。

「何処《どこ》かに出かけられたんですか?」

昨夜の電話では、平島は休みを取るなどということは一口も言わなかった。

「さあ、家庭サービスで近いところに一泊ぐらいの旅行じゃないですか。あのかたは子《こ》煩悩《ぼんのう》と愛妻家で、よく家族づれでそんな小旅行をなさるんです」

妙子は小さく笑った。

「そうですか。実は、昨夜も例のテープのことで平島さんに電話したんです。だから、ほんとうは平島さんにもぼくの話を聞いてもらいたかったんですが、それは残念ですな。家庭サービスなら仕方がない」

「小山さんはあのテープの記録に重要な意味があるのを発見なさったそうですが、わたくしは早くそれをうかがいたいですわ」

妙子は髪をうしろへひとふるいさせて、両肘《りょうひじ》をテーブルの前に出した。

修三は妙子に「恵子ちゃん誘拐《ゆうかい》事件」のことを話し、図書館の新聞から写した事件のメモも見せた。

「あの三巻のテープに入っている子供番組の期間と、この幼児が誘拐されていた期間とがぴったりと合致している」

テープに子供番組が記録されはじめたのが、四月十四日水曜からの第一巻のうち十六日以降、二十一日水曜から二十七日火曜までの第二巻は子供番組で占められ、二十八日水曜から五月四日火曜までの第三巻は二十八日だけが子供番組となっている。そういう平島の報告にもとづいてつくった表を妙子に示し、恵子ちゃんの誘拐が四月十六日から三十日朝までの十五日間にわたっているのと対比させた。

妙子は、修三の書いた表をテーブルの上に置いて、じっと見つめ、修三の話を聞いていた。

「これは、ぼくの思い過しかもしれませんがね。偶然にしては奇妙な暗合ですよ」

料理がきたのも気づかぬように妙子は肘突いた両手の上に顎《あご》を乗せ切長な眼を閉じていた。

「とても興味があります」

しばらく思案にふけっていた妙子はその眼を開いて彼を見たが、小さな瞳には好奇心の燃え上りが現われていた。

料理の皿に手を出したが、妙子の注意はナイフの先に集中していなかった。まだ、考えをつづけているのである。

「一つ二つ、おたずねしてもいいでしょうか?」

手を休めて彼女は訊いた。

「一つは小山さんの思い違いがありますわ」

「思い違い？」

「平島さんのテープの説明は、わたくしも千鳥ヶ淵で小山さんといっしょに聞いていました。あのときの話では、たしかに夕方の時間帯は毎日が子供番組だったけれど、朝の子供番組は、連日ではなく、ときどきということでしたわ」

「えっ、朝は連日ではなかった？」

修三はおどろいた。たしか朝も子供番組が毎日だったように平島から聞いたように思っていた。

「ええ。その点はたしかです。わたくしもあの日に帰ってすぐにメモしましたから」

妙子はハンドバッグから赤い表紙の小さな手帖《てちよう》を出して紙を繰った。

「やっぱり間違いありません。テープの四月十六日から二十八日まではたしかに夕方から子供番組になっているけど、朝のそれは連日ではありません。四月十七日以降、午前七時から八時半までの時間帯が、ときどき子供向けの漫画番組になっている。ときどきです。平島さんがそう話したと、わたしのメモにはあります」

修三は妙子に言われて考えこんだ。そのテープには子供番組がたしかに四月十七日以降朝夕とも入っていたように平島から聞いたように記憶していたのだ。朝の番組は「ときどきだった」という意味を聞き間違えたのか。

だが、妙子が話を聞いた日にすぐ帰って手帖に心おぼえをつけたのだったら、そっちのほうがほんとうかもしれない。

「小山さんは、そのテープに夕方の子供番組が連日記録してあるので、朝の時間帯も連日のように錯覚なさったのだと思います」

彼女に言われてみると、修三はそうかもしれないと思うようになった。他人の話を早合点して聞くそそっかしい癖があるのは修三にもわかっていた。

――そうなると、自分の推測は崩れてしまうのではないか。足もとがふらつく思いだった。

「いいえ、そんなことはありません」

妙子は髪を左右に振った。

「子供番組のことと恵子ちゃん誘拐事件とに注目されただけでもお手柄ですわ。わたしなどは、そのテープの測定器をあずかっている標本家庭に、十六日の午後から親戚《しんせき》の子供でも来て滞在していたように思っていましたから」

千鳥ヶ淵の車の中でも彼女がそう言っていたのを修三もおぼえている。

「しかし、恵子ちゃん誘拐事件は、ぼくが新聞綴《つづ》りを繰って知ったんですからね」

図書館へ行って新聞を見なければ恵子ちゃん誘拐事件のことは頭になく、あとから思いあたって新聞記事をもういちど見に行くということもなかった。妙子に手柄と言われると面映《おもはゆ》いくらい偶然であった。

「テープでは子供番組が十三日間、恵子ちゃんが誘拐されたあいだは十五日間。子供番組が二日間ほど足りませんね？」

妙子はその差を突いてきた。

「それはこうです。テープには四月二十九日と三十日朝の子供番組の記録がないからです。三十日朝は恵子ちゃんがその家から返された日だからともかくとして、二十九日は天皇誕生日の祭日です。その日は朝晩とも、おとな用の普通番組に記録されている」

「祭日でも子供番組はやっていますわ」

「テレビ局に電話してそう分りました。ぼくはその祭日は子供番組はお休みかと思っていました」

「では、なぜ二十九日だけその家では子供番組を見なかったのでしょう？」

「祭日だからというので、主婦は何かの都合で行かなかったが、主人が恵子ちゃんをつれて遊びに外出したかもしれないな」

「でも、それはちょっと変ですわ。その家では誘拐した恵子ちゃんを警察が捜査しているくらいよく知っているはずです。たとえ新聞管制で記事は出てなくても。恵子ちゃんを外に連れて出るのはたくさんの人目にふれることだから、危険じゃありませんか。そんな危険まで冒していっしょに遊びに連れて出るかしら？」

妙子は疑問だというように首をかしげた。

たしかに羽根村妙子の疑問は、修三の想像するところの矛盾を指摘していた。人日の多い祭日の行楽に誘拐した子を連れて外出することはありえない。

「その日にかぎってその家で何か起ったのじゃないでしょうか？　恵子ちゃんに子供番組を見せる余裕もないような……」

妙子は、それが何かは自分には見当がつかないがと言った。

「その家では、あくる日の三十日には恵子ちゃんを渋谷にかえす手はずにしていた。けれど、それまではやはり子供の機嫌を損わないようにテレビの漫画などを見せなければならなかったと思うけど、それがない。その家に起ったさしせまった事情というのがよくわからない」

よくわからないと言い合いながら二人は皿に顔を向けていた。

そのうち妙子が、うっ、という声を出したので、修三が顔をあげると、彼女は噎《む》せたようにすぐコップをとりあげて水を飲んでいた。

「失礼」

妙子は小さな声で詫《わ》びた。

それからはナイフとフォークの動かしかたがなんとなくけだるそうにみえた。

修三はその顔へちらりと視線を走らせた。彼女の表情はうっとりとしていた。その切長な眼のなかにある瞳をあらぬところに当てて動かさずにいた。それには急激に光が滲《にじ》み出ているのだが、そこまでは修三にも見えなかった。

「問題は、そのテープを出した標本家庭だが、それが尾形恒子さんの回収担当区域にあるのはたしかです。それがどこかだ。知っているのは、死んだ長野博太さんと行方不明の尾形恒子さんです」

妙子がまるでもの想《おも》いに沈んだように黙っているので修三は言った。

「長野さんは、町田市の尾形さんのところに寄られてから何処に行くつもりだったのでしょうか？」

修三の言葉に妙子が反応した。

「そりゃ、東京へ帰るつもりだったのでしょうな。東名高速道路で横浜のインターチェンジに入る前にあの交通事故に遭ったんだから」

「わたくしもそう思っていました」

「そう思っていた？」

「ええ。でも、いまは、別な考えかたにもなっているんです。東名高速道路は東京のほうへもどるとはかぎりませんから。長野さんの乗ったタクシーが東名高速に乗ったのだったら、上りか下りかがわかるけれど、インターチェンジに入る前だからはっきりしてないのです」

「長野さんは、あれからその標本家庭に直接に行くつもりだったんじゃないでしょうか？」

「というと？」

町田市に尾形恒子の家を訪ねた長野博太が問題のテープを出した標本家庭へ直接に向うつもりだったのではないかと言う妙子の想像は十分に考えられる。修三はそう思ったが、長野が東名高速道路をタクシーで東京方面に向うつもりでなかったとすれば、西の方向である。

横浜のインターチェンジから西へは厚木、大井松田、御殿場となって名古屋方面へ行く。修三は、はっとなった。厚木から分れた南側の有料道路は、小田原厚木道路といって、平塚、大磯、小田原へ向っているではないか。

修三には、『大磯町．服部梅子＝主婦・37歳』の投書の文句が蘇《よみがえ》ってくる。

《週一回、テープを回収にくる係員に苦情を言ったところ「サンプル家庭の名前は外には洩《も》れてないはずです」と言いながらも「歌謡番組のベストテンなどには何らかのかたちで裏工作の手が動いているのも実情ですからね」と、暗に歌謡界の暗雲をみとめる口ぶりでした。

こんなサンプル集計で視聴率の上り下りがきまり、そのためにテレビ局やマスコミがふりまわされるとあっては、不公正きわまりありません。わが家は近くサンプル家庭を

辞退するつもりです。》

この投書の主を訪ねに、いま眼の前にいる羽根村妙子と大磯に行ったものだが、該当者も該当地もなかった。大磯駅前近くの交番では、やはりVVC局とRBC局とが前に投書者をさがして来たと言っていた。

長野博太が「服部梅子」を訪ねに大磯にタクシーで行くつもりだったとすればどういうことになるのか。

修三は、「服部梅子」は長野博太じしんが仮名で新聞社に投書したものと思っている。つまりは「内部告発」である。それがTVスタディ社にわかって、彼は社をクビになったと推察していた。

この推測はいまでも変っていない。

大磯町は尾形恒子の回収担当区域になっている。町田市の尾形恒子は東京都南部だけではなく神奈川県までサンプル世帯をうけもち、マイカーで回収にまわっていたらしいから、大磯町もその区域に入っていたにちがいない。

では、なぜ長野は大阪から帰る匆々《そうそう》に町田市の尾形恒子の家を訪《おとな》い、その直後に市内でタクシーを拾い、東名高速道路を西に走って大磯町に向うつもりだったのか。

理由は容易に推定がつく。長野は、例のテープを出しているモニター先にかねがね疑問をもち、それが大磯の住人であるところから大磯町の服部梅子で投書して皮肉をきかせる一方、例の三巻のテープによりいよいよ疑問を深め、担当の尾形恒子に調査をたのんだ。その彼女が未《いま》だ自宅に帰ってないと知って、彼女の安否を気づかい、直接にその問題の標本家庭に乗りこんで行くつもりであったろう。長野にも尾形恒子に対する責任があるのである。

修三は、長野が大磯に向うつもりだったという推測から組み立てた推測をいうと、羽根村妙子は彼の言葉を分析するように考えていたが、

「そのテープの疑問というのが、その標本家庭と幼児誘拐事件との関係ですか？」

と、きき返した。

「服部梅子の投書が新聞に出たのは五月十三日付でした。ぼくは、平島さんに電話で教えられてその朝刊をさがしたのでよくおぼえている。五月十三日付というと、投書者が手紙を新聞社宛に出したのは、半月くらい前でしょうな。そうすると、四月二十八日ごろということになる。四月二十八日というと恵子ちゃんがまだ誘拐者の家に抑留されているときですな」

修三は髭を指でおさえながら言った。

「でも、回収された子供番組の入ったテープの最後の巻が五月四日までだったでしょう。長野さんがそれを見て疑問を起したのは、そのあとですから、四月二十八日に長野さんが服部梅子さんの名で投書したのは早すぎると思います」

「それは、まあ、そうだが」

妙子の指摘に修三は答えた。

「しかし、その三巻ぜんぶを長野次長がいっぺんに見たわけではない。その前から一週間に一巻ずつ回収員がTVスタディ社に持ち帰っている。つまりですな、第一巻目は四月二十一日水曜日の午後、第二巻目は二十八日水曜日午後にはすでにそれに記録された視聴のチャンネルがわかっているわけです。第一巻目の前半が普通番組で後半が子供番組、第二巻目が子供番組の全部となればその異変に長野さんが気がつくのは四月二十八、九日ごろだから、服部梅子名義の投書の日とだいたい合うわけです」

「わかりました」

妙子はその説明に承服したようにうなずいたが、よく見るとその瞳《ひとみ》には納得の表情がなかった。

「それだと、その標本世帯の家が恵子ちゃんを誘拐《ゆうかい》した家だということですね？」

「そうです。そう考えるほかはない」

「だれに訊《き》いても、そんな視聴率モニターの測定器を預かった家があるのを見たことも聞いたこともないというほど数少ない標本世帯の家が、よりによって幼児誘拐とは奇怪なめぐりあわせですね？」

「奇怪な因縁だろうがなんだろうが、犯罪は家庭も場所もえらばないというからね」

「それはそうだけど」

妙子は溜息《ためいき》をついた。

「……そう聞くと、尾形恒子さんの身が気づかわれますわ」

修三が犯罪という言葉を出したので、険悪な雲を見るように妙子の顔が暗くなった。

たしかに尾形恒子の行方不明には悪い予感がする。妙子が言ったように、町田市に彼女の家を訪ねた長野博太が大磯にタクシーで急行しようとした推測があたっているなら、大磯に在るらしい問題の家にのりこんで、尾形恒子の安否を問い詰めに行くつもりだったにちがいない。ということは長野にも恒子がその家の者に殺害されたかもしれない危《き》惧《ぐ》があったのであろう。

これは、長野にその家の偵察をたのまれた尾形恒子が好奇心のあまり深入りしすぎて先方に警戒され、遂《つい》に殺害されたのではないかという修三の推測につながる。

「恵子ちゃんを誘拐したことが分りそうになってその家の人が尾形恒子さんを消したのではないかという小山さんの推察ですが、誘拐した事実の暴露をおそれて人を殺すでしょうか？」

妙子はいまも息を呑《の》んだ声できいた。

「たしかに誘拐犯人は恵子ちゃんを無事に帰している。けど、誘拐したという事実はどうすることもできない。誘拐の罪は重いからね。報道管制を解いたあとの新聞記事で知った世間は大きな衝撃をうけている。捜査当局はまだ懸命に捜査をつづけている。犯人としては、知られるのをなんとしてでも防がねばならない。その家がふだん世間の尊敬をうけている善良な市民で通っていれば、よけいに防御本能が動く。だから、計画的ではないが、内偵にきて事実をつかまれそうになった回収員を発作的に消す衝動に駆られるのは、ありうべきこととぼくは思いますね」

「世間の尊敬を受けている善良な市民……」

妙子は呟《つぶや》いた。

そういう文句はよく外国の小説などに出てくる。妙子はそれを思いだしたようでもあったが、その顔にはもちろん微笑のかげもなかった。というよりも、その切長な眼にはふたたび底深い光が浮んでいた。

「尾形恒子さんは、その家を調べに行くということをご主人に言ってないのでしょうか？」

「言ってなかったでしょうな。言っていればご主人が警察に捜索願いを出しているそうだから、警察がその家を捜査するでしょうからね。これは長野次長と尾形恒子さんと二人だけの秘密調査だったんですよ。だから、大阪から戻った長野氏が町田市の彼女の家に急行しても、夫にはそのことはうちあけてないのです。長野氏としても重大な責任があるから、彼女の安否がはっきりとするまでは主人に言えないわけですよ。だから、あなたの言うように、彼は自分で調べにその家に乗りこんで行くつもりだったのです」

妙子は黙ってうなずいた。その推定には彼女も異論がないようだった。TVスタディ社には標本世帯のリストがあるだろうが、修三らには手のとどかない厚い壁の向う側だった。

早く、大磯にあるらしいその家をさがさなければならない。

——真相を知るには、二つの方法がある。

羽根村妙子と銀座で別れ、神田の店に戻ってからも修三は想いつづけた。

一つは、TVスタディ社に尾形恒子の行方不明について調査を要請することである。同社の管理課には尾形恒子が回収を担当する標本世帯のリストがある。彼女は五月十二日水曜のテープ回収日の午後に失踪《しっそう》しているから、これが彼女のアルバイト先と関連している可能性は十分にある。ということで同社に調査を申し入れるのである。

もう一つは、警察へ直接にこの疑いを話して捜査をはじめてもらうことである。警察ではTVスタディ社に保存資料を出させ、それにもとづいて尾形恒子担当の標本世帯をかたっぱしから洗うだろう。とくに大磯周辺を重点的に捜査してもらう。

この方法が目下の疑惑を解明する早道だし、もっとも正確だが、それには尾形恒子の夫に協力を求めなければならない。これが修三には苦痛である。

そうなると彼女の「殺害」を前提にすることになる。夫としては妻が殺されたなどとは思いたくないであろう。身内の者が言い出すならともかく、縁もゆかりもない他人が凶事を予想して口を入れるのは余計なおせっかいにとられる。

といって、こっちの独断でTVスタディ社や警察に申入れるのはためらわれる。万一、それが殺害でなかった場合はどうなるか。本人のためにはよろこぶべきことだが、一方では「妄想《もうそう》の殺人事件」をつくりあげて世間を騒がしたという非難を受けるだろう。

もう少し様子を見ようと修三は決めた。そう思う気持の底には、自分らの手でこの疑問を明かしてゆきたいという執着があった。

夕方になると店もぼつぼつ忙しくなってくる。四十二、三の顔も身体もまるい男が入ってきて、カウンターの前に坐った。

「よう、しばらく。今日は店に居るんやな?」

越智といって、どこかの大学の講師だった。大阪の出身だった。

「いらっしゃいませ、しばらくでございます」

修三はドリッパーに湯を注ぎ足していた。「ぼくは、よくここに来とるんやが、君のほうがいつも留守やでな」

「画のスケッチに出ることが多いんです。失礼しました」

「画を描きながら商売するんやから、ええ身分や」

「画の腕も上達しませんし、商売もごらんのとおり細々ですから、あんまり結構な身分でもございません。……今日はどちらのお帰りですか?」

越智の横に四、五冊の本があった。

「古本屋の帰りや」

近所の古書店街を回ってきたという越智講師は、横に置いた四、五冊の本のなかから小型の一冊をとりあげて修三の眼の前にかざした。

「君、これを読んだことないか?」

表紙に「砂の墓標」とあった。

「いえ、読んだことはありません」

「ぼくは古本屋でざっと眼を通してきたんやが、おもろそうやで。マイリック・ランドちゅうアメリカ人が書いた小説やけど、コンピューター式の操作による情報社会の恐怖がテーマになっとる」

「え、なんですって?」

修三は、できあがったコーヒー三人ぶんを店の者に渡してカウンターに身をのり出した。

「巻末についとる訳者の〝あとがき〟によるとやな。ええか、読んでみるよ。〝一見中立をよそおっていながらもそのじつ露骨な宣伝にしかすぎないニュース、各種商品のイカサマな誇大広告、たんなる風俗的な流行をいかにも深淵《しんえん》なもののように騒ぎたてる評論等、これらが野放しに横行すれば、ついには虚像が実像をおおいつくし、それがさらに何者かの手によって、もっと徹底的に組織的に、しかも高度に発達したコンピューターの技術を駆使しておこなわれた場合を考えると慄然《りつぜん》とさせられます〃とな」（マイリック・ランド著、村社伸訳「砂の墓標」角川文庫）

「それで、その内容はどういうことですか？」

修三は本と講師の顔を見くらべた。

「家庭の主婦をモニターにする市場調査のことが書いたる」

越智は本をぱらぱらとめくりながら言った。

「え？」

「主婦モニターの実体やな。噂《うわさ》の母体としての利用法について、というわけや」

「…………」

「主婦モニターへの示唆《しさ》的な情報を、逆に与えることによって生じうる市場のパニックの場合も書いたる。こら、わかるがな、この前の石油ショックのとき、噂ひとつで石鹸《せっけん》が市場から姿を消したり、トイレット・ペーパーの買溜《かいだ》めがあったりしたやないか。要するに主婦モニターも噂の変形やがな」

肥《ふと》った講師は出されたコーヒーをひと口すすった。

「それから情報はすべてモニターで数字化される。この小説では『家庭婦人社』ちゅう情報を集めてそれをコンピューターで分析する雑誌社が出とる。こう書いたるよ。〃家庭婦人社がじっさいは数学者の宗教組織なのに気づいた。情報はなんであろうと報告され、計算されたのちに、図表とグラフにあらわせば解明できるという信仰なのである〃とな」（同）

「まだ、そういうことがほかにも書いてありますか？」

修三は越智へ性急にきいた。

「それから、こういうことも書いたる」

越智講師はカウンターに肘をつき、本をひろげて読んだ。

「〃家庭婦人社〃という組織の機構についてはあまりよく知らないが、自分だったら二、三十人の主婦たちのあいだにデマをひろげるのに、すでにある地域から報告がきている噂について極秘調査をおこなっているようなふりをする。かりに、ヘア・スプレイを使用している人がその製造会社に損害を与えたくなったとしよう。二、三十人のこれらの主婦たちにむかって、近所のひとでヘア・スプレイを使用していると皮膚ガンを起すという噂をきいた人があるかどうか調査してくれとたのむんだ。すると、そのうちの何人かの主婦たちがいくらかでも近所のひとに問合せをして、そういう噂は近辺には立っていないようだと、こちらに報告してくる。……」（同）

越智はここでひと息入れるようにコーヒーで口をしめした。関西弁の抑揚のある朗読のつづきを修三は待った。

「さて。……そのいっぽう別な主婦たちが近所のほかの主婦たちに質問をしていくことによってデマはかえってひろまっていく。それから、こっちはさらに四、五十人の主婦たちを使って、デマをもっとひろくばらまいていく。まもなく、それはヘア・スプレイのメーカーに非常に不利な影響をもたらすだろう、と同時に同業のライバル社にとってはおおいに力となる。(同)……ま、こういうこっちゃ」

越智は本を閉じて、煙草を抜きとった。

修三はその「家庭婦人社」というマスコミ機関が主婦たちを使って情報操作をしているということに衝撃をうけた。

事情は違うが、ＴＶスタディ社も標本世帯の測定ペーパー回収にはアルバイト主婦を使っている。もし、このモニター会社が婦人回収員たちをつかって標本世帯に何らかの示唆を与えるとしたら、視聴率の数字も変動をきたすかもしれない。

修三にはまたしても「大磯町・服部梅子」の投書の文句が浮んでくるのである。

《週一回、テープを回収にくる係員に苦情を言ったところ「サンプル家庭の名前は外には洩れてないはずです」と言いながらも「歌謡番組のベストテンなどには何らかのかたちで工作の手が動いているのも実情ですからね」と、暗に歌謡界の暗雲をみとめる口ぶりでした。……》

「歌謡界の暗雲」は、芸能プロダクションが標本世帯の家庭に景品攻勢や電話攻勢をかけるにある。が、その標本世帯のありかを芸能プロにこっそりと教えるのがモニター会社の関係者とすれば、それをもっと極秘的に組織化して操作をするのがアメリカのモニター機関なのであろう、と修三は思った。

批評の神さま

平島庄次から修三に電話がかかってきたのが二日後の午後四時ごろだった。

「やあ、しばらく。休暇だったそうですね。羽根村さんから聞きましたよ」

平島と最後に会ってから日がたってないのだが、修三はなつかしそうに言った。話をしたい相手だと少しでも会わないと長い気がするのである。

「休暇といっても、二日間だけですからな」

平島は笑い声を聞かせた。

「どこかにおいでになりましたか?」

「二日間ぐらいじゃ、どこにも行けませんな。一泊で近いところへ出かけただけです」

平島は家庭サービスにつとめるほうだというのが羽根村妙子の話だった。

「ところで、ぼくも今日出社して羽根村君から、君たちが会って話したことを聞きましたよ。たいへん感銘をうけました」

昼休みにレストランでした話を妙子が平島にさっそく報告したらしかった。「感銘」とは大げさだが、テープと幼児誘拐《ゆうかい》事件との結合に平島はショックをおぼえたかもしれなかった。

「どうです、今晩時間があいてたら、ちょっと銀座まで出てきませんか?」

平島は誘った。

「ぼくはいつでもヒマです。むろん、お話を聞きたいですね」

「いや、話らしい話はありません。君の考えは羽根村君からよく聞きましたしね。今晩はそういうことでなしに、いっぱい飲みましょう」

「けっこうですな。しかし、珍しいですね?」

「その場所というのがちょっと賑《にぎ》やかなところです。騒々しいほど賑やかなところでね。ナイトクラブ式のバアですよ。あんたはそういうところはきらいですか?」

「きらいじゃありませんが」

「バアでも少し変ったところです。まあ、案内しましょう。十時ごろからがいいでしょうな」

「十時ですか?」

「そこはその時間あたりから賑やかになってちょうどいいのです。その前に銀座の地下鉄入口あたりで落ち合いましょう。二十分くらい前にね」

九時四十分に修三がその場所に行くと、地下鉄入口のうす暗いところに平島の黒い姿が立っていた。銀座も商店街のウインドウが閉ると灯が乏しくなる。

「お待たせしました」

「やあ」

平島は修三と肩をならべて歩き出した。方向は並木通りのようだった。

修三は何か平島が例の件を口にするかと思い、またこっちも話したかったが、平島は前こごみに肩を曲げて、せかせかと歩き、そんな話をうけつける余裕もないくらいに愉しい場所に急いでいるみたいだった。

「小山君。君はここに来たことがありますか？」

並木通りからもう一筋東に寄った道に停《とま》った平島庄次は六階建てくらいの黒いビルを見上げた。

「いや。……」

「このビルの三階にさっき電話で言ったバアがあるんです。クラブ・カンヌというんだが。……話でも聞いたことがない？」

「いえ」

「歌や音楽で賑やかなものです。ホステスたちが歌をうたう。若い子ばかりでね。ここの客は各テレビ局のプロデューサーやディレクター、それに芸能プロの連中が多い」

「ほう。そういう人たちの息抜き場所といったところですか？」

「まあそうです。それにね、このクラブ・カンヌのホステスからはこれまでにテレビ・タレントがかなり巣立っている」

「へええ」

「ここで唄っているうちに、プロデューサーやディレクター、それに芸能プロに目をつけられてスカウトされたわけです」

「たいへんなところですね」

「若い女の子も、歌に自信のあるのはこの店のホステスになって、テレビ局関係の人間に引き抜かれたいと思っているらしいです」

「それじゃ、派手な人たちがいっぱいくるでしょう」

「作曲家、作詞家、それにテレビ番組の批評家……」

「そんなまぶしいところは、ぼくはどうも……」

修三はそのビルの前でもう尻《しり》ごみした。

「ぼくもここは初めてですよ。なにせ鷗プロというのは地味なうえに貧乏プロダクションですからね。タレント歌手などには関係がありません。まあ、知らん顔をして入ってみましょうよ」

二人だけのエレベーターの中で平島は言った。

「それに、ここからタレントがスカウトされていったというのは少し以前の話で、いまはそれほどでもないそうです。やはり、はやりすたりがあるんですなァ」

降りたところが、その店の入口であった。黒っぽい、厚いドアは普通のバアと変らなかったが、開くと靄《もや》がかかったような空気の中からけたたましいジャズ音楽が耳に押しよせてきた。

入口に近いところに立っていた黒い蝶《ちょう》ネクタイのボーイが、いらっしゃいませ、と言ったが、怪訝《けげん》な目で二人を見た。見馴れぬ顔に、当店はクラブ制でして、と断わりそうなのを、平島がポケットから名刺を抜いて見せた。

「は。どうぞ、こちらへ」

ぱっとしない鷗プロでも、プロダクションという名刺が蝶ネクタイの拒絶を排除した。

店はそれほど広くはなかった。が、その狭さが賑やかな内容を凝集し、もりあげていた。壁ぎわに小さなステージがあって傍《そば》のバンドがピアノを叩《たた》き、トランペットを鳴らし、ドラムを打っていた。二十二、三くらいの身体《からだ》の細いホステスが一段高いステージで唄っていた。

客席のテーブルはこのステージを半円に囲んで十あまりならんでいた。入ったときから客は騒いでいた。年寄りと、あまり若い者の姿はなく、ほとんどが三十台で、それも普通のサラリーマンとは違った、すこし、くずれた雰囲気《ふんいき》をもっていた。

平島と修三は案内されたバンドわきのテーブルに坐っていたが、フリの客ということで、そこはいちばん悪い場所だった。冷遇は、義務的に付いたホステス一人の無愛想なことでもわかった。ほかの席では女たちが客といっしょになって騒いでいた。

客たちは、こっちの二人が入ってきたときだけさりげなく鋭い一瞥《いちべつ》をくれた。視線を走らせたのは正体を判別する眼だったが、自分たちとは無縁な男づれと判断してからはまったく無視して愉しみのつづきに戻っていた。

ステージの女が唄って降りると、もっとも熱心に拍手したテーブルに彼女はすべり込んで行った。

「ここにいる客はテレビ関係の者ばかりです」

付いていたホステスがほかの席に逃げて行ったあとで平島は修三に言った。

「そうでしょうね。だいたい様子でわかりますよ」

「プロデューサーやディレクターですな。視聴率に神経を尖《とが》らして、少し上ったといってはここでよろこんで騒ぎ、下ったといってはここでヤケ半分に騒ぐんだなア」

平島はバンドの演奏にかき消されない程度に小さな声を出した。

反対側のテーブルからは男たちの大声と笑い声とが上った。

「視聴率に一喜一憂するのはまだいいほうです。職場をホサレたプロデューサーはここで失意の酒をあおっているんでしょうな。ほら、いつか劇団『城砦座《じょうさいざ》』の古沢啓助さんのところに手紙を出した女性の兄貴のようにね」
それは新宿の「枝村マサ子」というのである。
《兄がプロデュースした或る連続ドラマの番組が視聴率の低下のためにスポンサーから苦情が出たりなどして途中でうち切られ、あとの制作の仕事もあたえられないということでした。……》
この店の中にもその顔が居るかもしれないと思って、修三はほかの席を見わたした。
十七、八くらいのホステスがステージに上った。これは身ぶりたっぷりで、歌いながら踊っているみたいだった。
「この店からは、過去に歌手のタレントが四、五人ほど出ているのです」

平島は騒音の中でそのタレント歌手の名前をあげた。

「それで、ああして一生懸命にやって、客のプロデューサーやディレクターの眼にとまりたいと願っているのですね？」

修三は歌手志願というホステスと客たちの顔を半々に眺めて言った。

「そういうことでしょうな。しかし、歌は上手でないですな」

平島はステージのマイクから店じゅうに響く歌声を聞いて苦笑した。

「それじゃ、ダメですね？」

見渡したところ、客たちもニヤニヤ笑いながらステージを見ていた。

「いや、歌そのものよりも今は女の子の顔とゼスチュアですな。それで採点している」

「歌は下手でも？」

「テレビは視覚に訴える機能だからね。ラジオとはそこが違う。テレビ映りのいい顔、いわゆる可愛《かわ》い子ちゃんや、身ぶりの面白い子は採用される。可愛い子ちゃんでなくても身ぶりのできる子は、芸能プロにはその振付け師がいてね、その子に合うようなゼスチュアの振りつけをしてくれるそうです」

「いろいろと専門がいるんですね？」

「いる。だが、歌が下手なのはどうにもしょうがないから、ラジオには出されない。ラジオでは顔も姿も見えないから、歌唱力のないことがはっきりします。実力のある歌手とそうでないのとは、ラジオに出演しているかどうかで見わけることもできますよ」

平島はそう言って腕時計に眼を落して呟《つぶや》いた。

「十時をすぎたな。もう、そろそろ現われるころだがなア」

彼は入口のほうに眼をやった。

「どなたかを待合せているんですか？」

「いや、待合せているわけじゃないが、現われるのを待っているんです。たしかに今夜、ここに来るという情報があったもんだから」

「どういう人ですか？」

女の子はステージから降りた。拍手とかけ声とが湧《わ》いた。

背のすらりとした中年の蝶ネクタイがテーブルの前に寄ってきた。

「いらっしゃいまし。今晩はようこそ。当店のマネージャーでございます」

きれいに分けた頭をていねいにさげた。

「やあ」

平島がこたえた。マネージャーは「鷗プロダクション・常務取締役」の名刺を見て挨《あい》拶《さつ》にきたようだった。しがないプロダクションでもこの店の支配人には一様に芸能プロに思えるらしかった。

「ここに見えているお客さんは、テレビ局関係の人ばかりですか？」

「いえ、そればかりではありませんが、プロデューサーとかディレクターとかが多うございます。ＶＶＣとかＲＢＣとか……」

マネージャーはその他のテレビ局名を挙げた。

マネージャーがテーブルをはなれた。

「ぼくが待っているのはね。……」

平島はその黒服の背中を見送って修三に言った。またもやバンドの演奏がはじまり、耳もとに口を寄せなければ内緒の声も聞えなかった。

「テレビ批評の神さまです」

「テレビ批評の神さま？」

「うむ。文芸批評の神さまをもじってつけた名だが、岡林浩というんです。聞いたことない？」

「いや」

「新聞のテレビ欄に毎週のアタマにその週に放映される各テレビ局の番組批評が出ますね？」

「ああそれは、ときどき眼を走らせたことがあります」

「あれは放映の一週間か二、三週間前に各テレビ局がそういう批評家たちや新聞・週刊誌などの担当記者たちを呼んで、ドラマ番組などをビデオで試写して見せるのです。それで批評が新聞に出るのだけれど、そのなかで岡林浩氏の批評がずば抜けてよく適中する」

「適中？　それはどういうことですか。まるで競馬の予想のようですが。作品の価値を正確に評価しているということですか？」

「競馬の予想とは面白いね。作品の価値を彼が正しく指摘しているから視聴率の結果が高く出るということではあるけれどね」

「すると、その岡林さんに賞められたドラマ番組の視聴率は高いということですか？」

「そのとおりですよ。ときどき本命がはずれることもあるが、だいたいは高い視聴率になりますな。だから、この世界では人呼んでテレビ批評の神さまと言っている」

「へええ。すごいもんですね」

「その岡林氏が今晩この店にあらわれるという情報を耳にしたものでね。君にも見せてあげようと思ったんです。ぼくは直接には岡林浩氏を知らないから、この席でよそながら姿の紹介というわけですな」

「岡林浩氏はよほど以前からテレビ批評を専門にしているのですか？」

「いやいや。ここ三、四年ぐらい前からですよ。前は映画専門雑誌の編集長をしていました」

「ああなるほど。それでドラマ番組の批評が適切なんですね。映画雑誌の編集長だったら、以前から映画を見なれているので、番組の試写を見て客に受ける要素がちゃんとわかってるのでしょう？」

「そうかもしれませんな。とにかく、岡林氏の賞めたものはほとんどといっていいくらい、高い視聴率をかせいでいる。だから批評の神さまになれたのです」

「それじゃ、岡林氏はテレビ関係者にはたいへんな尊敬をうけているでしょう？」

「たいへん大事にされている。それをこれから君に見せたいと思ってます」

平島は、もう一度、時計と入口とを半々に見た。

平島が修三の肘《ひじ》をついたのは、それから十分もたたないうちだった。

だれかが入口に現われると、近くにいたマネージャーが最敬礼した。

「先生、いらっしゃいまし」

そのへんにいた蝶ネクタイたちも一斉に、マネージャーにならった。

修三が顔をあげて入ってきた男を見たとき、まったくありふれたいい方だが、正直、わが眼を疑った。

洋服の濃紺に赤線の大柄なチェックがまず視野にとびこんだ。次は燕脂《えんじ》に黄の縞《しま》という蜂《はち》のような柄のネクタイと、同じ布の胸にのぞいたハンカチだ。それから長髪に、顴《けん》骨《こつ》を張った顎《あご》という特徴ある顔である。これらは順々のようだが、じつはいっぺんに眼に入ったといってもよい。

デパートの洋服売場でワイシャツを択《えら》ぶC号婦人に低い声で言いよっていたあの男がこのテレビ評論家として「高名な」岡林浩だったのか。

いままでひそかに広告代理店の小高と思いこんでいただけに、修三には二重の衝撃で、思わず呼吸が瞬時にとまったくらいである。

彼の姿が奥に進んでくると、客たちのほとんどが一斉に立ち上って迎えた。深くおじぎをする者もあれば、満面に笑いを浮べて挨拶する者もあった。岡林浩は彼らへ鷹揚《おうよう》な微笑で会釈《えしやく》を返し、さっそく先客が空けた中央のテーブルに長髪をかきあげて腰をおろした。濃紺の地だが、照明のぐあいでチェックの赤線が浮き上って見える。彼は張った顎を反らせてまわりを睥睨《へいげい》していた。編集者らしい若い男が彼の世話係のようにテーブルからはなれて遠慮そうに坐った。

その間、バンドの演奏はつづけられたが、演奏者らも岡林浩へ頭を下げ、心なしか音楽も一時音が低くなったように思えた。

マネージャーが岡林浩の前へ改めて挨拶に行き、その注文をうやうやしく聞いて、他の蝶ネクタイへきびしく指図した。若いホステスたちはほかのテーブルからばらばらと立って岡林浩の左右に集まった。そのため、隣のテーブルにいた客まで席を移さなければならなかった。

プロデューサーだかディレクターだかの男たちがつづいて批評家の前に進んで短く話しかけた。彼らの笑顔にはあきらかに追従笑いが濃かった。批評家はそれにうなずいて答える。はなれた席にいる者が立ち上って身体を前に折るのを見ると、片手を挙げてこたえた。「批評の神さま」としての威厳は十分であった。もっとも、その微笑はデパート売場でC号婦人に逃げられたときの苦笑と違わなかったが。

岡林浩は、ブランデーのグラスを両手に抱えながらその眼窩《がんか》の落ちた眼で店内を見わたした。自分に気づかず挨拶しない者がまだ残ってはいないかというふうにも見えた。

テレビ批評家の小さな視線は、バンドの隣の、いちばん悪い席にいる風采《ふうさい》の上らない中年男と、不潔な長髪と髭を伸ばした男にむけられた。批評家の視線は見なれぬ顔だというようにちょっと怪訝そうにとまったが、すぐにそれをはずして傍のホステスの肩を抱き寄せた。デパートでC号婦人からはなれて立っていた修三をテレビ評論家は忘れたようだった。

批評家岡林浩は、両側と前にホステスらを集めてたいそう機嫌であった。可愛い顔のホステスの肩に片手をまわし、一方の手は別なホステスの膝下《ひざした》をまさぐっていた。デパートで和服の女性に逃げられたときの様子とはたいそうな違いである。ステージでは歌手志望かと思われる二十歳すぎのホステスがマイクを口の前ににぎって身体を踊らせ懸命に唄っていたが、批評家はあまり聞いてなく、関心は女の子の胸や膝に伸びる手の先に集まっているようにみえた。前の補助イスにならんだ女たちも彼へのサービスに怠りなかった。

女の子一人寄りついてない寂しい平島と修三のテーブルと、向うとはまったく格段の違いであった。

「ずいぶんなモテかたですね。あの人、いくつぐらい？」

修三は傍にやってきた女の子の耳もとできいた。

「さあ。四十一、二じゃないかしら」

「え？　四十一、二だって」

修三はあらためて岡林の顔をそこから凝視した。

「ずいぶん若くみえるね。ぼくは三十二、三くらいかと思った」

「派手なお仕事だから、若くみえるんですね。それに身なりだって、うんとおしゃれでしょ？」

「なるほどね。そうだねえ」

女ばかりでなく、男たちもかわるがわる批評家の傍に寄ってきては、迎合するような笑いを浮べて話しかけていた。

「あのプロデューサーやディレクターらのなかには曾《かつ》て批評の神さまに賞められてその制作した番組が高視聴率をかせいで大いに面目をほどこしたのもいるだろうし、また、これからも神さまのご託宣をちょうだいしたいものと揉《も》み手をしているといった風景ですな」

すぐ横で鳴る鼓膜をゆるがす音楽のなかで平島が修三に言った。

「そんなに岡林浩氏の批評は高い視聴率を予見するんですか？」

「本でいえば、あの人に賞められるとベストセラーになるというところですな」

「そんなに岡林氏の批評は権威があるんですか？」

「批評に権威があるから視聴者がその番組のチャンネルをまわすのか、岡林氏が高視聴率を見とおして新聞などにそう書くのか、そのへんの区別はよくわからないです」

「けど、視聴者たちが岡林氏の番組批評が載っている新聞をぜんぶがぜんぶ読んで、それでもってチャンネルをまわしているのではないでしょう？」

「もちろん、そういうわけではない。けど、ちゃんと視聴率の数字にあらわれるんですから」

「奇跡ですね？」

「奇跡がおこなわれないと神さまとは言われない」

入口から賑やかな声が流れこんだ。瘠《や》せぎすの中年男が派手な身なりの女三人をつれて入ってきた。中年男はそこで岡林浩を見つけると、靴のかかとを揃《そろ》えて頭を深々と低《さ》げた。

「あれが有名な芸能プロの社長です。三人の女は所属のタレント歌手です」

平島が修三に教えた。

少々酔っていたが、修三は机の上に茶封筒から出した新聞の切り抜きをひろげた。バアからの帰りに、平島が岡林浩の批評に興味があるならこれを読んでみたらどうか、とその茶封筒を手渡したのだった。

《ＶＶＣがはじめた『夜の旅』（木曜夜９時）は、近ごろ沈滞の泥道を歩くドラマのなかでは、意欲的な制作である。とかく意欲的な意図は、企画・脚本・配役・演出の四頭立ての馬車の馬がそれぞれ勇み立って勝手な方向に走り出そうとして結局は前に進まぬものだが、このドラマでは馭者《ぎよしや》である制作者がよく四頭の馬を制御して目的の方向に走らせている。

ドラマの新鮮さを押し出そうとしてそれがいたるところで未消化と未熟現象を露呈しているテレビ界は、野心作も新鮮さも、控え目な抑制によってのみはじめて意図の達成ができるということをこのドラマによって気づかねばなるまい。もとよりこの『夜の旅』にしてもそのへんが完全というわけではない。個々の場面にはまだまだ統御の破調が目立つが、全部を見おわってそれが気にならないくらいの出来となっている。……(岡林浩)》――「視聴率18%」

右の視聴率結果は平島が赤鉛筆で欄外に書き入れたものである。

《テレビドラマの日常性がリアリズムに直結していることからとかく話の筋がちぢこまりがちな現在、RBC局の『愛して死なむ』(土曜夜10時)は、久しぶりに小屋の中から外洋に出たような広濶《こうかつ》な気分を味わせてくれた。題名に似ず、テーマは乾いたもので、意図目的の焦点が尖鋭《せんえい》に合っている。

リアリズムだからといってやたらと家庭内のことを出せばよいという妄想《もうそう》からそろそろ脱却しなければならない。茶の間の視聴者は、自分の家の延長のようなスタジオのセットばかりを好むものではない。茶の間に居るからこそひろびろとした外界へ身を置きたいのである。RBCのこの番組はロケ効果を十分に生かして、そうした視聴者の願望にこたえたものといってよかろう。ここでもロケにありがちな風景の乱写をいましめて、カメラは対象にどっしりと腰をすえて見つめている。そこにリアリティがある。雄大な大自然の前に点出される人間のいとなみがはじめのうちはひどく小さなものに見えるが、そのうちに自然と対等になり、いつのまにか人間の行動が大自然を従えるようになる。テレビドラマにはまだまだ未発掘の発展の可能性があるのを信じさせる最近の秀作である。(岡林浩)》——「視聴率21%」

活字の下からは、C号婦人のうしろに寄ってささやいた低い声は聞えない。なるほど、18パーセントとか21パーセントという数字はたいへんなものだ、と修三は思った。これまではそんな数字などには少しも関心がなかったのだが、こんど調査に関係するようになってから10パーセント以上の数字がどんなに高いものであるかを知った。

修三はつづいて読む。

《先週の本欄では、相変らず小肥《こぶと》りの男優スターが刑事ものにちょっと顔を出して、役柄も不明確なら設定も形態不明という曖昧模糊《あいまいもこ》としたKDOの『太陽の縄』について書いた。すなわち、このような旧《ふる》い映画スターシステムの残りカスがテレビドラマの没落を早めていることについて述べたのだが、こんどSKTが始める『市街の氷河』(木曜夜9時)はスターの顔を一切排除した新人ばかりの配役という企画で、画面ではその新鮮なリアリティをむんむんするくらいにもりあげていた。
おなじみの顔の俳優を使わないから、作中の人物がそのまま画面に躍動しているようで、それがドラマというのを忘れさせ、茶の間から街頭で遇《あ》った人間の人生をのぞいているような切実感があった。脚本や演出次第では甘いロマンに流れそうになるテーマを、このドラマは最後まで非情に絞って鋭角に研ぐ。前半ではよかったものが後半で崩れるドラマの失敗の多くは、制作者が自己の意識にある広範な視聴者と妥協してしまうからだ。つまりはこっちの視聴者もあっちの視聴者もこれにひろく取りこんでしまおうという欲張りから、ドラマのレンズがボケてしまうのである。
だが、このドラマはその愚をおかさない。あくまでも少数だが共感をもってくれる視聴者を想定してその目標にむかってひたすらに迫ってゆく。それゆえ見終ってから訴えるものが鮮明で、印象が強い。もし、他のドラマにみる結末の甘さがスポンサーの意向との妥協にあるなら、スポンサーに対する啓モウ教育が何よりだということをこのドラマは教える。不確定なテレビドラマを未来にひき上げてゆく可能性を信じさせるこれは最近の出色作である。(岡林浩)》――20%
《ABBの四十五分番組『植物園』(金曜夜9時)は題名はテレビドラマ向きではないが、さまざまな種類の植物を人間になぞらえ、しかもその幹にいろいろな名札が下っている植物の群立を社会の実態に移している。人影のない夜の植物園の不気味さを丹念に這《は》わせて見せる冒頭もドラマの成行きを予想させて効果的である。何となく画面がはじまるとか、逆にいきなりショッキングな場面をぶっつけるドラマが多いなかで、これは冒頭からぜんたいの性格を与えている。

緊密に計算された展開は途中少しもゆるみをみせず、最後のシーンで真夏の日が人影の群れを真黒に路上に写して、それが冒頭の夜の植物園の樹影を思わすなど、見終ったのちまでもまだ幻影が眼の前に残る。久々の力作といってよかろう。(岡林浩)》——21%

修三は、岡林浩のほかのドラマ評を次々と読んだ。平島庄次が欄外に記入した赤鉛筆は、どれも20パーセント以上で、なかには25パーセントというとび抜けた高視聴率のもあった。

なるほど岡林浩は「テレビ批評の神さま」だと修三は感歎《かんたん》した。デパートで和服の女性を誘っていた岡林浩は仮の姿であろう。

あくる日の午後、修三に平島から電話がかかってきた。

「昨夜は失礼」

両方で言い合って、

「新聞の切抜きを読みましたか?」

と、平島が訊《き》いた。

「たいへんなものですね。おっしゃるように岡林浩さんがテレビ批評で賞めたものはみんな視聴率が高いですね。おどろきました」

修三は、切抜きに平島が赤で書き入れた18%・21%・20%・21%といった数字を浮べていた。

「あの数字にはまだ注釈が要りますよ。というのは同時間帯のウラ番組です。つまり他局の番組ですな。ウラに人気番組があると、どうしても相対的に視聴率に影響してきます。ところが、ぼくが書き入れた18パーセントとか21パーセントとかいうのは、それぞれウラに強力番組があったんです。21パーセントの場合は、他局の人気コメディー番組、18パーセントの時間帯にはNHKのビッグ・ショウの歌謡番組。そういうのがあるのにあの視聴率ですから、実質はもっと高いということになりますな」

「まさに、テレビ批評の神さまですね。岡林氏の批評を切抜きで読みましたが、あれは神さまのご託宣ですね」

「神さまが賞めてない番組批評も読みましたか？」

「読みました。批評でやっつけている番組は、あなたの書き入れによると、4パーセント・5パーセント・7パーセントといった一ケタのところばかりですね。12パーセント・15パーセントというのもあるけれど、18・20・21パーセントという高率には及ばない」

「そのとおり。しかし、前者のが普通じゃないですかな。岡林託宣でハネ上っている高視聴率のほうがふしぎなんです」

「神さまだけに、霊力がはたらいているのですかね？」

修三は冗談のつもりで言った。

「そう。霊力かもしれない」

平島は真面目《まじめ》な声でこたえた。霊力で行きずりの女性を引きよせたこともあるのだろう。

「その威力を持っているだけのことはありますな。昨夜のバアの風景にはちょっとびっくりしました」

クラブ・カンヌではテレビ局の関係者が岡林浩をちやほやしていた。番組の視聴率を「上げてくれる」批評の神さまともなれば奉仕もしなければならないのだろう。これは大げさにいえば自分たちの存亡にもかかっている。

あとから店にはいってきた高名な芸能プロダクションの経営者がまた批評の神さまに対してたいへんな追従ぶりであった。商売上手で知られているこの社長は卑屈なほど頭を何度もさげ、お世辞たらたらであった。言葉は聞えなくとも、こちらのテーブルから見てそれがよくわかった。

おしゃれな洋服の岡林浩は傲然《ごうぜん》とそれを受け流していた。

二つの方向

午後四時ごろになって平島庄次がひょっこりと神田の喫茶店「シャモニー」にあらわれた。

修三は妹の久美子に呼ばれて階下に降りたが、カウンターの前に平島が肩をすぼめて立っていた。店内には客が五、六人はいっていた。

平島のほうからやってくるからには例のことだと思い、修三は、きたないところだが、と言って彼を二階の自分の居間に上げた。

六畳を洋式にして、それに机・本棚・洋服ダンス・寝台などを置くと、テーブルとイスのならべようもないくらい狭い。隣の屋根の間から西日が射《さ》して暑かった。クーラーを入れたが、これが旧式なやつで音が高くて耳にうるさかった。

「なかなかいい部屋じゃないですか」

平島は僅《わず》かな空間に置かれたイスに尻《しり》を半分乗せて見まわしていた。

久美子が階段を鳴らして冷えたビールを運んできた。

「まあ、兄さん、こんなきたなくてせま苦しいとこにお客さまをお通しして……」

店のほうがいいのじゃないですか、とたしなめる妹を修三は階下に追いやった。

二人だけになると、話はさっそく昨夜の岡林浩のことになった。電話でも言ったのだが、声だけではたよりなく、顔を見るとまたあらためて話題となる。

「たいへんなテレビドラマ批評家ということは、新聞切抜きと視聴率結果でわかりました。クラブ・カンヌであのようにテレビ関係者から歓迎されるのは当然ですね」

「いちどは、ああいう批評の神さまをあんたにも見てもらおうと思ったんですよ」

「おかげで、世の中にはいろんな人が居ることがわかりました」

修三は平島の好意を感謝した。C号婦人を誘っていた批評家の姿は自分だけの心に仕舞った。

が、修三はちょっと妙な気がしてきた。

平島は、テレビドラマの「批評の神さま」を見せるだけの目的で、自分をわざわざクラブ・カンヌに連れて行ったのだろうか。あの店に行く前に平島はどのような目的で何《ど》処《こ》に行くのかというのを一切言わなかった。ついてくれば分るといった調子で、時間を指示し、銀座の地下鉄入口で待つように言った。その様子がどこか秘密めいていたので修三は好奇心からの期待を抱いたものだが、批評の神さまを見せるだけだったら、あんな思わせぶりな予備行動をすることもなかったろうと思う。

修三は、ビールを注いで平島の表情をうかがった。

平島はビールを咽喉《のど》に流して何も言わなかった。

修三は、またクラブ・カンヌの席に坐《すわ》ってからの平島の言葉と素ぶりとを思い出す。彼は「もう現われるころだが」と言っては腕時計を眺め、店の入口へ眼をしきりと遣っていた。岡林浩がその時間にそこへあらわれるのがわかっていたわけだが、平島は「その情報が入った」という意味をいっていた。「情報」というのは大げさだが、要するにテレビ局関係のだれかに聞いたのであろう。それも積極的に訊《き》いたという感じだ。

平島は、何故《なぜ》に岡林浩にそれだけの関心をもつのか。

そうして、なぜ自分に岡林を見せたかったのか。修三は、平島にきいた。

「そりゃね、やっぱり高視聴率を上げるテレビドラマの神さまのご本体をあんたにも見てもらおうと思ってね」

平島はビールを下において口辺の泡《あわ》をぬぐった。

「ご本体はよくわかりましたよ。岡林浩という人は、かなり自己顕示欲の強い人ですな。もっとも、あんなふうにテレビ関係者からチヤホヤされたら、そうなるのも当り前でしょうがね」

岡林浩がイスに反りかえっているのが見えてくる。

「威張っているというけどね、神さまはカリスマ的な恰好《かっこう》をしてないといけない。そりゃ、社会評論の神さまも、文芸評論の神さまも、テレビドラマの神さまもみな同じことです。とくにテレビドラマのほうは、そのご託宣が視聴率に結びついてないといけない。いくら立派な批評をしても視聴率のかせげないものだったら、なんの権威もないです。すべてが視聴率が基準になっている世界ですからね。そこがほかの社会評論や文芸評論と違うところです。こっちは高視聴率という具体的な数字が、その立派な評論の裏づけとなっていなければならない。それのない評論なんて、この世界ではだれも相手にしませんからね」

「そうすると、岡林浩氏はたいした批評家ですね。あの人の批評で視聴率が上るのか、高い視聴率の要素があるのをあの人が洞察《どうさつ》して批評を書いているのか、そのへんのからみあいはわかりませんが……」

「あんたは、昨夜、ぼくの話を聞いて、うがったことを言ったなア？」

「え、どんなことを言いました？」

「岡林浩が批評でほめるテレビドラマはかならず視聴率が高いとぼくが話したら、そりゃ、まるでよく適中する競馬の予想屋のようだって……」

「そんなことを言いましたかね？」

「たしかにあんたはそう言いました。競馬の予想屋とは面白い」

平島は鼻皺《はなじわ》を寄せた。

岡林浩を競馬の予想屋にたとえたのは絶妙だ、と平島はおもしろがった。

「競馬の予想屋というのはね、入勝馬の予想適中率が高くないと商売にならない。ほら、競馬開催日の競馬場の前に行くと、予想屋さんが過去の予想成績表を大きな紙にして貼《は》り出してるでしょう？　あれを見て予想表を買うファンが多い」

「ぼくがどんなことを言ったかもう忘れてしまったけれど、岡林氏を競馬の予想屋にたとえたのなら、岡林氏に失礼だったですな」

修三は髭《ひげ》をこすった。

「いや、そりゃア同じことです。テレビドラマの批評の神さまもご託宣が高視聴率に結びつかないと権威が失墜する。そのためには高視聴率の保持に懸命にならなければいけない」

「え、高視聴率の保持に懸命になる？　しかし、視聴率は結果として出るのでしょう。その結果に懸命になるというのは？……」

修三はここまで言って、はっとなって平島の顔を見つめた。

「そうです。それは人為的なものだということです」

平島は、修三の言おうとしていることを先どりしてうなずいた。

「人為的な操作……？」

修三は呆然《ぼうぜん》と呟《つぶや》いた。

「テレビドラマの批評家がその神のような権威を持ちつづけてゆくためには、自分の賞めたものが低視聴率になってはならない。低視聴率は批評の神さまの転落を意味する」

背中をまるめて平島もひとりごとのように言った。

「しかし……そんなことが考えられますかね？」

修三は暗い淵《ふち》をのぞきこむように言った。

「人間、名誉心のためにはどんなことでもしますよ。あの傲慢《ごうまん》な岡林浩に敗惨《はいざん》した姿が考えられますか。じぶんでも、きっとそう思っているだろう。いや、そうなる姿に彼はおびえていると思いますな。いままでチヤホヤともてはやしていた連中が、手の裏をかえしたように自分を相手にしなくなった日を、讃美《さんび》が一挙に冷嘲《れいちょう》に変ったときの日を」

「………」

「虚栄心の強い人間ほど自己防衛の本能が強いのです。だから、どんな手段でも択《えら》ばない。視聴率の人為的な操作くらいはやるでしょうよ」

「平島さん。具体的にいってみてください。どういうことですか？」

修三はあせって問うた。

「岡林浩氏はね、標本世帯をまわるテープの回収員を四人だけ掌握すればいい」

平島はぼそりと答えた。

岡林浩は測定テープ回収員を四人だけ掌握すればいいのだと言った平島の声が修三の耳にはまるで洞窟《どうくつ》内の音響のように尾を曳《ひ》いて揺れた。

「テープの回収員は一人で標本世帯を何軒くらい受けもっていると思いますか?」

平島はきいた。

「一人で、十五軒か二十軒くらいでしょうな」

修三は前の「追跡調査」の経験から答えた。もっともその調査は平島も共同だから、およその推定は一致しているはずだった。

「そう。かりに一人が十五軒を担当しているとして、四人で六十世帯だね」

「うむ。……」

「関東地区では視聴者家庭九百万世帯に対して標本世帯は五百世帯にすぎない。だから標本世帯一軒が全標本世帯に占める割合は五百分の一、つまり、〇・二パーセントです」

修三は暗算した。たしかにそのとおりである。

「そうすると、標本世帯の六十をそれに掛けると十二パーセント……」

「十二パーセント……」

修三は口の中で言った。この数字の大きさを思ったのである。

「いま、仮りにA局の〝B〟というテレビドラマを見ろという指示がある人物から出たとする。そうして標本世帯の六十軒がその時間帯のA局のチャンネルに合わせたとする。回収された六十の測定ペーパーを合計すると、それだけでも十二パーセントです。残りの標本世帯が無作為に同じ番組を見ていたとします。かりにこれが五パーセントとしてみましょう。するとこの二つを合わせた視聴率は大雑把《おおざっぱ》にいって十七パーセントになります」

「十七パーセントというのは大きい！」

「もっとも、これは標本世帯の六十軒がぜんぶ指示どおりにA局の〝B〟番組にチャンネルを合わせたというばあいの比率です。その六十軒のなかには、そのとおりにならないのが半分くらいあるとみる。この半分の落ちこぼれを見こんでもほぼ十一パーセントになりますね」

平島は計算してきたとみえ、ポケットからその算術した数字の紙をとり出して見せた。

修三はそれに眼をさらしたが、算用に誤りはないようだった。

「もともとその番組に対する五百軒の標本世帯の視聴率が五パーセントだったのかもしれないのに、六十軒の作為によって一挙に十七パーセントにもはねあがるのですな」

平島は言った。

「そうすると、標本世帯の六十軒をにぎるテープ回収員四人を、岡林浩が買収しているというのですか？」

修三はその平島の顔に眼を凝らした。

「そうとしか考えられませんな」

平島はうなずいた。

岡林浩はテープ回収員四人を買収していると平島は明言する。

「いいですか。標本世帯の六十軒といえばたいへんに聞えるが、それには回収員を四人掌握すればよいのです。たったの四人ですからな」

「その掌握というのは、どんな方法ですか？」

修三はきいた。

「買収ですよ」

「買収？」

「それしかありませんよ。われわれはアルバイト婦人の回収員たちを追跡調査して、主婦たちがみんな疲れ切った顔をしているのを見たわけです。一週間に一回、測定テープをTVスタディ社にとどけると、それと引換えに報酬をうけとる。そうして銀座にまわってべつに買物をするではなし、食事をするわけでもなし、ほとんどの回収員がまっすぐに家へ帰って行く。せいぜいが駅前の喫茶店でコーヒーか紅茶を一ぱい飲むていどです。子供のみやげ一つ買いませんん」

そうだ、そのとおりだった。

E号婦人は佐倉まで自分と羽根村妙子とが尾行した。五十すぎの肥《ふと》った主婦は電車に乗るとすぐに居睡《いねむ》りをはじめ、乗換駅に着くまで眼をさまさなかった。体裁も外聞もない、欲も得もないといった眠りかたであった。

「TVスタディ社が支払う主婦らへの賃金はいくらだかわからないが、安いものだと思いますよ。標本家庭への報酬も、月に三千円か五千円くらいじゃないかな」

「月に、三千円か五千円？」

「ぼくの推測ですよ。標本家庭への報酬がそのくらいだから、回収員には一回が四、五千円くらい、それが月四回だから一万六千円か二万円でしょうな。もっとも交通費は社が負担するでしょうがね」

「そんな程度？」

「だから、悪い言葉だが、買収がきくんですよ。それも多い人数じゃない。わずか四人ですからな」

平島は言った。

それを聞くと修三は脳味噌が突然に通じた電流で震えたようにおぼえた。

C号婦人に岡林が低い声で言っていたのは、べつな誘惑だったのか。色恋の浮気で誘ったのではなく、C号婦人をTVスタディ社のテープ回収員と知ったうえで、平島が言うような「買収」にかかっていたのか。

なんということだ。もしそうだとすれば、おれはとんでもないカン違いをしていたぞ。が、いまはその「買収」の話を平島に訊かなければならなかった。

「回収員は四人でも、その先の標本世帯の買収はどうなりますか?」

修三は髭の先をやたらといじった。

「あんたは、服部梅子の新聞投書をおぼえているだろう?」

標本世帯の買収のことを修三が訊いたものだから、平島が言い出した。

「ええ」

「あれには、その番組にチャンネルをまわすように芸能プロなどから電話で依頼があったり、賞品という名目で品物を送ってきたりするとあった。この前も話したことだが、極秘にされているはずの標本世帯がテレビ関係者に知られているのは、テープ回収員の口から洩《も》れている可能性が強い。回収員がそれらからお礼をもらってね。あの投書にも、そこへテープをとりにくる回収員が〝歌謡番組のベストテンなどには何らかのかたちで工作の手が動いているのが実情〟と言ったとあるが、その工作の手は回収員じしんにも伸び、また回収員を通じて標本家庭に伸びているのかもしれないね」

「だいたいあなたが推測していることはわかりましたよ」

修三は、早いとこ問題の中心に入りたかったので言った。

「……岡林浩が自分のほめるテレビドラマがかならず高視聴率をかせぐという神話を持

続させたいために四人の回収員を買収した。その回収員の主婦たちはあまり経済的にめぐまれていないので、その買収に応じて受持の標本世帯に岡林浩の指示する番組にチャンネルをまわすように工作した、とこういうことですね?」

「そうです」

「その標本世帯への働きかけには先方への利益がともなっているんですか?」

「もちろん。回収員に頼まれただけでは標本世帯もそのとおりには動きはしないな」

「回収員四人ぐらいの買収は可能だとしても、それから先の、六十軒もの標本世帯の買収はむつかしいんじゃないですか?」

「どうして?」

「どうしてって、それじゃたいへんな金がかかる。六十軒ですよ。それも毎月ですからな、一、二回くらいはなんとか無理できるとしても、毎月ですからね。とてもつづかないと思いますよ」

「毎月でなくともいいです。隔月か三カ月に一回か。とにかく、その効果がつづいていればいいんだから」

「で、その礼はどのくらい?」

「回収員が月に二万円くらいかな。四人だから八万円。その回収員を通じて各標本世帯へ渡す品物が、値段にしてまず五千円くらい。六十軒だと三十万円だが、隔月くらいだろうから月にすればその半分の十五万。これに回収員への手当月八万円を加えると二十三万円。……」

「そんなに金が払えるかしら？　いくら名声の保持のためだとはいっても。よっぽど金のある人間でないとできませんよ」

「岡林浩氏は、平塚市の土地成金です」

平島はぴしゃりと言った。

岡林浩は平塚市の土地成金です、といった平島の声は、たとえば俄《にわ》かに屋根を叩《たた》いて襲来した驟雨《しゆうう》の音にも修三には聞えた。

「テレビドラマの批評家は平塚市の土地成金ですか……？」

思わず反射的に問い返した。

「岡林浩のことをよく知っているテレビ局の人間に聞いたんです。岡林家というのは平塚では明治時代からの豪農でね。戦後の農地改革で耕地の大半を失ったけれど、それでもまだ父親が五ヘクタールの耕地と十ヘクタールとの原野林とをもっていた。その父親が三年前に死んだ。彼は長男です。相続税を取られたけれど、まだその二ヘクタールの耕地と四ヘクタールの原野林とをもっている。それを彼は半分ほど売ったんですね。平塚は東京のベッドタウンとしてどんどんひらけている。地価は十年前からみるとびっくりするほど高くなっている。そういう親の遺産で岡林浩は土地成金になっているそうです」

修三は呆然となって聞いていた。

「まだ、売り残しの土地がだいぶんある。それを切り売りしてゆくだけでも岡林浩は何もしないでも余裕たっぷりの生活がつづけられる。だから、テレビ批評の安い原稿料は彼の小遣いにもなっていないのです。ふつう、そういう批評をしている人たちは、ほかに本業があるんです。岡林浩だけは何もしなくていい結構な身分です。前に映画雑誌の編集者になったのも、かれの道楽からですよ。いま、批評の神さまになっているのは何よりも彼の本望であり生甲斐《いきがい》でしょうな。ほかに何もないからその栄誉に異常に執着を持っているんですよ。……だから、土地成金の岡林浩にとって、買収金の月々二十三万円くらいはなんでもないのですよ」

「平島さん。それだけでは岡林浩が回収員を買収していたというのは弱いでしょう。何かそれらしい裏づけがありますか？」

「ある」

「え？」

「岡林浩が神奈川県平塚市に居住しているというのがその一つですな」

「おっ」

修三は低く声をあげ、平島の顔にとびかかるような眼になった。

「ぼくも、それを言おうとしたところですよ」

「平塚市は大磯町の一つ手前だ。小田原厚木道路だと、降り口は同じところだ」

「そうです！」

「町田市に失踪《しっそう》した尾形恒子の家を訪ねたＴＶスタディ社の前管理課次長長野博太さんは、町田市のタクシーで東名高速道路に乗ろうとした。あれは東京に帰るつもりではなかった。東名高速を厚木から小田原厚木道路へ入るはずだったのではないか。長野さんが交通事故で死ななかったら、目的どおり平塚市に行って岡林浩と面会していたろう」

平島の前こごみの背中が、しゃんと伸びていた。

修三の耳が電流にふれたようになったのは、岡林浩が実は土地成金だということではなく、彼が平塚に居ると知ってだった。平島も長野博太が町田市からタクシーで高速道路に乗り平塚市の岡林浩のもとへ行くつもりだったと言ったが、それは修三が口にしたいことであった。

「そうすると、尾形恒子は岡林浩が買収した回収員の一人だったんですか？」

少し黙ったのち、修三は咽喉《のど》が乾いたような声を出した。

「尾形恒子は東京都南部と神奈川県の一部にある標本世帯を担当していたともみられますからね。……けれども、そのことと岡林浩が平塚市に住んでいることとは関係はない。岡林浩は他の地域の回収員も買収しているんだし、ただ、平塚市に住んでいるというだけです」

「長野博太は尾形恒子が岡林浩に買収されているのを知っていたんですか？」

「長野次長がいつごろそれに気づいたのか知らないが、彼は知っていた。だから、町田市の家に行って彼女の行方がまだ分らないと知って、岡林浩に事情を聞きに行こうとしたのだと思う。そのタクシーがああいう衝突事故さえ起さなければ……」

「ちょっと待ってください。長野氏は次長時代に岡林浩が尾形恒子を買収しているという不正に気づいていたなら、あなたの推測による他の三人の回収員についても同じ不正を知っていたんですか？」

「もちろんそうだと思う」

「では、なぜ、尾形恒子をふくめてその四人の回収員に注意するなり、契約を解除するなりしなかったのでしょうか？」

「そこんところがぼくにもよく解けないでいますがね」

平島はいくらか困った眼になって言った。

「……考えられるのは、その不正を彼が知ったのがわりあいに最近で、四人の回収員に注意するなり処分しようと考えているうちに、彼が退社することになったんじゃないですかね。なにしろ、相手にテレビドラマ界に大きな影響力をもつ批評の神さまが居ることだしね。容易には言い出せなかったのでしょうな」

その理屈はそれなりにわからないではなかった。

「すると、長野氏は退社のとき、その不正な事実を後任者に引きつぎしてやめたのでしょうか？」

「いいかね、長野氏は円満に退職したのではないんだよ。彼はクビを切られたのです。TVスタディ社を恨んではいても、好意は持っていない。社に好意をもっていないクビ切られた人間が、どうして会社のタメになるようなことを引きつぎするでしょうか。長野氏は、四人の回収員が岡林浩に買収され、彼のためにその四人が六十軒の標本世帯を懐柔していたことなど社には一言もいわないで社を去ったと思います」

テレビドラマの「批評の神さま」岡林浩に買収された四人の測定テープ回収員が六十軒の標本世帯を懐柔してこれを動かし、批評の神さまの権威が保てるように工作した、と平島はさっきから言っている。

しかし、平島の言う数字の操作をたやすく呑《の》みこんでいいものか。

——一人のテープ回収員が最少十五の標本世帯を担当しているとする。回収員四人で標本世帯六十だ。指示された特定時間帯のチャンネルに六十の標本世帯が一斉に合わせると、それだけで合計十二パーセントの視聴率が測定テープに記録される。

これに他の標本世帯が同じ番組を自主的に視ているとすると、この無作為の視聴率を五パーセントと考える。これに前の作為的な十二パーセントを加えると十七パーセントになる。

けれども四人の回収員が依頼したからといって六十の標本世帯のことごとくがその特定番組にチャンネルをまわすとはかぎらない。なかには「落ちこぼれ」が出てくる。その「落ちこぼれ」の割合を三割としないで、思い切って五割としたのは、平島らしい慎重さである。まさか半数も脱落するとは思えないが、悲観材料は多目《おおめ》に見つもったほうが安全である。

したがって標本世帯の作為的な視聴率の十二パーセントを半分の六パーセントとする。これに無作為の平均五パーセントを加えて十一パーセントとするというのだ。

数字は控え目にして、まことに慎重である。そのかぎりでは一点非の打ちどころはないようにみえる。

だから、もし、六十軒の標本世帯が指示どおりに特定チャンネルに合わせれば不作為の率を足して十七パーセント、二割の「落ちこぼれ」だと十四・六パーセント、三割だと十三・四パーセント。また一方の不作為の五パーセントがもう少し上昇して七パーセントともなれば、それだけ視聴率は高くなる。

とにかく、どうみても二ケタの数字になることはたしかだった。テレビ界では一ケタと二ケタとではたいそうな価値観の相違である。九パーセントと十パーセントとでは一パーセントという物理的な相違を越えて、心理的には天地の違いにも比すべき懸隔を感じる。

平島の計算は合理的だ。が、あまりに合理的にすぎるところに修三は不安定さを覚える。それでいいだろうかという気がどこかに起る。

「そうするとですな、尾形恒子の行方不明は岡林浩と深いかかわりがあるのですか？」

もし、尾形恒子が殺されているとすれば、それには岡林浩の手が動いているのか、という含みがその質問にあった。平島の推定では、両人は買収という暗い面でつながっている。

「いや、直接的な関係はないだろうね。しかし、彼女の失踪に岡林は何か心あたりがあると思う。長野博太は町田市に彼女がまだ帰宅してないのを知って、それを訊《き》きに平塚の岡林浩のもとに行くつもりだったのだ」

「その推測の裏づけとなるものは、ほかに何かありますか？」

「それは、いまのところ有力な材料がないですな」

テレビ批評の神さまの居る平塚市へ長野博太が行くつもりだったという推測に、その裏づけとなるようなものが東名高速のこと以外に平島庄次にもないらしく、彼はいくらか弱い眼つきになった。

修三は腕を組んでいたが、

「あなたの考えだと岡林浩が買収していた回収員は尾形恒子のほかにあと三人くらい居

るわけですね？」
と、平島の顔に視線をもどした。
「そう。四人は確実に岡林に買収されている」
平島はその確信を崩さなかった。
「あとの三人の回収員はだれだか見当はつきませんか？」
「そりゃ、むつかしい。これぱかりはＴＶスタディ社の内部の者でないとね。といって
そこの社員に聞くわけにもゆかないです」
平島は卓の端を指でこつこつと叩き、思案にあぐねた様子だった。
「あとの三人はいま動揺しているんじゃないですかね？」
修三が言うと、平島は、
「う？」
と口のなかで言って眼をあげた。
「それはそうだと思いますよ。彼女らがもし批評の神さまに買収されていれば、長野氏
がまだ次長でいるころには、少しは調べられていると考えられます。その長野次長は退
社させられるし、おなじ仲間の尾形恒子は行方不明になるしで、ひけ目をもっているか
らには、きっと動揺していると思います。もしかすると、一人くらいはあのアルバイト
をやめているかもしれませんな」

「………」

平島は細い眼をつむってうなずいた。

「これを知る方法はないですかね？　それがわかれば、真相を知る手がかりになるかもしれませんよ」

平島は眼を開けた。

「しかし、その婦人をどうして見つけるかですな」

「それが難問です。これもあのモニター会社の者でないとわからないわけですが。ただ、ぼくに一つの思いつきがあります」

「なんですか？」

「ぼくらの回収員尾行調査で、その名前と住所とがわかっている主婦が一人だけいます。それは千葉県の佐倉市にいる川端常子さんという五十二歳の主婦です。この婦人に接触したら、様子が知れるんじゃないですかね？　同じ回収員仲間だから、こういう人の様子がヘンだとか、あるいは最近になって急にアルバイトをやめてしまったとか、そういうことは言ってくれるんじゃないですかね？」

「おもしろい着想だ」

平島はうなるようにいった。

おもしろい着想だ、と平島は修三の考えを聞いて思わず言ったが、しかし、とあとの声を落した。

「しかし、その佐倉の主婦にどうして接触するかが問題だな。見ず知らずの者がいきなり行っても、かんじんなことはしゃべってくれないだろうからね」

「これは男のぼくではダメです。そうなると、あなたのほうの羽根村さんに頼んだほうがいいかと思います」

「羽根村君かね……」

「あのひともぼくといっしょに佐倉までついて行って川端常子さんを観察していますからね」

「思いつきとしては非常におもしろい。その川端さんの口からこっちの思うようなことがひき出せるといいがね。ただ、そんな役に羽根村君では心もとないけど」

「そうでもありませんよ。あなたは自分とこの社員だからいつも見なれていてたいしたことはないように思われるけど、あれでがんばっていますよ。いつぞや尾形恒子さんの近所の主婦たちに尾形家の様子をたずねたときなんか保険の集金人になりすまして、なかなかよくやってましたよ」

「そうですかね」

平島が前こごみの背をよけいに曲げ、小さな眼をちらちらと修三にむけた。

修三は彼のその眼にいくらかうろたえて思わず髭《ひげ》を撫《な》でた。

「実は、もう一つ思いつきがあるんです」

話を早くきりかえるつもりで、

「それは幼児の誘拐《ゆうかい》事件ですがね」

と、これは頭の中にしっかりと入っていたので筋道をたてて述べることができた。

平島は、じっと耳を傾けていたが、修三の話が終ってから、口もとにうすい笑いを出した。

「あんたのその話は羽根村君から聞きましたよ。あんたが彼女に話したという内容をね」

「あ、そうか。彼女にはぼくの考えを話しましたからね」

修三はもう一度、髭の端を指先で揉《も》んだ。

「興味のある話だと聞きましたけどね、それはちょっと無理じゃないですかな」

「いけませんか?」

「いけなくはないが、幼女誘拐事件と、その子供番組のテープとがあまりにぴったりと合いすぎる。いや、ぼく自身、その話を羽根村君から聞いたときは、胸がとどろいたです。なにしろ、あのテープから子供番組の連続視聴記録を発見したのは、ぼくですからな」

「そうです、そうでした」

「それで幼児の誘拐事件とは、こりゃ、いけると思ったんです。が、だんだんよく考えてみると、あまりに偶然に合いすぎる。これは慎重に思い直してみないといかんと思ったですよ。偶然の一致が、どうもぼくには気に入らんですな」

平島は冷えた眼になっていた。

何日か経《た》って、修三たちの仲間でつくっているデッサンの勉強会があった。画を見てもらっているある画家の家が新宿区の下落合にあり、一週間に一回、このアトリエを借りてモデルを傭《やと》い、裸婦の素描をしていた。仲間は十人足らずで、いろいろな職業に従事していた。この日の出席は五人であった。

午後六時ごろに終ったので、みんなでタクシーに乗り新宿駅近くにむかった。左側の窓にいた神保町の古書店の息子が、

「おや、ここにはずいぶんデートの待合せが集まっているなァ」

と、ある果実店の前にあごをしゃくった。信号で車が前のほうから停止していたときだった。

若い男女が果実店の明るい灯を背にして群がり立っている。人が多すぎて入口もわからないくらいだった。

「盛大なものだな」

古書店の息子は感歎《かんたん》し、

「これじゃ、N食料品店の前が顔負けだわい」

と言った。

すると、隣にすわっている人形町の玩具《おもちゃ》問屋の次男坊が、

「おめえ、流れが変ったのを知らねえのか？」

と笑った。

「知らねえ。変ったというのは、どう変ったんだ？」

「新宿の駅東口の前はさ、新しい設備ができて狭くなったんだ。それでいまは、この果実店の前にデート族の待合せ場所が移動しているのさ」

「へえ、そりゃ、ちっとも知らなかった。いつごろからかい？」

「もう、とっくにだよ」

「おれはおめえとちがって、こっちのほうはあんまり遊びにこねえからな」

「というと、おれがこっちでえらく遊んでるように聞えるぜ。なに、おれだって、たまにパチンコをやりにくるくらいさ。おめえは浅草ばかり行ってるから、こっちのほうがうといだけよ」

車が少し動き出した。

果実店の前にいる群れは、あたりの流動的な風景とは無縁に凝然と佇《たたず》んでいた。店内

の眩《まぶ》しいばかりの照明を背にしているので、どれも黒い影だが、顔だけは横から射《さ》す光や道路を行き交う車の灯とでぼんやりと映し出されている。それらの眼が相手のくる方向へ一心にむかっていた。

そこへ舗道から男なり女なりの姿があらわれると群れの中の一人がつと抜けてきてそれと一体となっていきいきと歩いて行く。

修三は、羽根村妙子の「言問い」の話を思い出した。

飲み屋は駅西口の近くで線路わきの通りにあった。

五人は大形のスケッチブックを抱えていた。紐《ひも》で閉じているが、そのなかには裸婦像が木炭やコンテで描かれてある。

「今日は、健ちゃんが来なかったので寂しいな」

古書店が盃《さかずき》を口にし、眼だけを皆の顔にまわしながら言った。

健ちゃんもデッサン会仲間で、秋葉原の電気照明器具店の三男坊だった。

「そういえば、先週も来なかったよ」

小川町の洋服生地問屋の息子が言った。

「相変らず、女の子と遊んでるんだろう」

すずらん通りのレストランの次男坊がいった。

「健ちゃんの話を聞いていると、女の子が磁石のように吸引されてくるみてえだが、話半分に聞いてもてえしたもんだね」

「いや、あれは少しオーバーなところもある。けど、だいたい、ほんとうのようだな」

玩具問屋の次男坊が盃をおいて言った。

「そんなに、あんな顔が女性にモテるのかえ？　ちっともハンサムでもなんでもねえがの。額はおデコだし、眼《まなこ》はひっこんでドングリ眼だし、頬の骨は張っているしさ」

生地問屋の息子が首をひねって言った。

「そりゃ、醜男《ぶおとこ》のほうさ。けど、それはわれわれ男性から見てのことでよ。女性から見るてえと、またかくべつな魅力があるらしい」

「まったくだ」

レストランの次男坊が空になった銚子を卓にとんと音立てて言った。

「……いつかもよ、健ちゃんがウチの店に来たんだが、その帰ったあとで店の女の子に聞くてえと、やっぱり男くさい魅力があると言ってたぜ」

「同じことはおれも聞いた」

古書店の息子が言った。

「……神田駅前の小料理屋に健ちゃんといっしょに行ったらよ、そこの女中たちがみんな言ってたな。健ちゃんが先に帰ったあとでさ。あの顔は、セックスのかたまりみてえな感じだって」

四人はいっしょに笑った。

「そういえば、あいつ、顔がいつも脂《あぶら》でてかてかと光ってるからな」

「男くさいと言うのも同じことを言ってるのさ」

「それは女もどっちかというと中年にならないと分らねえだろうな」

「だから、健ちゃんはよく若い未亡人とか人妻とかとつき合っていると言ってるぜ」

「男も昔型のハンサムではダメということか。少しくらいおデコのほうが女に色気を感じさせるんだな」

修三も笑いながら盃を重ねていた。

タクシーの中で見てきた果実店の前に佇んだ人の群れと、仲間の健ちゃんの話とがあとになって頭の中に落ち合った。

遊　ぶ　男

新宿でデッサンの仲間とおそくまで飲んで、次の朝はふつうならおそくまで寝ているところだが、修三は九時半には眼をさました。気になることがあると睡気《ねむけ》も一時は消えてしまう。

十時になるのを待ちかねて修三は鷗プロに電話した。

「やあ、先日はどうも長いことお邪魔しました」

平島の声がわりと明るい調子で出た。彼はその風貌《ふうぼう》やしぐさとおなじように声にもあまり喜怒哀楽をあらわさなかった。いまの声でも快活なほうである。

「いや、こちらこそ失礼しました。お話はたいへん面白かったですよ」

そんなことを二、三言っていると、先方は何でこんなに朝早く電話をかけてきたのかという問いたげなものが受話器からも感じられたので、

「ときに、平島さんが以前にちょっと言われたんですが、なんとかいう広告代理店の人、しばらく家に帰らないということでしたが、その後、どうなっているんでしょうかね？」

と、半分笑いながら訊《き》いた。

「代理店の人？」

平島はすぐには思いつかないふうだった。

「ほら、その人はたいそう女性に好かれる性質《たち》で、ときどき、会社を休んでは変る相手の女性と居なくなるという話ですよ。あなたは、もうお忘れになったかも知れませんが
……」

平島は黙っていた。考えているようだった。

「あ、あれ？」

やっと思い出したらしく、

「あの人は、もう社に出てきて仕事をしているということを聞きましたがねえ」

と、これも笑いながら答えた。

「そうですか」

「どうかしたのですか？」

このどうかしたのですか、という平島の問い方が、それまでの調子と違って真剣な感じに聞えたので、修三もあとの言葉が言いにくかった。

「いや、実はね、昨夜、ぼくといっしょに画を勉強している仲間と飲んだんです。そのとき、女の子によくモテる男が来ないもんだから、女に好かれる型の男というのがしばらく話題になったんです。いや、他愛《たわい》のない話ですがね」

「はあはあ、なるほど」

「そのとき、ふと、平島さんから聞いていた広告代理店の人のことが頭にうかんだんです。で、どうなったのかなアと思って……」

「その人なら、もう出社して働いているということですよ。そういう男は仕事まで犠牲にして女にはおぼれませんからな」

「そうでしょうな」

平島との電話が終ってから修三はしばらくぼんやりと考えていた。

平島から前に聞いた広告代理店の名と外交係をしている男の名とは、そのあとも羽根村妙子との話の中に出ていた。

あれは彼女を銀座の角に待たせて、そのあいだに「言問い」の男が寄ってきたという話からだった。

(だって、ほら、この前、平島さんが話していた広告代理店の人の場合だってあるでしょう?)

妙子が言ったものである。

たしかにその広告代理店は「日栄社」という名で、外交係は「小高」という名だったと思う。この記憶はさだかでないので、平島に確認をとろうとしたのだが、平島の声が妙に真面目《まじめ》になったので、聞きそびれてしまった。

しかし、まあ、その外交係がすでに出社していれば、どうということもない。興味は消えてしまった。

しかし、ここで修三は、その日栄社の小高の出社を平島が事実として確認しているのではなく、また聞きであるらしいのに気がついた。電話での平島の話しぶりがそうだったのだ。

電話帳を繰った。

「日栄社です」

広告代理店の交換台が出た。

「そちらに小高さんはおられませんか？」

修三は事務的な声できいた。

「小高？　何部の小高でしょうか？」

「外交係をやっておられる小高さんです」

「外交係といっても、こちらには第一部から第三部まであります。小高というのも三人ほどおりますが」

交換台の女の声は気ぜわしそうに言った。

「あのう、この前にしばらく社を休んでおられた小高さんですが」

「どちらさまですか？」

それに答えずに交換台はきいた。

「ぼくはＶＶＣ局の者ですが」

小高はテレビ局関係だと平島から聞いていた。

「それなら第三部の小高でしょう。その小高でしたら、まだ休んでおります」

交換台がその第三部とやらにつなぎもしないですぐに答えたのは、小高の欠勤をよく知っているからにちがいない。諸方からも小高に電話がかかってきているわけだから、それは分るのだ。

「かなり長いお休みのようですね。ええと、小高さんはいつからお休みでしたっけ？」

「四月三十日からです」

「あのう、ご病気ですか？」

「こちらではよくわかりません。あなたはＶＶＣ局のどなたでしょうか？　部長におつなぎしてもよろしいんですが……」

けっこうです、またあとで、と修三は電話を切った。

日栄社の小高というのは同社の第三部の所属である。彼は四月三十日いらい欠勤している。――これが同社の交換台から得た修三の知識であった。

平島は、日栄社の小高が、まだ出社していないことを知らなかったようだ。

小高のことをこんなに気にかけるのはわれながらふしぎだったが、そのきっかけは、昨夜新宿でデッサン会の仲間と飲んだときに出た健ちゃんが女に好かれるという話からだった。

なんでもない興味が、以前に平島から聞いた話へ走ったのだが、それ以上には出ないものだった。人間には、ときに無意味な即興が起る。

が、修三は、いま、小高の欠勤は四月三十日からだといった声に気持がひっかかった。

（小高は日栄社という広告代理店の外交係だから、スポンサー回りや民放局の連絡などで始終外に出ているが、仕事も熱心、女性とのつきあいもマメで、しょっちゅう忙しがっている。小高の友人がデパートまでついて行くと、じっさいに彼はそのデパートで誘った人妻らしい女性と、友人の前で、いっしょにつれだって出て行ったという。ときどき小高は女と遊ぶために年次休暇を利用して会社を休む。いまも休んでいる。奥さんも呆《あき》れて、あまり文句も言わず、それほど家庭争議にもならない。『浮気は夫の病気』だと言って奥さんは諦《あきら》めているらしく、それほど気にもかけていないらしい。）

これが、あのときの平島の話だった。

（小高はいまも休んでいる）

と彼が話していた時点は、いつだったろうか。あれは、五月の半ばも過ぎたころだったから、十九日か二十日あたりではなかったろうか。

すると、（いまも休んでいる）というのは四月三十日以降のことで、それが小高のうけもっているテレビ局関係者のあいだに話題となり、鷗プロの耳にも入ったということであろう。小高は一種の人気者だったにちがいない。

四月三十日といえば、誘拐《ゆうかい》された恵子ちゃんが二週間の抑留から解放されて午前十時に渋谷松濤の小公園にあらわれた日である。――

この日いらい小高は勤め先を欠勤し、この日から恵子ちゃんは両親のもとに帰宅した。まったくの偶然だ。

広告代理店の小高と、渋谷に住む六歳の恵子ちゃんとは何の関係もない。その両親とも小高は関係がなかろう。

四月三十日に、一方は欠勤がはじまり、一方は現われた。四月三十日にこの二つの出来事が偶然に発生しているだけである。

修三は階下に降りてレジにいる妹の久美子のところへ行った。

「おい、ちょっとおれのかわりに電話をかけてくれ」

「兄さんの代理？」

「そう。男の声ではまずいことがある」

「恋人の呼び出し？」

「それならいいが、広告代理店に電話で訊いてもらいたいのだ」

修三は日栄社の電話番号を書いたメモを渡した。

「兄さんじゃ駄目なの？」

「さっき、電話したんだけど、取引先でない外部の者にはひどく要心ぶかいんだ」

「じゃ、わたしだって駄目じゃないの？」

「用件はこうだ。そこの第三部に小高という人がつとめている。この人は目下欠勤している。おれとしては、その小高という人の電話番号と住所が知りたいんだ」

「社員の住所と電話番号は、どこの社でも外部の人にはそう簡単には教えないわ」

「作戦がある。お前はその小高さんの学校時代の友だちとかなんとか言うんだ。同窓会があるので至急に連絡のため電話番号と住所を教えてほしいとたのむんだ」

「同窓会なら、兄さんがそう言ってもいいんじゃないの？」

「おれはたった今、その日栄社に電話したばかりだからね。交換台は職業的に耳が訓練されているから、いま電話をかけてきた奴がまたかけてきて、そう言っても相手にしないよ」

「わかったわ」

久美子はメモのとおりにダイヤルをまわした。

「もしもし、日栄社さんですか。第三部の小高さんにおねがいします。え、お休み？じゃ、明日はどうですか？　明日もお休み？　困ったわ。……それじゃ、こちらは田中と申す者ですが、同窓会のことで小高さんに至急に連絡したいのです。はあ、わたしは小高さんの同級生なんです」

その調子、という顔を修三は妹に見せた。妹は片目をつむった。

「はあ、おそれ入ります」

妹は、そばのメモ帳をひき寄せ、鉛筆を握った。

「はい、はい」

聞きながら、

「〇四六三の二二の八九七一……」

と、書きつけた。

〇四六三といえば都内ではない。市外だが、どこの呼び出しサインだろうか、と修三は妹が書きつけた数字を見ていた。

「はいはい、わかりました。それで住所は？」

久美子はつづいて書いてゆく。

その文字を見て、修三は眼をみはった。

久美子が書いた文字には、「平塚市本堂二ノ七二」とあった。

平塚市といえば、「批評の神さま」岡林浩が居るところではないか。――

修三は唸《うな》りたい気持でこのメモの文字を見つめていたが、こんどは、ある新聞社に電話した。

「テレビ欄の方におねがいします」

その係が出た。

「なんですか？」

おそろしく無愛想な声だった。

「ぼくは、おたくの新聞の読者ですが」

「はあ」

「岡林浩先生のテレビドラマの批評をいつも愛読している者です」

「それで？」

あんまり威張った調子なので修三もすぐにはあとの声が出なかった。

「それで、あのう、岡林先生に直接にお手紙をあげたいのですが、先生のご住所をおしえていただけませんか？」

「ちょっと待ってください」

無愛想だが親切な人とみえた。それとも「読者」の一語に弱かったのかもしれない。

「岡林さんの住所はですな、平塚市中島三ノ一八一です」

係はついでに電話番号もおしえてくれた。

「どうもありがとう」

修三は近所の本屋に行った。平塚市の地図は置いてなかったが、神奈川県の地図に平塚市内の略図がはめこんであった。

二階の部屋に持ち帰ってひろげてみると、平塚市は略図だが、「本堂二」と「中島二」とは記入してあった。

本堂と中島という文字だけを見ると離れているようだが、地図の上では近接していた。平塚市じたいが狭いが、女に好かれる広告代理店社員の住所と「批評の神さま」の住所とは五百メートルもはなれていないように見えた。

これは偶然である。たまたま両人が平塚市内に住んでいるというだけであろうが、この「調査」では、線上にならんでいる。小さな地図からすると二つの点がくっついているようなものだった。

平島庄次はこのことを知っているだろうか。もしかするとまだ気がつかないかもしれない。

平島に教えたものかどうかと修三が髭《ひげ》をつまみながらなおも地図を見ていると、階段の下から久美子が声をかけた。

「兄さん、電話ですよ」

修三が降りるとレジのところに戻った妹は、はずされた受話器に笑っている眼をむけた。

「女性から」

受話器をとって、もしもし、と言うと、

「羽根村です」

と妙子の声がした。

「やあ」

「いま、お忙しいんでしょうか？」

羽根村妙子から電話がかかってくるのも珍しかったが、いま、お忙しいんでしょうか、と訊《き》く声にもどこかさしせまった口調のように修三には感じられた。

「いえ、べつに」

「それでしたら、ちょっとお会いしてお話したいことがあるんです」

「いいです」

「と言いますのは……」

妙子は、会うというだけでは誤解をうけると思ったか、急いでつけ加えた。

「実は昨日、町田市に行って尾形恒子さんのお宅をお訪ねしたんです」

「あ、尾形さんはどうでした？」

「恒子さんはまだお宅に帰ってないのです。わたくしはご主人にお目にかかりました。そのご主人からうかがった話を小山さんになるべく早くお伝えしたかったんです」

なにか耳よりなことを尾形恒子の夫から妙子は聞いたらしく、急いで電話をかけてきたのもそれだとわかった。

「そのことは、平島さんにはもう話しましたか？」

「いいえ、まだです。平島さんとは昨日も今日も会っていませんから」

「わかりました。どこに行ったらいいですか？」

「この前からのホテルのロビーはどうでしょうか。もしよかったら、十二時半にそこでお目にかかりましょう。もうすぐその時刻ですけれど」

腕時計を見ると十二時前だった。

「けっこうです」

受話器をおいて、身支度をしに二階に戻りかけると、

「兄さん、急にいそいそとしてきたわ。昼間からおデート？」

と久美子が笑いながら言った。

「ばかなことをいうな」

「でも、お声のきれいな方ね」

二階で支度をして降りると、ちょうど午《ひる》の時間なので客が混みかけていた。

「たのむよ」

コーヒーをつくっている従業員に言い、レジの前を通ると、伝票を揃《そろ》えている妹が、

「ごゆっくり」

と、声を送った。

ホテルの正面ロビーに入ると、人々が脚を揃えてかけている横の長イスから羽根村妙子の姿がゆらりと立ち上った。今日は白い上衣に白のパンタロンなので、すぐには見つからないだろうと彼女のほうで気をきかして立ったらしかった。

いっしょにならんでまたそこに腰をおろしたのは、ちょうど二人ぶんだけあいていたからだ。両隣に人がいるが、このほうがかえって話をするのに目立たなかった。それに

隣は始終人が変るのである。

「さっきの電話でちょっと聞きましたが、尾形恒子さんのご主人に昨日会われたそうですね、どういうことだったんですか？」

修三は煙草《たばこ》を抜き出し、落ちついたところを見せた。

「尾形恒子さんは、まだ家に帰っておられませんでした」

羽根村妙子は口を開いた。

「尾形さんのご主人に会われたんですね？」

修三は隣の妙子のほうはあまり見ないで言った。まわりの人たちから親密そうに語り合っていると見られるのを避けた。

「そうなんです。急に思いついて。というのは恒子さんのことが気になって」

「尾形恒子さんは、平島さんが言うテレビドラマの批評の神さまに買収されている回収員の一人だとあなたは思ったんでしょう？　それが消えたままになっているので気になった、だからご主人にじかに話を聞きに行った、そういうことですか？」

「尾形さんが消息不明になってから、もう一カ月以上経《た》つでしょう。まだ帰宅されてないと思うと、やはり気になります」

妙子は批評の神さまのことにはふれずに言った。

「一カ月以上？　もう、そうなりますか？」

「今日が六月十五日です。尾形さんが居なくなったのは五月十二日の水曜でしたから」

そうだった。平島がTVスタディ社の長野次長の未亡人から三巻の測定ペーパーをもらってきたその最後の記録が五月四日の火曜日であった。その日からちょうど一週間後の標本世帯をまわる日に尾形恒子は戻らずじまいになった。

「小山さんと大磯に服部梅子さんをさがしての帰り道に寄った町田市のあの尾形さんのお宅に、こんどは玄関からお訪ねしました」

妙子が「こんどは」と言ったのは、むろんその家の前を二人でうろうろした前回のことにくらべている。あのときは妙子が保険の勧誘員になって近所の主婦が立話しているところへ歩み寄って行ったものだった。

「ご主人は居られました。わたくしは、名刺を出しました。鷗プロの名が入っている名刺です」

「どういうことですか？」

「亡くなったTVスタディ社の長野次長とは懇意だと言ったんです。プロダクションの名刺で、それがふしぜんでなく通りました。ご主人に、奥さまのことで協力したいと言いましたら、すぐに上げてくださったんです」

「それはよかった」

「恒子さんはやはり帰宅してなく、どこからも消息がないそうです。で、警察には捜索願いを出されているのに、警察からも連絡がありませんか、ときますと、それもないということでした。警察は家出人捜索願いだけではなかなか動いてくれない、殺害された可能性があるといってちゃんとした理由を言わないかぎり、本格的な捜査にはきりかえてくれない、とご主人は言っておられました」

「TVスタディ社を五月十五日付で退社した長野次長は、大阪方面の旅行から帰ると、二十六日に尾形恒子さんの宅に行っています。同家を出て乗ったタクシーが町田街道でトラックと衝突したのは、新聞記事によると、たしかにその日の午前十一時四十分ごろでした。二十六日というと、恒子さんが居なくなった五月十二日からいうと十四日目ですね」

修三の言葉に、羽根村妙子はそのとおりだというように顎《あご》を引いた。

「長野氏はその前の晩かその日の朝早く尾形家に電話して恒子さんからまだ消息のないことをご主人から聞き、不安にかられて尾形家にかけつけたと思うんです。あなたがご主人に会ったとき、長野氏の話は出ませんでしたか?」

「出ました。長野氏はその日の午前十一時前に同家に訪ねてこられたそうです。それは小山さんの推察どおり、前の晩に長野さんから恒子さんのことで問合せがあってからだそうです」

「長野さんとの話合いがどんなふうだったか、ご主人は言いませんでしたか?」

修三の横には年配の女が二人すわって、このホテルで行うらしい結婚披露宴の費用について夢中で話し合っていた。妙子の隣にいた中年男は待合せの女が来たので立って行った。そのあとには若い女がすわって持参のデザイン雑誌をめくっていた。

真昼間のフロントのほうは閑散で、外人客の姿がまばらに立っているだけである。赤服のボーイもポーターも手もち無沙汰《ぶさた》だった。

「それはわたくしが訊いたんです。要点だけを話しますと、恒子さんはある標本世帯の家庭について調査していたらしい、と長野さんは言ったそうです」

妙子は低い声でいった。

「らしい？　らしいというのはどういうことですか？　長野氏がその調査を恒子さんにやらせていたというのがぼくらの推測ですが」

「わたくしもそう推量しています。けれども、長野氏が恒子さんのご主人にそう言ったのは、そんなふうに言わないと万一の場合、自分が責任を負うことになりますからね」

「ああそうか。それで第三者的な言いかたをしたわけですか。で、その恒子さんが調査している先の標本世帯の家庭の住所氏名を長野さんは言ったのですか？」

かんじんなところなので、修三は唾《つば》をのんだ。

「いいえ。それは長野さんも言わなかったそうです。よく分らないということでした」

「わからないというのは嘘《うそ》だ」

「わたくしもそう思います。長野さんは例のテープの記号も剝《は》ぎとっているくらいですからその標本家庭を知りぬいています。ご主人にはひとまず知らないことにしてぼかしたのです。その証拠に……」

妙子の隣にいた若い女が煙草を口にくわえ、火をかしてほしいと彼女に言った。ライターを隣の女に貸して修三に返した妙子は、小さな声でつづきを言った。

「……長野さんが標本世帯のある家庭に目をつけて恒子さんにこっそりと調べさせていたらしい証拠に、ご主人との話のなかで、長野さんがそれとなく自分がTVスタディ社を退職させられた理由をこう言ったことからも察せられます。

それは、世間からとかくふしぎな眼で見られている視聴率のモニター界を明瞭《めいりよう》にすることが自分の考えだ、世間はそうでなくても〇・〇〇五パーセントといういまの標本世帯率が、はたして全視聴率を正確につかんだ数字になるのかどうかと首をかしげている、その小数点以下三ケタというマイクロ的な数字の中にかりにも世間に与える疑惑の要素があってはならないと思い、その要素の除去のため、匿名《とくめい》である行為をした、それが社にわかって詰腹を切らされた、と打ちあけたそうです。それは恒子さんがサンプル家庭を『調べているらしい』という話につながって長野さんが言ったのでしょう」

「わかった。想像していたとおりだ。『大磯の服部梅子』はやはり長野さんだった」

思わず出した声に、隣の結婚披露宴の費用話が瞬間だが中断した。

「しかし、おかしいなア」

修三は脚を組み直し、天井から吊《つ》り下がっている山笠《やまがさ》のようなシャンデリアを見上げた。

「……何がって、長野氏が疑問を持っているテープ三巻は、子供用の番組が途中から入っているでしょう？　歌謡番組だとか、テレビドラマとかだと、あの投書の文句にあるテレビ局やプロダクションからいろいろと誘惑があるという意味もわかるけど、子供番組にそんな誘惑があるとは思えないけどなア」

「そりゃ、わかりませんわ」

「え？」

「朝と夕方の子供番組は、いま民放の四局がシノギをけずっています。子供番組はヘタなドラマものよりも、子供のある家庭では王者なんです。なにしろ大人はニュース番組からも閉め出されていますからね。それは恵子ちゃんの誘拐《ゆうかい》事件との関連づけで考えられた小山さんのほうがよくご承知のはずです」

「そうです」

「子供って、歌をおぼえるのが早いし、好きですからね。漫画番組のテーマソングは友だちと合唱したりしています。スポンサーの会社にとって、こんな効果的な宣伝はありませんわ。だから、朝と夕方の子供番組の時間帯は、各局とも標本世帯に自局のチャンネルをまわさせる競争になっていると思います」

「そこで、やはり各局や子供番組の製作プロからの誘惑がモニター・テープの回収員を媒体にしておこなわれるということですか？」

「想像ですが、それには子供さんむきの景品をあげればいいんですものね」

妙子の隣にいた若い女は、派手なかっこうの相手の男がきたので、雑誌を巻いて立上り、手をつないで出て行った。あとには、待っていたように外国の老紳士がすわった。

「そうすると、平島さんの線は違ったかな？」

修三はやや気落ちしたように言った。

「ああ、岡林浩先生のことですか？」

妙子もその話は平島から聞いて知っていた。

「そう。テレビドラマの批評の神さまが、回収員を買収して自己の権威を保っているというのです」

「その平島さんの推測もまだ生きていますわ」

「えっ？」

「岡林先生のテレビ評は、テレビドラマだけじゃないんです。子供番組の批評もなさっていますわ。それはもう一年以上もつづいています」

「え、ほんとうですか？」

妙子はハンドバッグから新聞の切抜きを、五、六枚出した。《童心を射あてている》《詩の世界》《子供への情緒》《ざんしんなアイデア》《大人もたのしめる》《統一された色彩》……

見出しを見ただけでも、その批評の内容が知られた。(岡林浩)の神がかった批評文体は、修三もすでに熟知していた。ふしぎなもので、若いどのテレビ評論家も彼の文体をどこかで真似ている。

「うむ。なるほどなア……」

修三はその切抜きを妙子にかえしてうなった。

「岡林先生のレパートリーは存外にひろいですわ」

「大人のテレビドラマだけじゃなかったんですな。……しかし、どうして平島さんは岡林浩が子供番組の批評までやっていることや、こういう切抜きをぼくに言ったり見せたりしなかったんだろうなア」

「平島さんがうっかりしていたんじゃないでしょうか、きっと」

しかし、それにしては少し妙だと修三は思った。恵子ちゃん誘拐事件をあの三巻のテープに結びつけたのは、それに記録された子供番組を重視したからだ。その推定をさんざん聞いている平島が、岡林浩の子供番組批評に一口もふれなかったのはどういうわけだろうか。

「小山さんは恵子ちゃんの誘拐に推測が傾いているので、普通のテレビドラマの線で岡林さんを疑っている平島さんは、テープの子供番組のことは関係がないと考えたからじゃないですか。そこは重点の置き方の違いでしょう」

彼の不満顔を読んだように妙子は言った。

「ま、そうかもしれない」

修三は話題を変えた。さっきからの疑問である。

「こうなると長野氏の交通事故は痛手ですね。尾形良平さんというのが前回の平島さんの調査で町田市役所の住民票で知った恒子さんのご主人の名ですが、その良平さんは奥さんが消息を絶ってから一カ月以上にもなるのだから、もうそれだけでも生命の危惧《きぐ》を想像してもいいはずなのに、どうしてそれを警察に強く言って、普通の家出人捜索願いから早く殺人捜査にきりかえてもらうよう頼まないのですかね？」

「わたくしもそれはご主人の尾形良平さんにすすめたんです。奥さんの家出人捜索願いを早く捜査に切りかえてもらうよう警察におたのみになったほうがいいんじゃないですかって。……まさか殺人捜査とは言えませんでしたが」

いつのまにか修三の横は婚礼費用の話をしていた二人の婦人が去り、ラテン系らしい黒髪の外国人夫妻に代っていた。

「殺人捜査とまでは言えないでしょうが、しかし奥さんの一身の危険に関することだからね」

二人の両側が外国人ばかりになったので、こういう言葉もかなり遠慮なしに言えた。

「ところが尾形良平さんは、わたくしがそうおすすめしても、はっきりとなさらないんですね。いまの段階では、家内の身がどうかなったと決ったわけでもないし……とおっしゃって」

「夫としては、そうでしょうな。奥さんが最悪の事態になっているとは考えたくないだろうし、いいほうに、いいほうに希望的な想像をもつのは当然だけど。それが、夫婦の感情じゃないですか？」

「わたくしもはじめはそのようにうけとっていました。ところが、だんだん話しているうちに、奥さんのことで、尾形良平さんの言葉のニュアンスが違っていることに気がつきました」

「ほう。それは、どういうことですか？」

「それを小山さんにお話しようと思ってここに来たんです」

なにか重要な話がはじまりそうなので、修三は指で頬の髪を掻《か》きのける彼女の横顔に眼を据えた。

「わたしが尾形良平さんに警察の捜査を早くたのんだほうがいいとあまり熱心にすすめるものですから、尾形良平さんは複雑な表情をして、家内が殺された疑いで捜査してもらうと、警察は家内の日ごろの行動についていろいろなことを調べるだろうから、それが気にそまないとおっしゃるんです」

「…………」

「わたくしもその言葉には、はっとしました。その表情がわかったんでしょう、尾形良平さんは眼を伏せて、家内のいろいろなことが警察にわかり、それが世間に知れてくるようだったら、いっそ家出人捜索願いの書類を出しているだけでいい、それ以上のことは警察にもしてもらいたくないと言われるんです」

「奥さんについていろいろなこと？」

「家内は日ごろから車で外に出るほうが好きで、そのためにTVスタディ社のアルバイト回収員になったくらいだが、じぶんは外で家内が何をしているのか、ほとんど知らない、訊《き》くと家内の機嫌が悪いから黙っている、そういうわけで、警察の捜査で知りたくない家内の行動がわかるのがイヤだ、尾形良平さんはそう言われるのです」

妙子の隣にいる白髪の外国の老紳士は居眠りしていた。

「そうすると……」

修三は唾をのみこんで言った。

「尾形良平さんは、奥さんの恒子さんが外で勝手なことをしている、そう思っているのですか？」

「そうらしいんです」

妙子は眼を伏せてうなずく。

平島が前に調査して報告したところでは、尾形良平三十九歳、恒子三十二歳、子供無し、であった。

恒子はTVスタディ社の前でそれとなしに目撃した婦人アルバイト回収員のなかでは若いほうだし、それほどきれいというほどではないが男には魅力的な容貌であった。黄色いブラウスに赤いパンタロンをつけてなかなか瀟洒《しょうしゃ》な格好だった。

子供のない家庭で、そんな妻が外歩きをするのに、おとなしい夫は叱言《こごと》もいえず、その出先にひとりで臆測《おくそく》をめぐらし、煩悶《はんもん》しているのであろう。

「尾形良平さんの職業は何ですか？」

これは平島の調査報告にはなかった。

「品川のほうにある商事会社の社員だということです」

律義な勤め人にちがいない。

「そこで、わたくしは尾形さんに訊きました。失礼ですが奥さまはどの地区の標本世帯を担当してらっしゃいますかって」

「すると？」

「すると、妻は町田市の周辺と神奈川県の一部を担当していたと言われました」

「やはりね」

それはかねてから予想していたことだった。

「神奈川県の一部というと、どのへんですかね?」

「それも聞きました。横浜市や横須賀市一帯は広いので別な人が担当している、また、小田原以西はこれもほかの人で、けっきょく恒子さんの担当は東は藤沢市、西は大磯町の間ということでした」

「ははあ、それでわかった。その割りふりは長野氏がしていたのだろうな。だから、新聞投書の〝服部梅子〟の住所も大磯町にしたんですよ、きっと。人間は、どこかでじぶんの知識にあるものとか、因縁のあることが出るものです」

「そうかもしれません。でも、尾形さんはこう言われました。妻がその地区の担当になったのは、八年前までじぶんたちは藤沢市に住んでいたので、そのへんの地理がよくわかっているからですよって」

そうだった。たしかに平島の調査報告にも、住民票の調べで、尾形夫妻は八年前に藤沢市から町田市に転入とあった。いまその話で修三も思い出した。

「ところが、尾形さんはそれにつづいて妙なことをおっしゃるのです。いまから考えると、藤沢市から平塚市あたりの地理に妻が詳しかったのがいけなかった、そう呟かれました」

「妻が藤沢や平塚の地理に詳しかったからいけなかった、尾形良平さんはそう呟《つぶや》いたのですか。それはどういう意味ですか？」

修三は、あとを少し言いにくそうにしている妙子の表情を見つめた。

「尾形さんは、その地域に奥さんの親しい男の人がいるらしい、と言われるんです」

「親しい男？　恋人というわけですか？」

「そういう口ぶりでした」

「相手の名前はわかっているのですか？」

「それは言われませんでした。わたしの感じでは、尾形さんはそこまではつかんでないようでした。尾形さんの推量のようでした。家と会社とを往復するだけで、奥さんの外出先がわからないのですから、そういう邪推のようなものがうまれるのかもしれません」

「恒子さんは平塚の地理に詳しかった、そう言ったんですね？」

「ええ」

「小高満夫という広告代理店日栄社の社員、平島さんが言ってた女性にモテる人、その小高君という人も平塚市に住んでいるんです」

「え、ほんとう？」

「日栄社に電話して住所を教えてもらったんです。小高君の住所は平塚市本堂二ノ七一です」

「………」

「それから、これは日栄社に電話で聞いたんですが、その小高君はまだ出社していないそうです。交換手の話では、小高君が社を休みはじめたのが四月三十日でした。それからずっとだと、もう一カ月以上も欠勤しているわけです」

妙子はショックをうけたようだった。

「その小高君はプレイボーイで、よく会社を休む。いつも女性といっしょだというんですが、こんどは休みが長いようです」

「まさか、恒子さんがその小高という人に誘惑されて仲よくなり、いっしょに駈落《かけお》ちしたのでもないでしょうね？」

「良平さんが妻には藤沢市か平塚方面に恋人がいたとつぶやいたそうですから、小高君を思い出したのです」

「でも、小高さんの家庭は標本世帯でもなんでもないでしょう？　回収員の恒子さんと仲よくなる機会はないと思いますけど」

「それは、あなたの言う〝言問い〟ですよ。小高君はデパートでもどこでも、女性を獲得する奇妙な才能を持っていたといいますからね。恒子さんが彼の居る平塚市をテープ回収でまわっていれば、彼がものを言いかけるチャンスは容易にあったと思いますな」

妙子がやるせなさそうに溜息《ためいき》をついた。

「小高さんが平塚市に居るというのははじめて知りました」

しばらく黙っていた妙子が言った。

「……平塚市には岡林浩さんも住んでおられますね？」

「そうです。批評の神さまの住所は平塚市中島三ノ一八一です。ぼくは地図で調べたんだが、双方の距離は五百メートルとはなれてないようです」

妙子の横にいた外国の老紳士がまだ居眠りしていた。

「わたくしは、小高さんと恒子さんが、ひょんなことから仲よくなったという偶然性よりも、恒子さんが回収員として岡林さんに買収されていた蓋然《がいぜん》性のほうに心が傾きますわ」

「たしかに、そのほうが小高君のばあいの行きずりの偶然性よりも、恒子さんと関連づけるのは強いと思いますがね。しかし」

と修三は言った。

「……そのほうには、犯罪のにおいがない」

「でも、岡林さんは回収員を買収しています。わたくしたちの想像ですが」

「岡林氏も愚かではない。それがばれそうになったからといって恒子さんに危害を加えるということはありえない。あの人もテレビドラマの批評家としていちおう社会的な地位がありますからね」

「回収員を買収したことがわかって転落するか、それを防ぐために衝動にかられて犯罪行為に出るかです。それはかえって虚栄の人に多いんじゃないですか。あとの場合は当人にも計算できてない突発的なことでしょう」

外国の老紳士がふいと眼をさまし、おどろいたようにあたりを見まわした。二人はちょっと黙った。

「小山さんが推測なさっている恵子ちゃん誘拐《ゆうかい》の線はどうですか？」

「だんだんうすれてきましたね。ぼくはテープ三巻に記録されている子供番組に強い興味をもっていたんですが、岡林浩氏が子供番組の批評までしているとわかって、恵子ちゃん誘拐事件の線も望みうすというよりも打撃をうけました」

「それだったら、岡林さんの線のほうが強くなったんじゃありません？」

「さあ。いますぐにはそれにも踏みきれないですね。とにかく、尾形良平さんが恒子さんには藤沢・平塚方面に恋人がいたらしいと洩らしたというのは今日の大きな参考になりました」

「恋人というのはご主人の邪推でしょう。たとえば恒子さんが岡林さんに買収されていれば、接触がたびたびだったでしょうから、そのようにとられているのかもしれませんわ」

妙子の隣で老紳士が口を手で掩《おお》ってあくびをした。

修三は、妙子が口には出さないが尾形恒子が死体で出てくる予感を抱いているように思えた。彼の胸にもそれがあった。

海の車

八月に入った。修三は例のデッサン会仲間四人と外房州にスケッチをかねて泳ぎに出かけた。二泊三日の予定だった。

五日の晩であった。夕刊をひらいていると、社会面の左側に二段の見出しで、《西伊豆の海に乗用車　中に男女の死体》とある活字が眼をひいた。

《五日午前八時半ごろ、静岡県賀茂郡雲見《くもみ》温泉の南二キロの地点でアクアラングをつかって海中にもぐっていた東京都練馬区上石神井《かみしやくじい》五ノ二一会社員山田孝三さん（27）が七メートルの海底に沈んでいる乗用車一台を見つけた。山田さんが窓からのぞいてみると運転席に女の死体、助手席に男の死体があったので、ただちに所轄《しよかつ》署に届け出た。所轄署では早急に沈没の乗用車を引き揚げる手配をしているが、山田さんの目撃によるとこの乗用車は白の小型カローラで、ナンバーは「相模―８９６３」。所轄署では、この番号を手がかりに陸運局に問合せている。

　この車は過失か事故によって沈没地点の崖上《がけうえ》から転落したものと所轄署では見ている。この付近は南方の波勝《はがち》海岸から石廊崎まで二十メートルくらいの断崖《だんがい》がつづいている。この車は東京方面からきた避暑客とみられ、車中の男女死体も夫婦者と思われる。》

　修三は跳ね上るようにして洋服ダンスに入れた上衣のポケットから手帳をとり出した。「白の小型カローラ」が、まず頭を殴った。手帳を繰ったが、あわてた指はすぐに思うところを開いてくれなかった。

　あった。――

「平島氏の追跡報告。D号婦人の自家用車。白の小型カローラ。プレート番号『相模―８９６３』――陸運局の調べでは本年の二月一日に尾形恒子名義に登録されたばかり。

　市役所の住民票により町田市中森町二丁目五ノ六。恒子は三十二歳、夫の尾形良平は三十九歳」

　やはり尾形恒子だった。修三は新聞の活字と手帳の文字とを照らし合せたが、番号に間違いはなかった。やはり彼女は死体で出てきた！　となりの助手席にすわっていると いう男の死体はだれか。

　今日の午前中の出来ごとなので、夕刊はこの程度の記事しかない。続報はあすの朝刊になるのだろう。

が、この千葉県の勝浦にくる夕刊は輸送上、早く印刷される。都内だと遅版《おそばん》だからこれよりも記事が詳しいかもわからない。

修三は神田の店にダイヤルを急いでまわした。

久美子の声が受話器に出た。

「おれに電話がかかってこなかったか?」

「あ、兄さん? いま、どこ?」

「房州の勝浦からだ」

「いいところに行ってるのね。お魚、おいしいでしょ?」

「そんなことよりも電話はどうだ?」

「かかってきたわよ、羽根村さんから」

妹は声を強めた。

「そうか。何時ごろ?」

「四十分くらい前」

四十分前だといえば、夕刊の記事を見てから早速にかけてきたにちがいない。

「羽根村さんは何か言わなかったか?」

「兄さんが留守だというと、いつ帰るかときかれたので、あさっての夕方だとは言っておいたけど。兄さんの泊り先がわからないから伝えようもなかったわ。そしたら、そのころにお電話しますと言われたきりで、ほかのことは何もおっしゃらなかったわ。……いらっしゃいませ」

受話器にはレジで客を迎える声もいっしょに入った。

「平島さんからは？」

「平島さんからの電話はないわ」

反応は平島のほうがおそいようである。まさかあの夕刊の記事に気がつかぬはずはない、そうだとしても羽根村妙子が知らせているはずである。

「おい、そこに夕刊があるだろう？　その社会面を見てくれ、西伊豆の海に沈んでいた車が発見されたという記事が出ているはずだ」

「ちょっと待って」

紙を繰る音が聞えた。うしろで静かなレコードの曲が流れている。妹の声がふたたび出た。

「出てるわ」

「そうか。じゃ、その記事をそこで読んでみてくれ」

妹は朗読した。修三は耳を澄ませたが、内容はこっちの早版の夕刊に出ているのとあまり違いはなかった。伊豆の通信部の取材がおくれているのかもしれなかった。

「わかった」

聞き終って修三は言った。

「おれは、明日の朝早くこっちを発《た》って東京に戻る。羽根村さんからまた電話があったら、そう伝えておいてくれ」

「いいわ。念のためにそっちの宿の電話番号を教えといてよ」

妹の声にはふくみ笑いがあった。

いまごろは羽根村妙子も鷗プロから自宅に帰ってしまっただろう。自宅の電話番号がわかっていればこちらからかけるところだが、それはまだ聞いていなかった。鷗プロにだれかが残っていれば教えてくれるかもしれないがそれは断念した。

明朝の朝刊が待たれた。その晩、皆とマージャンをして十二時すぎまで起きていたが、羽根村妙子からの電話はなかった。

ねむかったが、気にかかることがあると眼が早く醒《さ》める。七時ごろには部屋のドアの下に朝刊がさしこまれてあった。修三はすぐに社会面をひらいた。

《人妻と心中か　男性の身もとは不詳――西伊豆の海底から車を引きあげる》

見出しから中の記事をむさぼるように読んだ。

《五日朝、西伊豆・雲見海岸で海底の小型乗用車から男女の遺体が見つかった事件を調べている所轄署は、同日夕までに、この女性が、東京都町田市中森町二の五の六、会社員、尾形良平さん（39）の妻恒子さん（32）で、乗用車は恒子さんのものであることを確認した。一方、男性の身元はまだ判明していないが、年齢は三十前後と推定される。

現場は約二十メートルの崖が切り立ち道路が狭いうえ、潮流も早いため、車体の引き揚げは困難を極め、同日夕刻、沼津から来た大型レッカー車がやっと引き揚げた。所轄署ではこれより先、ナンバープレートの「相模―８９６３」から、この車が恒子さんの所有であることをつきとめ、同夜、現場に駆けつけた良平さんが遺体を確認したもの。

恒子さんは去る五月十二日朝、この車で東京・新橋にあるアルバイト先に出かけたまま消息を絶ち、かねて良平さんから捜索願いが出されていた。

車はフロントガラスがこわれており、また死後、二カ月以上を経ている遺体は、魚につつかれ、かなり傷《いた》んでいたが、大きな外傷はみられないため、所轄署では車が二十メートルの崖上から転落して、逃げ出す暇がないまま溺死《できし》したものではないかとみている。

また、恒子さんの服装が五月に家を出た時のブラウスにパンタロン姿だがハンドバッグがなくなっている点や、男性がシャツにステテコの下着姿で、所持品もなく、身元の手がかりとなるものが何ひとつないなど、不審な点もあるため、六日午前二人の遺体を解剖することにしている。

所轄署では、事故、自殺などに原因をしぼらず調べているが、これまでに雲見温泉をはじめ下田付近、長岡、修善寺など各地の温泉地を調べたところでは五月十二日以降、二人に該当する者が泊っていないので、恒子さんは消息を絶った日に都内でその男性を助手席に乗せて西伊豆海岸にドライブして来たものとの見方をとり、現場付近一帯で五月中旬にこの小型自動車を目撃した人を捜している。

良平さんの話　妻が五月十二日いらい行方不明になったので捜索願いを出していたが、まさかこんなことになっていようとは夢にも思わなかった。同乗している男性は私のまったく知らない人だ。妻の交際範囲には私はあまり立入らないほうだ。》

修三は九時すぎには東京に着いた。

神田の店に入るとモーニングサービスの時間で、学生客たちがトーストを食べながらコーヒーをのんでいた。

「あら、もうお帰り？」

久美子がびっくりしていた。

「おれにもトーストをくれ」

「むこうで朝ご飯は食べなかったの？」

「勝浦の宿を七時に出たんだ。ほかの連中といっしょに朝食だというので、おれだけが食べずに飛び出したんだ」

妹がトーストをつくっているあいだに店の朝刊をひろげた。西伊豆で車と共に尾形恒子ともう一人の男の死体が海中から引きあげられた記事は勝浦の旅館で読んだのと大差なかった。

それでも修三は活字を喰い入るようにして一行ずつていねいに読んだ。

これによると二人の死体解剖は今日の午前十時から下田の病院で行なわれるらしい。時計を見ると、その十時になっていた。解剖所要時間は二時間くらいであろう。今日の夕刊にはその結果が出るだろうが、それまでが待ち遠しかった。

新聞記事のとおりだと尾形良平が羽根村妙子に語った予想が的中したといえる。この不幸な夫は、妻の捜索願いを所轄署に出したものの、それを殺害の疑いで刑事捜査に切りかえてもらうのをためらっていた。妻の日ごろの行動が洗われて明るみに出るのをおそれていたのだが、それが最悪の状態で現実のものとなった。妻が相手の男とドライブ中に車ごと海に転落してしまったのだ。

が、これが事故ならまだ救いようがある。口実もつくれるが、心中となるともう絶対である。

事故か、情死か、解剖の結果、その判定はつこう。

死体は二カ月以上経《た》っているから相当に腐乱していよう。割れたガラス窓から入ってきた魚がその肉体をつついているというから眼もあてられない気の毒な状態だ。

相手の男が、これは八十パーセント、日栄社の小高満夫であろう。三十二歳という彼の年齢と新聞記事にある死体の推定年齢とも合致している。

ただ、小高が会社を欠勤して居どころが分らなくなったのが四月末だという。尾形恒子の行方不明は五月十二日である。そこに十二日のズレがある。

これがどうも妙だ。尾形恒子は少なくとも五月十二日の朝までは自宅にいて、各週の水曜日ごとにはアルバイトのテープ回収員として受持ちの標本世帯をまわっていったのである。小高といっしょだったら彼女も四月末に家出をしていなければならない。逆に五月十二日まで恒子は町田市の自宅にいたのだから、小高はその前日まで会社に出勤していてよいわけだ。それが四月末から欠勤して居なくなったのは、どういう理由からだろう。――

いくら待っても羽根村妙子からの電話はこなかった。修三は、昨日妹が勝浦に行っていると妙子に伝えたので、まだ自分がこっちに戻ってないと彼女が考えて電話してこないのかと思った。

それだったら午後になるだろう。それまでは待ちきれないので、鷗プロに電話した。

「羽根村は今日は休んでおります」

女事務員の声が出て言った。

まさか今日休んでいるとはしらなかった。家に居るならと自宅の電話番号を教えてもらおうと思ったが、それも言い出しにくく、また、では平島さんをというのもすぐには口から出なかったので、ありがとう、といって電話を切った。

羽根村妙子はどうして今日休んだのだろう。尾形恒子の死体が発見されたニュースに関連があるのか、それとは無関係な用事で勤めを休んだのか、そのへんのところは判じかねたが、どうもあの新聞報道にかかわりがあるような気がした。

とすれば、妙子は出社しないで動きまわっていることになるが、それはどのような活動だろうか。尾形恒子の失踪《しっそう》はこの二カ月以来、彼女の大きな関心事であった。それがこんどのような結果になってあらわれたので、彼女としてもじっとしていられない気持であろう。行動をおこしているとすればどのようなことだろうか。

修三が落ちつかない気持で考えていると、妹がレジの電話をとって、平島さんから、と受話器をさし出した。

「やあ。新聞を読みましたか?」

平島は大きな声でいった。

「読みました」

さっき、こっちから妙子に電話したのを平島が知ってこの電話をかけてきたのかどうか、すぐには判断がつかなかった。

「読みました。実は昨日まで房州に行っていたので、その宿で読んでおどろきました」

「ぼくもびっくりしましたな。まさか、こんなことになるとはね。……ところで、今日の夕刊には出ると思うけど、恒子さんといっしょに車の中で死んでいた男の身もとが警察に分りました。やっぱり日栄社の小高君でしたよ。家族が新聞を見て東京からかけつけ、確認しました」

「え、ほんとうですか？」

修三は言ったが、予想どおりだったので、それほどのおどろきはなかった。

「それにね、解剖が一時間前に終ったんです。その解剖結果も警察から発表されました。これも夕刊には出るでしょうがね」

「そんなことがもう平島さんに分ったんですか？」

「ある新聞社の社会部のデスクをしている奴が友人なんです。そいつに聞いてみたんですがね。とりあえず、その解剖結果からいうと……」

「ちょ、ちょっと待ってください」

修三は、あわててレジにある伝票をもぎ取って裏返しにし、鉛筆をつかんだ。

「その解剖結果の要旨はですな」

平島は電話で話しはじめた。

「男女の死体とも死後百日ないし百二十日を経過し、生活反応は微少ながら認められる、というのです」

「死後百日ないし百二十日ですって？」

修三は聞いておどろいた。

「発表は、そうです」

「それはいったい、どうなっているんですか？　小高君が行方不明になった日だけでも四月末ですよ。今日は八月六日です。行方不明になった日に小高君が死んだとしても九十九日です。尾形恒子さんのばあいは五月十二日に失踪している。彼女がその日に死んだとしても八十七日です」

「ぼくは警察の発表どおりを言っているだけですよ」

「はあ、そうですね。済みません。しかし……」

「しかし、たしかにおかしい。だがね。こういうことはいえます。死後長く経った死体は解剖してもその死亡時点の判定がむつかしいということです。新しい死体ほど判定が正確になる」

「それは、わかります」

「そのために、解剖医はふるい死体ほど死後経過時間の誤差の幅を大きくする。これは捜査の安全のためです」

それも理解できた。死後経過の時間外に犯人の行動があったばあい、その犯人は捜査の対象よりはずされるからである。

「その次に、誤差の幅を大きくするのは、解剖医自身の安全からですよ。なぜかというと、法医学は進歩しているけれど、それでも医学が万能というわけにはゆかないように、法医学上の検索も科学的に絶対というわけではない。だから、死後経過時間に誤差の幅があればあるほど、解剖医はじぶんの判定に安心できるからです」

「その解剖医の心理はわかりますがね。それにしても、こんどの判定は、いま言ったように、小高君についてはとにかく、尾形恒子さんのばあいはひどすぎると思いますね。死後百日という判定をとるにしても二十日間は長すぎる誤差です」

「しかし、それは小高君にしても尾形恒子さんにしても、失踪した日に死んだという想定からでしょう？」

「そうですが……」

「しかし、この死後経過の判断はむつかしい条件になっています。だから、逆に死亡時点を前にもってきて、六十日ということもできる」

「………」

理屈だった。そう考えられる可能性も、理論上はあり得るのだ。

「そうすると、二人の死が同時だったとすると、小高君のほうが早かった行方不明後も、尾形恒子さんとどこかに隠れていた、ということですか？」

「そういうことですな。考えかたとしては、尾形恒子さんの死後経過時間に小高君のそれを合わすべきでしょうな」

小高の死後経過は尾形恒子のそれに合わすべきだという平島の言い方は、とにかく理屈に合っている。

「それにしても死後経過の誤差の幅がありすぎますね」

「いや、それには発表された解剖所見に説明があるのです。話が先になってそれを言うのがあとになりましたがね」

「…………」

「それはですな、二つの遺体は魚がつついたために、それだけでも相当にいたんでいる、死後三カ月以上も経っていると、水の中でもかなり腐乱が進行しているのに、加えて魚に皮膚や肉を食べられているため、正確な死後経過の判定は期しがたい、したがって捜査はこれに拘束されることのないようにのぞむ、というのです」

海中の死体や漂流中の死体が魚によってその軟部、たとえば眼球や鼻や口その他の粘膜性部分がまず喰い荒され、人相がまるきり分らなくなるくらいに惨状を呈するとは、修三も何かの本で読んだことがあった。

そうだ、新聞記事にもその魚のことが出ていた。海底に沈んだ車はガラス窓がこわれたため海水が浸入し、魚が二人の遺体をつついているとあった。

「その解剖所見の説明だと、死後経過時間の判定はもっと短縮する余地もあるということですね？」

修三は受話器に訊《き》いた。

「そういうことですな。だから、あんたの言うように尾形恒子さんの失踪した五月十二日が彼女の死亡日であり、小高君の死亡日でもあるということになりますよ」

小高のばあいは勤め先の日栄社を欠勤したのが四月末であった。尾形恒子の失踪日が死亡時とすれば、彼は十二日間をどこかで生きていたことになる。

「小高君は尾形恒子さんとほんとにいっしょに死んだのでしょうかね？」

「え、それは、どういう意味？」

「小高君の欠勤が早すぎるからですよ。恒子さんのほうは五月十二日までちゃんと家に居たんですからね。車で外出はしていてもね」

「しかし、二人の死体は海底の車の中にいっしょに入っていたんだからね。小高君の欠勤はたしかに早すぎます。けれど、小高君はどこかにひそんでいて、恒子さんが決行の決心をかためる五月十一日まで、ときどきよそで会いながら待っていたんでしょうな」

「そうすると、二人はやはり車を断崖から海に飛びこませての心中ですか？」

「解剖所見には、二人とも微少ながら生活反応を認むとあります。つまり生存中に海にとびこんだのですな」

修三にとってその日の夕刊ぐらい待ち遠しいことはなかった。配達されるのがもどかしく、四時半ごろに神田駅のスタンド売場で四種類の新聞を買った。その時刻のスタンド売り夕刊は家庭配達のと同じ版が出ている。

家に戻るまでもなく、そのへんのアイスクリーム店にとびこんで新聞をひろげた。

西伊豆海岸の海底に沈んでいた車の続報は、どの新聞も三段の扱いだった。《男の身もと判明》という見出しがつかなかったら、一段のベタ記事になったかもしれない。続報というのはよほど珍しい新事実が出ないかぎり、新聞社も冷淡である。

だから四つの夕刊とも記事は簡単だった。

《五日、西伊豆・雲見海岸で海底から引き揚げられた車に尾形恒子さんと同乗して溺死《できし》していた男性は、東京都港区芝町二〇五広告代理店日栄社社員小高満夫さん（32）と判明した。小高さんは去る四月末いらい勤め先を欠勤して消息が知れなくなっていたもので、家族が本紙五日づけ夕刊を見て下田署に出頭し遺体の確認となったもの。

尾形さんと小高さんの遺体解剖は下田市の海南病院で六日午前十一時ごろに終った。二つの遺体とも死後約三カ月以上経って腐乱がはなはだしく、また各部分を海中の小魚につつかれていた。解剖所見の主な点は左の通り。
①生前の外的暴力によるあとはない。②頸部《けいぶ》には索溝《さくこう》が見あたらない。③両人とも腹部に裂傷がある。これは車が崖上から海底に転落した際の車内の衝撃によるものと判断される。④肺臓と胃には海水があった。⑤側頸部にわずかに出血が認められるが、これ

も転落時のものと判断される。

以上の解剖所見によって尾形さんがマイカーの助手席に小高さんを乗せて運転し現場の二十メートルの崖上から海底に突込んで心中したものと所轄署では見ている。》

四つの新聞夕刊とも記事に大差はなかった。修三は、どの新聞かに独自な記事の一行でもないかと眼をさらしたのだが、それはなかった。

新聞による解剖所見は警察の発表ものだから、どれも同文である。平島が知合いの新聞記者から聞いたのと変りはないが、ただ「車の転落による腹部の裂傷と側頸部の出血」が修三は目新しかった。

尾形恒子は町田市に住む。小高満夫は平塚市に住む。そこから西伊豆だとそう遠くはないが、新聞で読むかぎり、二十メートルもある断崖上から車を海に躍りこませたとは、ずいぶん思い切ったことをしたものである。ハンドルは恒子が握っていたというから彼女の発案かもしれない。そうだとすれば、女のほうが男より決行力がある。

「二十分前に劇団城砦座の古沢先生から電話があったわよ」

店に帰ると久美子がさっそくに言った。

修三は劇団「城砦座」に電話した。

「やあ、小山君か?」

古沢啓助の特徴のある声が出た。朗読では定評のある声である。

「先生。ごぶさたをしております。あの、お電話をいただいたそうですが、留守をして失礼いたしました」

「君、新聞のあの記事、読んだ？」

「西伊豆の海に転落していた車のことでしょう？　もちろん読みました」

「おどろいたな、もう」

「車の中にいた女性が、テレビのモニター会社にアルバイトでつとめている標本世帯のテープ回収員だってこと、ご存知だったんですか？」

「もちろん知っている。新聞の名前だけではわからなかったが、ここに鷗プロの殿村君も来ているしね。殿村君とこのプロダクションの人がそう言ったそうだよ」

平島庄次か羽根村妙子だろうが、たぶん平島にちがいなかった。

「こんなことになるとは知らなかった。ぼくも君に視聴率調査のことを調べてくれと頼んだこともあってね。どうも気持が悪い」

「先生には関係がありませんよ」

「まあ、しかし、どうも気になるよ。君、いまヒマなら、ちょっとこっちに来てくれないか？」

「わかりました。すぐにうかがいます」

修三は神田駅から地下鉄に乗り、青山の神宮前で降りて地上に出ると、タクシーを拾って高樹町へと言った。

近距離なので運転手は返事もせず、仏頂面《ぶっちょうづら》をして、若い者がそんな近いとこなら歩けばいいのに、と前をむいてぶつぶつ言っていた。

タダで乗せてもらっているわけじゃなし、「空車」の掲示を出している以上は営業中だろう、近かろうが遠かろうが客の注文どおりに走るのが当然じゃないか、と、近ごろ横暴な態度の傾向にまたもどった悪質運転手に、いつもなら口喧嘩《くちげんか》をするところだが、今は目的地に急ぐところなので、じっと我慢した。

劇団「城砦座」の入口ドアを開けると、横手にある事務室の女事務員が見つけて立ち上り、修三を広い応接室に通した。

古沢啓助が長い顔の、くぼんだ眼窩《がんか》の底から金ツボ眼《まなこ》を輝かして、

「やあ、早かったね、さあ、こっちへ」

と、さし向いになるテーブルの前のイスを指した。

古沢啓助の横には、肥《ふと》って、まる顔の、ふくよかな表情を浮べた鷗プロダクションの殿村竜一郎が坐っていた。

挨拶《あいさつ》する修三に啓助は、

「そんなことはどうでもいいから、さっそく、あの話に入ろう」

と、せっかちに言った。

「さっき、殿村君からも聞いたんだが、新聞に出ていた尾形恒子さんという女性のほうは、君や、殿村君とこの人がマークしていたTVスタディ社のアルバイト主婦だってね？」

古沢啓助がテーブルの上に両肘《りょうひじ》をつき、指を組み合せてきいた。

殿村竜一郎はその傍《そば》で小さな眼をして煙草《たばこ》を静かに喫《す》っていた。

「そうなんです。モニターによるテレビ視聴率の実態を知るためになん人かのアルバイト主婦の回収員を手わけしてマークしたのですが、尾形恒子さんは、平島さんがまず尾行してその町田市の自宅と名前をつきとめ、あとは羽根村さんとぼくとで近所をごく簡単に調査しました」

修三は言った。

「だいたいのことはその鷗プロの人が殿村君に言っているので、ぼくも殿村君から話を聞いたがね」

古沢啓助は眉《まゆ》の間に皺《しわ》を寄せ、小さく吐息をついた。

「どうも、ぼくも寝ざめが悪いよ。ぼくが妙な疑問とも好奇心ともつかぬものを起して視聴率調査の実態を調べてくれと此処《ここ》の稽古場《けいこば》で君を見かけたもんだから、つい、頼んだ。それには殿村君もいっしょに乗って、自分とこの二人を君に協力させた。そんなことで君らが回収員の主婦たちを追いまわして、それで彼女らをノイローゼにさせ、尾形恒子さんのような今回の不幸な事故につながったんじゃないかね？」

「そんなことは絶対にありませんよ。ぼくらは慎重に行動したので、先方に気づかれることはなかったですから」

修三は、いま古沢啓助が「此処の稽古場で」と言ったので、五カ月前の三月半ばのことを思い出した。

あれは「どん底」の立稽古のときだった。

――ペペルおや、用心、用心。なかなかうめえことを考えついたものだ。亭主は棺《かん》桶《おけ》へ、情夫《いろ》は監獄へ、そして自分だけ……

――ワシリーサ　お前さん、なにも監獄へ行くことはないじゃないか。お前さんが手をくださなくたって、だれか仲間の者にやらせりゃいいじゃないか。よし自分でやったにしても、だれに知られるものかね。

…………

――ワシリーサ　お前は何しに来たの？　わたしの跡を尾《つ》けて来たね？

そのときの若い俳優の言うセリフが全部、こっちの尾行を知らなかったとはいいきれなかった。たとえば佐倉市のE号婦人のばあいは、京成電鉄の高砂の町角に立って、逆にこっちをうかがって見ていたものだ。そのときも、このワシリーサのセリフを思い出したことがある。

お前たちは何しに来たの？　わたしのあとを尾けて来たね？

「そうかね、婦人回収員たちは君らに尾行されているのをほんとうに知らんかったのかねえ？」

古沢啓助は疑わしそうに言った。

「そうきかれると、自信がぐらつきますが、まあ、そういうことはなかったと思います」

修三の声は弱くなった。

「それだ」

啓助は引こんだ眼を光らせた。

「……それが回収員の婦人たちをノイローゼ気味にしているんじゃないかね？　なにしろ、じぶんたちがテープを回収してまわる標本世帯は絶対に一般に知れないように秘密にしろと厳命されているにちがいないからね。それを君らに尾行されては、これは神経衰弱になるよ」

修三の表情が少々弱気になったのを見て、古沢啓助は言った。

「やっぱり先方には気づかれていたんだよ。だから、町田市の尾形恒子さんもその一人だったんだな。君らは専門家ではないから、尾行しているつもりでも先方にはわかっていた。それも毎週の水曜日ごとだからね」

啓助に言われると、修三も、だんだんそうかもしれないという意識になった。

「しかし、先生」

彼は啓助の顔に眼をあげた。

「かりにそうだとしても、いや、尾形恒子さんがぼくらの尾行に神経衰弱となったにしてもです、それで小高という恋人をじぶんの車に乗せて海に飛びこんだ行動とは結びつかないと思いますが」

啓助は顔を横にむけ、舞台でたびたび見るようなポーズになった。

「そりゃア、なんともいえないね。人間、ノイローゼ気味になると、思わぬ行動をするものだからね。死ななくともいいようなことで死んだりする。たとえばさ、その小高君に情死を迫られたら、ふいとその気になったんじゃないかねえ?」

「あのプレイボーイにですか?」

啓助が言うようにプレイボーイが遊び相手の一人である人妻に情死をせまるような深刻な気持になるものだろうか、と修三は思った。

「そりゃ、わからん。プレイボーイにだって、いろいろ人知れぬ煩悶《はんもん》はあろうよ。相手の女性が多すぎて始末に困ったとか、仕事のうえで行詰りを感じたとか……」

啓助はそこまで言って、ふと気がついたように、

「その小高君は日栄社を、尾形恒子さんが消える前から欠勤していたということだったね？」

と、修三に眼をもどした。

「そうです。小高君の欠勤がはじまったのが四月末です。恒子さんよりは十二日早かったのです」

「そうか。すると、これは小高君がその間、尾形恒子さんとは関係なく会社を休んでいたのかもしれないよ」

「どういう意味ですか？」

「仕事上の悩みさ。仕事が行詰ったために会社を休むのは、気の弱いサラリーマンにはよくあるさ」

「プレイボーイは気が弱いものですか？」

「ばかだな。女と遊ぶのと、性格の強い弱いとは関係ないよ。で、仕事が行詰って世の中がイヤになる。それを尾形恒子さんにうちあける。恒子さんが同情する。まあ、普通なら、そういうこともあるまいが、彼女もノイローゼ気味になっているところだ。五月十二日に回収したテープをモニター会社に届けたあと、その車に小高君を乗せ、西伊豆の海岸にドライブにむかい、あの現場の道でふらふらと海に飛びこむ気になったんじゃないかね？」

「その推測には、小高君が仕事に行詰っていたかどうかの確認が必要ですね」

「そりゃそうだ。ええと、小高君は日栄社の仕事でテレビ局をまわっていたというんだが、それはどういう仕事だったのかね？」

啓助は、横の殿村竜一郎にむいた。

それまで黙って二人のやりとりを聞いていた鷗プロの殿村が口から煙草をはずした。

「広告代理店の日栄社の外務社員は、たしかスポンサーごとに担当があったはずだ。だから、毎日のようにその担当しているスポンサー会社のところに顔を出しているはずだ」

「そうか。で、小高君の担当しているスポンサー会社はなんだね？」

「よくは知らんけど」

殿村は茫洋《ぼうよう》とした顔を上にむけて、

「たしか、化粧品会社とかいう話やったなア」

と、ウロおぼえを言った。

「化粧品会社か」

啓助が笑い出した。

「……そりゃ、プレイボーイの小高君にぴったりじゃないか。いや、あまりにそのものすぎる。日栄社もよく考えたものだ」

その笑いのあと、啓助はふいと首をひねった。

「しかし……」

古沢啓助は、じぶんのいった言葉に疑問を感じて、

「しかし、小高君と担当の化粧品会社がぴったりの組合せなら、彼に仕事上の行詰りはなかったようにみえるがなア」

とつぶやいた。

そのあと、ひょいと殿村のほうをむいた。

「殿村君。小高君は何という化粧品会社の担当だったんだろうか。そして、彼の仕事はうまくいってたのかねえ？」

「さあ、ぼくも、あの男の顔は、テレビ局などで、ときどき見かけるだけやで。詳しいことは知らんなア」

殿村は、アダ名の「殿サン」のように、おおらかな顔つきで答えた。

「そりゃ、どこに聞いたら分るかね？」

「やっぱり日栄社やろうな。彼の勤め先やからな」

「君、すまんがその日栄社に電話して、そのへんを聞いてくれんか？　広告代理店なら、君のほうにも心当りの人が居るだろう？」

「ううん」

殿村は思案顔をしていたが、しばらくして、

「それでは、ちょっと聞いてみるかア」

と、のっそりとたち上ると、かなり離れている部屋の隅の電話機のほうへ歩いた。ダイヤルをまわしている幅のひろい背中がこっちから見えた。

「第二部の細川さんにたのんます」

交換台に告げるのにつづいて、電話に出た先方と話す声が修三にも啓助にも聞えた。

「鷗プロの殿村です。ご機嫌さん。ご無沙汰してま。……あの、新聞で読みましたが、こんどは小高君がえらいことで。……やあ、ほんまにおどろきました。……ところで、原因はなんですやろか。……ああさよか。やはり女性とのことで。すると、新聞に出ているとおり、情死という線ですやろか。……ははあ」

殿村は、ここで、ひと息吸った。

「ところで、つかぬことを聞きますけど、小高君が担当していたスポンサーは、たしか化粧品会社でしたな？……はあはあ。それはなんちゅう化粧品会社ですか。え？ミューゼ化粧品会社？ああさよか。なるほど、なるほど。……で、小高君は仕事のほうはええぐあいにいってたんでっしゃろか？いえね、こないなことになったのんは、もしかすると、小高君が仕事に行詰りを感じたのやないか、という推測もおこりますのんでね、えらい立ち入ったことをうかごうて、すみまへん」

関西弁はやわらかだから、先方も、つい、その問いに答えてくれたらしかった。殿村は、礼をいって受話器を置くと、のんきそうに二人のいるところへ戻ってきた。

「小高君の仕事は、スムーズにいってたそうや。あの男、仕事も熱心、外交もうまいさかい、スポンサーの化粧品会社でも評判がよかったそうや」

殿村の問合せ結果報告であった。

死体の疑問

朝から真昼の灼熱《しやくねつ》を思わせる太陽が上っている日の午前八時半ごろ、小山修三は東京駅から新幹線の「こだま」に乗った。熱海の駅で伊豆急に乗りかえたのが九時半ごろだった。

熱海までは避暑客、伊豆急の車内では海水浴客が多かった。今井浜では海辺の人群れを見た。下田で降りたのが正午前だった。

修三は、すぐに市内のある公立病院を訪ねた。病院の名は新聞に出ている。受付で、ある週刊誌記者の名刺を出して、先日の車で転落死した男女の解剖のことでおたずねしたいと申し入れた。

週刊誌記者の名刺は、友人から借用したものである。縁故者でもない者が解剖のことを訊《き》くのは、やむを得ないがこの方法しかなかった。友人には、勤め先にも当人にも絶対に迷惑をかけないことを約束した。だから修三は訪問先の病院では名刺の主の「白水義郎」を名乗らねばならなかった。後日、病院からその週刊誌の編集部に電話があったときは、友人の白水が責任をもってくれることになっていた。

外科部長室に通された。二人の遺体の解剖医は初老の外科部長であった。赤ら顔の肥《ふと》った人だが、耳の上と口髭《くちひげ》に霜がまじっていた。

修三は、どういう言葉から言い出したものかと実は迷っていた。あまりに切り口上でいうと、先方を緊張させるおそれがある。週刊誌記者の名刺は、とかく相手に警戒心をおこさせる。

「ほほう、あなたは福岡県の方ですか?」

名刺を眺めていた外科部長はたずねた。白水という姓が珍しいし、それが九州に多い姓だと知っていたようである。このような趣味をもっている人はよくある。

「はい。実は父親が博多の生れです」

修三は友人から聞いていたことを答えた。

「そうだと思いましたよ」

医者は的中したので満足そうに微笑した。

「先生のお知合いに同じ姓の方がおられるんですか？」

「いや、そうじゃありませんがね。万葉集に志賀島の白水郎を詠んだ山上憶良《おくら》の歌があるんです。白水郎は海人《あま》のことでしてね。志賀島は福岡市の近くですから、白水さんというあなたの姓で、あてずっぽうに言ってみたのですよ」

「おそれ入りました」

「いやいや、まぐれあたりですよ」

これで初対面のぎこちなさがとれた。外科部長は、くつろいだ表情になって、

「この前、ぼくが行なった男女遺体の解剖のことでこられたそうですが、どういうことをおききになりたいのですか？」

と、先方から訊いてくれた。

「はい。……」

修三はポケットから新聞の切抜きを出した。

「この新聞には、西伊豆の海岸から引き揚げられた男女の遺体の解剖結果がかんたんに出ていますが……」

修三は切抜きに眼を落しながら外科部長に言った。

「はあ。それは概略のまた概略です」

解剖した外科部長は鷹揚《おうよう》にかまえた。

「これでみると、男女とも死後三カ月以上と出ていますが、それは二人の死亡時が同時ということでしょうか？」

「そうです。二つの遺体の腐乱状況からいってそうとしか判断ができません」

「あの、まことに済みませんが、女性のほう、ご承知の尾形恒子さんですが、このひとは五月十二日に東京の自宅を車で出かけて行方不明になっています。その日に西伊豆海岸の現場に行って崖《がけ》の上から飛びこんだとしても、海底には車の引き揚げ時の八月五日まで八十六日間です。死後三カ月以上というのは正確なご鑑定だと思います」

「ありがとう」

解剖医の外科部長は満足そうな微笑を口髭の下にうかべた。

「ところが、男の遺体の小高満夫君のほうは四月末から勤め先を休んでいます。そして、この人は平塚市に自宅があります」

「それは、ぼくも警察の人から聞いています。その小高さんというのが平塚市に住んでいて東京の広告代理店につとめておられたということです。だが、奥さんの話では、二十七日の晩にご主人の小高さんがどこかに泊って家に帰らなかったので、そのまま出社したのだろうと思っていたそうです。それがそれきり消息を絶ったんだそうです」

「え？　二十七日の晩、小高君は家にもどってなかったのですか？」

警察から聞いたという医者のほうが詳しく知っていた。警察では身もとの確認と遺体引取りに来た小高の妻から一応事情を聴取していたのであろう。

「二十七日の晩、小高君はどこに泊っていたというんですか？」

「それが、奥さんにもわからなかったらしいのです。というのは、小高君は女性にモテる人らしくてね。これまでも、よく外泊があったそうです。仕事でおそくなって平塚に帰る電車がなくなったといってはときどきどこかに泊っていたそうですが、それはどうやら浮気のためだったらしいですな。奥さんも、そういう主人にあきらめていたそうです。だから、こんど人妻と車でとび込み情死をしたということもそれほど悲しんではおられませんでしたな。こういう結果になる予感もどこかにあったそうですよ」

外科部長は白衣のポケットから煙草《たばこ》とライターをとり出した。

小高満夫が四月二十七日の晩家に帰って居なかったというのは修三に初耳だった。そうすると、小高の失踪《しっそう》は二十七日夕刻からということになる。日栄社では漠然と四月末から欠勤といっているが、実は二十八日から欠勤だったのだ。

これはどういうことだろうか。二十七日夜から八月五日まで小高満夫は何処《どこ》にいたのか。——

修三は、その思案をふり切って解剖医にきいた。

「小高君が四月二十七日の晩にですね、かりにその晩に死んだとすれば、八月五日の遺体発見時まで百日を経過していますね。尾形恒子さんのばあいは八十五日です。そこに十五日のひらきがあります。二人がいっしょに死亡したのではないとすれば、その十五日の時間差というのは解剖ではわからないものですかね？」

「三カ月以上も経《た》っている遺体だと、内臓の腐乱がひどいので、半月くらいの差はわかりませんよ。そういうのは誤差のなかに入れていいのです」

解剖医は口髭の下の微笑を引込め、ちょっと眉《まゆ》を寄せて言った。が、すぐそのあと、

「どうして小高君が四月二十七日の夜に死んだというのですか？　小高君は尾形恒子さんといっしょに車の中に入って遺体となっていたじゃありませんか？」

と、細い眼をじろりと修三に動かした。

「いえ、それは、ひょっと思いついたまでです。十五日間くらいの死後経過時間差は、三カ月以上経った遺体ではわかりにくいとおっしゃったので」

「それはわかりにくいですよ。そりゃ、どの解剖医がやっても、同じことだと思いますね」

温厚な外科部長も少し語気を強めた。

「いえ、それはけっして先生のご鑑定をお疑いするわけじゃありません。ただ、その、ちょっと小高君の居なくなった四月二十七日夜に彼の死亡を空想してみただけです」

修三はどもって弁解した。

「うむ、君のその想像だと、小高君はそのとき殺害されたことになりますね？」

外科部長は、心外なという表情になった。修三が返事をためらっていると、

「だって、そうなるでしょう？　五月十二日まで確実に生存していた尾形恒子さんといっしょに海底の車のなかに死んでいたんですからね。だれかが四月二十七日の晩に死んだ小高君の死体を隠して、そのあと尾形さんの車の中に入れたということになるじゃありませんか。そうすると小高君の死は殺害しかないですな？」

と、赤ら顔がさらに血の色を増してみえた。

「先生。これも、ぼくの空想から出発していることですから、お腹立ちにならないようにねがいます。小高君と尾形恒子さんとは、まったく溺死《できし》だったのでしょうか？」

「二つの遺体は溺死に間違いありません」

解剖した外科医は、あたかも憤然となりそうな感情をおさえるように再び微笑を唇にのぼせた。

「……白水さん。あなたの空想力には敬意を表しますがね。しかし、科学的な証明を疑うわけにはいかんですよ」

「はあ」

「まあ、ちょっと待ってください」

医者はイスから起って抽出《ひきだ》しが上下にたくさんついている書類棚のほうへ行き、その一つを開けて、うすいファイル綴《とじ》を持ってきた。

「ええと、これが、尾形恒子さんと小高満夫君の死体解剖所見書ですがね。なにしろ遺体は行政解剖が済むとすぐに両家の遺族が引取って火葬にしてますのでね。いまは、この所見記録がただ一つの証拠です」

解剖の外科医は手にもったファイルの表紙のほうを修三にむけて中を開いていた。

解剖には、刑事解剖と行政解剖とがある。刑事解剖はあきらかに犯罪に原因する死体の解剖で、行政解剖は自殺・事故などによる死体の解剖だ、ということぐらいなことは修三も知っていた。

「ええと……」

医者はじぶんの書いた文章の五、六行ぐらいを視線で追ったあと、

「そうだ、他殺というと、刃物による切創とか鈍器による打撲傷あるいは骨の陥没とか、絞殺なら頸部《けいぶ》の索溝とか、扼殺《やくさつ》なら咽喉《のど》の皮膚にくいこんだ両手の指の痕《あと》とか、そういうものがなければならないのに、それは一つも見えませんでしたな」

と言った。

「はあ。しかし、二つの遺体は三カ月以上も経過して、腐乱がひどかったのでしょう? そのうえ、魚が皮膚をくい荒していたそうじゃありませんか?」

修三は解剖医の言葉を聞いたあと遠慮そうにたずねた。

「そう。あのへんの海には石ダイや黒ダイ、それに甲殻類、つまりカニですな、そうい

うものがいて、げんに二つの遺体もそれらがつついていましたよ」

「そういう状態だと、皮膚の切創や骨部の陥没などはわかるとしても、頸部に索溝があっても、すでに判別がつかなくなっている、というようなことはありませんか？」

「そういうことはありません。それは仔細《しさい》によく見ればわかります」

余人は知らず、じぶんにその判別がつかないことは決してない、と解剖医は言いたそうであった。

「それにね」

医者は自信をみせてつづけた。

「……死後に海中に投げ入れられたら、肺にも胃袋にも海水は入らないわけですね。ところが、二つの遺体とも肺と胃に海水が充満していましたよ。つまり海水を飲んでいるのです。その飲んでいる海水にもあの海域にあるのと同じプランクトンが証明されてるんです」

遺体の肺臓と胃に海水が充満していたというのは、外科医の言葉のとおり二人が生存中に溺死したことである。しかも海水にはその海域にあるのと同じプランクトンが証明されたというから、まず間違いはなさそうである。

しかし、四月二十七日夜から行方が分らない小高満夫と、五月十二日の午後には回収テープをＴＶスタディ社に届けて確実に生きていた尾形恒子との間によこたわる十五日の差が、修三にはやはり問題であった。

小高はその十五日間をどこにひそんでいたのか。もし小高がそのあいだに生存していたならば、仕事熱心だったという彼のことだから日栄社に出勤していなければならない。浮気に馴《な》れてた小高のことだ、浮気遊びのために好きな仕事も生活も放棄することはあるまい。小高の性格から考えてそう思うのである。げんに尾形恒子は五月十二日までアルバイトのテープ回収業務にしたがっていたではないか。

にもかかわらず、解剖した外科医は二つの遺体とも溺死の科学的所見を断言している。修三の頭にはもやもやとした混乱が煙のようにひろがった。

そのとき、修三にふと思いつくものがあった。

「二つの遺体とも腹部に裂傷があったそうですね？」

「ありました」

「それは車の転落時に受けた裂傷でしょうか、それとも……」

「それとも？　ははあ、あなたは刃物による切り傷ではないかと疑ってらっしゃるんですね」

外科医はまた微笑した。

「……しかし、そうじゃありませんよ。切り傷か裂傷かは、その開いた傷口を見ればわかります。二十メートルもの断崖を海底に転がり落ちてゆく車の中に人間がいたんですからね。車内の鋭角な部分で腹に裂傷を負うのは当然です。人間の身体《からだ》でいちばん弱いところは腹部ですからね」

「先生。その裂傷で腹に開いた傷口から海水が浸入して肺臓や胃の中に入ったということはありませんか？」

「うむ」

外科医は、ちょっと首をかしげて、

「そりゃ、腹部の裂傷から海水が内臓には入ります。けれど、肺臓の内部や胃の内部には入りませんよ。二つとも袋のようなものですからね」

「その肺や胃はまだ組織がしっかりしていたのでしょうか？」

「………」

「死後三カ月以上も経っている遺体でしょう？　さっきも腐乱がひどかったとおっしゃいましたが、内臓だって腐乱していたんじゃないでしょうか？」

解剖した外科医は、この新しい質問をうけて瞳《ひとみ》に迷いの色をみせた。

「そりゃ、内臓だってひどく腐乱していました」

うなずきかたも小さかった。

「肺も胃もそうでしたか？」

修三の眼のほうはかがやいた。

「そうです」

解剖した医者は次の質問を予期してか、しぶしぶ答えた。

「肺や胃がそのように腐乱していれば、組織も崩れているにちがいありませんから、内臓が海水浸しになっていれば肺や胃の内部も海水が入っていたのじゃないでしょうか？」

「それも考えられますけどね、ぼくの見たかぎりでは肺と胃は生前に海水が浸入したものでしたな」

外科医の言葉にはさきほどまでの勢いが減っていた。とくに、それも考えられますけどね、といった語気には微妙さがあり、修三の見たかぎりでは、語調に自信の動揺が感じられた。

「そうすると、肺と胃袋に入っていた海水は生前の浸入、つまり溺死の状態だったとも考えられるし、死後、車の転落時にうけた腹部の裂傷から入った海水によるものとも考えられないことはない、そういうことですね？」

修三としては、解剖した外科医の面子《メンツ》を立てたつもりであった。

「死後ですって？」

外科医は聞きとがめて眼をむいた。

「……あなたは、あの二人がはじめから遺体となって車の中に入っていたというのですか？」

「仮定です。そういう仮定のもとに考えた場合です」

「すると、殺人ですかね？」

「そういう仮定です」

「では、車の運転は、どうなんですか？」

「殺人事件ならば、犯人が殺した二人を車の運転席と助手席に乗せて、海にむかった断崖の上でエンジンをかけ、アクセルを踏んで転落直前に車から脱出する方法をとったのでしょうね」

「いくら仮定でも」

外科医はぶつぶつ言い、

「……それだったら、どういう手段で殺したというのですか？」

「皮膚は腐乱してはいたが、外傷はなかったといわれましたね。すると、毒殺とか睡眠薬をのませるとかの方法が考えられます。腐乱した胃の中に海水が入るような状態でしたら、毒薬とか睡眠薬の検出はできなかったでしょう？」

「とても、それは、無理です」

「先生、睡眠薬で眠らされていたら、死体には生活反応は出るでしょう？」

「出ます。……あの二個の死体の生活反応は非常に顕著というわけではなかったですがね」

外科医は手の解剖所見に眼を落した。

「生活反応が顕著じゃなかった、というのはどういうことですか？」

修三は解剖医にきいた。

「死後三カ月以上の腐乱死体でも地上での発見状態だと、それくらい経っていても出血などの生活反応はもう少し顕著に見えるのです。しかし、三カ月以上も海水に漬かっていたんですから、生活反応の積極的な所見はどうしても減退します。そういう意味ですよ。しかし、わからないことはありません」

解剖医はハンカチを白衣の下からとり出して額をおさえた。冷房がきいてないようだった。

「かりに、睡眠薬を飲まされて、海中に投げこまれた場合の生活反応はどうですか？」

「睡眠薬を飲まされても、乗っている車の転落によるショックとか、冷たい海中に入ったときの感覚で意識はさめるでしょうな。げんに転落のとき腹部にあれだけの裂傷を負っているんですからね、眼がさめないはずはありません。そうすると溺死までかなりの時間を要するので、車内から脱出しようとあがく。だが、あの遺体にはそうした苦悶《くもん》のあとがありません。睡眠薬をのまされたのちに海に投げこまれたとは考えられませんね」

「でも、車に入ったまま海中で溺死自殺した場合でも、苦悶はするでしょう?」

「覚悟の自殺の場合は、車内から脱出しようとする努力をしないから、あがきの苦悶はありませんね。海底で車から脱出しようとすると、両手に窓ガラスなどによる負傷があるはずです。それはありませんでしたよ」

聞いてみると理屈ではあった。

「絞殺後に海に入れたという場合はどうですか?」

修三は、ちょっと黙ってから言った。

「頸部に索溝がありませんでした。それはさっき言ったとおりです」

「うかがいました。けど、それは皮膚が腐乱して索溝がわからなくなったという可能性もあるわけでしょう?」

「たとえ索溝が消えている場合でも、絞殺だと解剖すればわかります」

「ほう。それはどういうことですか?」

「舌骨や甲状軟骨に骨折がみられるんです。咽喉を外力で強く絞めるから、この部分の……」

と、解剖した外科医は、じぶんの太い頸《くび》の横に手をあてた。

「軟骨が折れるのです。甲状軟骨というのは、俗に言う咽喉ボトケですね」

「ははあ。で、その二つの遺体にはその部分の骨折はなかったのですか？」

「ありませんでしたな」

「そんなに腐乱している遺体でも、それはわかるもんですかね？」

「わりあいに、わかるものです。けど、それは見えませんでした」

絞殺による舌骨・甲状軟骨の骨折は見えなかった、と解剖医は言明した。

あとは、毒薬を飲まされて死亡したということになるが、これは胃が腐敗しているうえに海水浸しになっているので、証明は不可能である。

睡眠薬を飲まされたあとで海中に車ごと投げこまれたとすると、当人たちはショックで意識がさめるが、車内から脱出しようともがいたあとがない。刃物による切創も、鈍器による骨の陥没もなく、扼殺や絞殺の痕跡《こんせき》もない。

となると、やはり車による飛び込み自殺ということになる。

修三は質問に詰った。が、それでもあきらめられなかった。小高満夫の行方不明と尾形恒子の失踪《しっそう》との間に横たわる十五日間の差がまだ心にひっかかってならなかった。三百六十時間ぐらいの差は、三カ月以上も海中で経過し腐乱している死体では正確に判別がつかず、そういうのは誤差の中に入れていると解剖医は言うのである。

「新聞によると、小高君は上衣もズボンも脱いで、下着だけになっていたそうですが、これは、やはり警察の発表どおり海流に持って行かれたのでしょうか？」

修三は質問の方向を変えてきいた。

「正確に言うと、小高氏はワイシャツとズボンの下にはいていたステテコだけだったのです。警察では、小高氏が暑いので上衣とズボンとを脱いで車内に置いていたのが海流に流されたとみているようです」

外科部長は質問が変ったせいか、少しくつろいだ顔になっていた。

「あの、情死をする者が、暑いからといって、上衣はともかくとして、ズボンまで脱ぐものでしょうか？」

「そこです」

外科部長は、大きくうなずいた。

「……新聞には発表してないのですが、警察では女の人の無理心中じゃないかと見ています」

「女性から持ちかけた無理心中？」

「そうです。小高君が上衣もズボンも脱いでいるところをみると、涼しいかっこうになって助手席に乗っていた。つまり情死の意志はなかったのに、運転する女性が車をいきなり断崖のふちから海に飛びこませたという推定です」

小高が上衣とズボンとを脱いでいたのをそれで合理的に説明できるとしても、尾形恒子がそんなことをしただろうか。修三には考えられなかった。

な」
「あの辺の海は海底の潮流が速いのです。上衣とズボンは割れたガラス窓から外に流れ出たのです。もし、遺体が車の中でなかったら、これも外洋に流されて行ったでしょうな」

警察の見方を外科部長は紹介したのだが、修二にはそれにも不審があった。

「そうすると、小高君の場合は死ぬつもりはないのに女性に無理に情死の道伴《みちづ》れにされたのですから、彼の死体には車内から脱出しようというあがきがあったはずですね。手に怪我をしているとか。……しかし、さっきの先生の解剖所見では、二つの遺体ともそれがなかったとおっしゃいましたが、それはどういうことですか？」

外科部長は騒がなかった。

「それは女性のほうが男性を車から脱出させまいとして、その身体をしっかりとつかまえていたからですよ」

「………」

「男性は、おそらく女性に腕の上から強く抱きつかれて身動きできないままに溺死《できし》したんでしょうな」

「すると、女性は男に抱きついた姿勢の死体だったのですか？」

「いや、それはほんの何秒かのあいだでしょう。女性も海水で苦しいから窒息する前には男性の身体から手を放しますよ」

「はあ」

修三は黙った。

外科部長はまたハンカチで額をおさえていた。

「そうすると、先生」

修三はまた思いついて問うた。

「……その小高君が身につけていたシャツなどの下着には、彼が転落する車でうけた腹の裂傷による血液は付いていましたか？」

「付いていました。海水でだいぶん洗い流されてはいましたがね、血痕はありましたよ」

「尾形恒子さんのほうはどうですか？」

「女性は濃い赤のブラウスに、白のパンタロンをはいていましたが、その下着にも裂傷による出血は付着していました。これも海水に洗われて色がうすくなっていましたがね。なにしろ三カ月以上も海中につかっていたんですから」

「その血痕はうすれていても、ひろい範囲に付いていましたか？」

「というと？」

「生存中の出血だったらかなり大量でしょう？　生活反応があるということですね。けど、死後の出血だと心臓がとまっているので動脈から血液の噴出がなく、静脈に溜《た》まった血液が傷口から滲《にじ》み出る程度だと聞いたことがありますが」
「出血が現場に残っている地上の遺体と、海水に洗い流されていく海水中の遺体とでは
だいぶん条件がちがいます。それでも生活反応のあるなしはわかりますよ。衣類にはう
すれてはいても、かなりひろく血痕がついていたし、げんに、遺体を解剖するときも、
遺体から相当に血液が出ていました。咽喉《のど》のところにも出血があって、その部分に生活
反応を認めましたよ」
「咽喉に？」
修三は、舌骨と甲状軟骨の骨折の関心にもういちど戻った。
「咽喉の出血というのは、舌骨と甲状軟骨の骨折によるものではないですか？」
修三が訊《き》いたのは、もしその部分の出血が骨折によるものだとすると、絞殺が決定的
になると思ったからである。
「いや。そんなことはありません。出血は死体のぜんたいにわたっていましたから」
解剖医は否定した。
「けど、死体は海中で三カ月以上も経って腐乱していたのでしょう？　それでもまだ出
血があるんですかね？」
「ありますね」
「それは、腐乱の進行で肉体が破壊されるので、それにつれて出血するんじゃないでし

ょうか？」

外科医は即答せずに、ハンカチで首筋をぬぐった。たしかに冷房がきいてなく、部屋が蒸し暑いのは修三も感じていた。

「死体の腐敗で出血することもあります。それは否定できませんが、とにかく腐敗によらない出血もありましたよ」

外科医はじぶんの書いた解剖所見の写しに眼を落しながら答えた。あとの語調が強いのに、なんとなく、空虚が感じられた。取りようによっては、強弁の響きをもっていないではなかった。

「もし、腐敗によらない出血もあったとすると、つまり生活反応がその咽喉部《いんこうぶ》にあったとすると、その出血も舌骨や甲状軟骨の骨折によるものではないでしょうか？」

「ぼくの見たかぎりでは、そんなことはありませんね」

外科医はまた眼を解剖所見におろおろと走らせ、

「そうそう、とくに女性のほうは、舌骨や甲状軟骨の骨折がまったくなかったと明確にここに記録されてあります」

と、その文字を見つけて安心したようにいった。

「それは女性のほうですね？　男性のほうはどうですか？」

「男性も女性といっしょに車の中で溺死しているんですからね、もちろん舌骨にも甲状軟骨にも骨折がないのは当然でしょう?」

外科部長はそのおだやかな顔にはじめて憤懣《ふんまん》の色をあらわにみせた。

「……あなたは、あの二人をなんとかして他殺に持ってゆきたいようですが、それは無理ですよ。週刊誌の興味本位の記事をつくろうとされるのはよくわかりますがね。わたしのみた解剖所見は、そう都合よくゆきません」

「はあ。……どうもありがとうございました。貴重な時間をさいていただいて。これで失礼します」

「いやいや」

外科部長は立ち上った修三の顔を見つめた。

「あなたは、これを他殺の線でおたくの週刊誌に書くんじゃないでしょうね?」

眼はいくらか落ちつかなかった。

「それは書きません。いえ、まだ書けません」

修三は一礼して外に出た。

修三が病院の玄関にくると、外科部長は彼を見送るようにかなり長い廊下をうしろからついてきた。

恐縮した修三が、

「先生、どうも恐れ入ります」

と、むき直って頭をさげた。

外科部長は円満な顔にぼんやりした色をうかべていた。それは何か気がかりな表情でもあった。

「白水さん」

外科部長は、修三が渡した名刺の名前を言った。

「あの事件のことをやはり週刊誌の記事にされるんですか？」

「まだわかりません。先生から解剖所見のお話もあったので、よく考えてみます」

「しかし、週刊誌というのは、たちまち記事にするのでしょう？」

「そうでもありません。確信のないものは書けません」

「確信というと、あなたの言われた想像の線ですか？　情死ではなくて、他殺だったという……？」

「そのつもりで先生のお話をうかがいに来たのですが」

「あなたのほうは、外部で他殺という有力な線をにぎられているのですか？」

外科部長の顔には、自分の解剖結果の判断に自信がゆらいでいるようにみえた。

「そういうものは何もありません」

「ああ、そう」

「それでは失礼します」

「ちょっと待ってください」

外科部長はなおも引きとめた。

「あなたは、他殺でも絞殺の疑いをだいぶん強くいわれましたね？」

「べつに根拠があってのことではありませんが」

「いま、思い出しました。女性の舌骨と甲状軟骨はぼくがていねいに調べたのです。そこに骨折はありませんでしたよ。頸部は魚がつついたのと、腐乱による血液は出ていましたが、それはむろん死後のものです。骨折がないのだから、その出血ではありません」

「男性のほうもそうですか？」

「男性の頸部もそうです。やはり腐乱と魚による死後の出血です」

「男性の舌骨と甲状軟骨の状態も、女性と同様によくおしらべになったわけですね？」

「……女性といっしょに溺死した遺体ですからね。女性のほうをしらべればそれと同じ結果というのはわかりきっています。白水さん。ぼくが警察から依嘱をうけたのは、司法解剖ではなく、行政解剖でしたからね。警察の検屍《けんし》でも二つの遺体は自殺、つまり情死だと判定しているんですよ。疑問はないのです」

疑問はないのです、というのを解剖医はじぶんにいいきかせるように呟《つぶや》いた。

修三は、炎天の中を歩いて駅のほうにむかった。

外科部長が最後に「行政解剖」を強調していたのが印象的だった。行政解剖は、他殺によらないことが明白である死、たとえばあきらかな事故死、過失死、日ごろ医者にかかってない人の急死などの遺体に対し、いちおう死因の確認のためにおこなわれる。このような死もただ単に検屍だけで済ます場合が多い。それだけに行政解剖は、他殺の疑いのある司法解剖にくらべて解剖医も「のんきな気持」になるのではなかろうか。ことに、公立病院の外科部長は専門の解剖医ではない。東京の場合は東大、慶大病院などのほか都立の監察医務院というのがあって、司法解剖・行政解剖を専門におこなっている。

そのようなところだと、まず解剖所見とその判定に間違いはないだろうが、法医学が専門でない普通の外科医がときどき警察の依嘱をうけてする解剖に全面的な信がおけるだろうか。いわば「素人《しろうと》の判定」ともいえるものではなかろうか。

修三がそのことを気にするのは、いつか拾い読みした解剖医としても経験の深い、ある法医学者の著書の中にこういう一節があったのを記憶していたからである。

《わたしの長い解剖医生活でも、いまだに自信がもてないのは死後経過時間の判断である。死後あまり時間の経《た》ってない遺体についてその判断がしやすいのは言うまでもないが、死後一週間以上経過したものになるとよほど慎重に検査しても自信のある死亡時日を言うことができない。

遺体が季節や死亡場所の条件によって死後経過の所見が異なるのはいうまでもない。寒い季節や水中では腐敗の進行がおそく、暑い季節や湿気のある場所だとその進行が普通より速い。また長く水中にあった遺体をひきあげて空気のふれる地上におくと、死体の腐乱は急速に進む。

そのような条件を勘案しても死亡時日の判定はむつかしい。たとえば四月上旬ごろに殺害された遺体が約一カ月後に発見されたとき、その遺体が冬の着物をきていたために、二月か三月ごろの死亡と誤断した解剖医の例もある。その殺害された日にたまたま寒冷前線が通過して、被害者が冬ものをひっぱり出して着ていたのである。

それであるから死後経過のかなり経った遺体に対してはわたしなどもかなりな幅の誤差をとることにしている。これは解剖医が判断の安全を期すためではなく、もし、その判断による死亡時日以外の犯行であったばあい、犯人にアリバイを成立させるおそれがあるからである。

そのことを思うと、わたしなども警察の人に誤差を含めての死亡時日を伝えたあと、あの鑑定でよかったか、間違いはなかったか、といつもその不安におそわれる。》

専門の解剖医で、法医学の大家にしてすら、死後経過時日の経った遺体には死亡時の鑑定に自信がもてないとの告白であった。死亡時日の判断にかなりの誤差を見込んでも、その不安はあるというのである。

そういえば、尾形恒子と小高満夫の遺体を解剖した公立病院の外科部長は、しきりと「誤差」のことを口にしていたのが修三に印象的であった。「誤差」の強調は外科部長の自信のなさの裏返しともとれる。「素人の疑問」としていろいろ質問してゆくうちに、外科部長はかなり動揺していた。「素人の疑問」のほうが直截《ちよくせつ》的で、根本にふれることが多いと修三は思うのだ。

二つの遺体を解剖した外科部長は、修三があまりに「他殺の線」を言うものだから、あなたのほうは外部で他殺という有力な線をにぎっているのか、と不安げに聞いたものだった。

医者のその不安は、この記事を週刊誌に書くのかという質問になった。週刊誌となると、どんなことを書かれるかわからないという危惧《きぐ》が解剖医にあったのだ。もし、明確に他殺の状況証拠が出てくれば、解剖所見が「自殺」でしめくくられているのだから、その矛盾をつかれるのを外科部長はおそれているようであった。しかし、「疑問はないのです」という解剖医の最後の呟きも耳に残る。

修三は、もしかすると外科部長は、名刺の出版社の「白水」にあとから電話するかもしれないと思った。そのときに、こちらの馬脚があらわれても困る。そのさいの手当に、いちおう白水に電話しておく必要があると思った。

駅前に郵便局があったので、修三はそこに入って東京の出版社に電話した。白水は居た。

修三が外科部長との問答をかんたんに話し、部長から電話があったときはよろしくたのむと言った。

白水はひきうけた。

だいぶん面白そうな事件だな、よかったら材料をくれないか、と白水は商売根性をのぞかせた。

そのあと修三は、神田の店に電話した。妹が出た。

「おれに、どこかから電話はなかったかい？」

「あったわ。平島さんからのが一つ」

久美子が言った。

「平島さんはなんと言っていた？」

「兄さんが留守だと言ったら、どこへですかときかれたので、今朝から西伊豆のほうですとお答えしたの。そしたら、そうですか、と言って電話をお切りになったわ」

「もう一つは？」

「羽根村さんからよ」

「羽根村さんはなんと言ってたか？」

「兄さんが西伊豆のほうへ行ったと言ったら、そうですか、いつお帰りですか、と聞かれただけだったの。べつに伝言はなかったわ。……兄さん、がっかりね」

妹は電話で笑った。

西　伊　豆

下田駅前から出る西伊豆海岸まわりのバスもタクシーも海水浴客や避暑の遊覧客などで混み合っていた。

石廊崎、下賀茂、子浦、雲見、岩地、松崎、堂ケ島、宇久須《うぐす》、土肥《とい》、戸田《へた》などといった温泉地や海水浴場をめざして東京や横浜方面の客が押しかけてきている。

このぶんでは雲見温泉に行っても予約なしの客には宿がとれそうになかった。修三は下田駅構内の旅行案内所に聞いたが、係の者は言下に断わった。

「夏場の客は毎年一年前から旅館に予約しているのです。予約もなしに今日泊るというのは無茶ですな。とても無理ですよ。民宿だって同じです。どこもいっぱいですよ」

暑いときなので野宿でもかまわないと思ったが、それでも最後の望みを下田市内のコーヒー連盟の加入店に托《たく》した。この連盟はコーヒー店の店主だけでつくっている親睦《しんぼく》団体で、ときどき会で顔を合わせる下田の店主を修三は思い出したのだった。

商店街のなかにあるその「南国苑」というコーヒーショップを訪ねると、修三よりは三つ四つ年上の店主は、親切に電話で心当りの先をほうぼう問い合せてくれた。

「雲見温泉は旅館も民宿も全部ダメです。雲見から北に約三十キロのところに宇久須という温泉地がありますが、もともと旅館が少ないので満員ですが、民宿だと一軒だけとれるそうです。それでいいですか」

店主は受話器をもったまま修三を見返った。

「けっこうです」

店主はその旨《むね》を向うに返事した。

「いまかけた先は賀茂村役場内の観光協会です。民宿は石田五郎さんという家です。漁師の家らしいですよ」

「どこでも寝るところがありさえすればありがたいです」

「タクシーもよんであげましょう。個人タクシーで知った人がいますから」

なにもかも親切にとりはからってくれた。やはり商売上のつきあいもしておくものだった。

その商売の話を店主としていると三十分ぐらいしてその個人タクシーが来た。五十前後の小肥《こぶと》りの運転手であった。

「いま、子浦までお客さんを送って帰ったばかりです。その留守中に女房に電話をもらったものですから、駅前にならんでいる客を見すててこっちに来ました」

運転手は汗をふきふき言った。

下田から石廊崎へは寄らず、下賀茂温泉から妻良《めら》に出て、そこから有料道路に入った。このへんは漁村が低い海岸地に下りていて、その間を結ぶ道路はかならず峠のある丘陵地帯を走る。道路の海側が断崖《だんがい》絶壁だった。断崖の傍《そば》を行って海が直下に見えることもあれば、離れて海が見えないところもある。

「ここがマーガレット・ラインというのです。この海側の斜面の段々畑にマーガレットをつくっているので、そんなしゃれた名前をつけているんです」

個人タクシーの運転手は有料道路を走りながら客に説明した。

冬の切り花として長く咲きつづけるのでよろこばれるマーガレット（ひな菊）の畑は、道路が断崖の傍だと直下の急斜面に見えた。段々畑でもその各列に草の囲いがあり、それが海からくる強い風除《かざよ》けとなっていた。冬においでになると、純白のお花畑がうつくしいと運転手は修三に言った。

が、いまは台地に茂る木立ちからキャンプのテントがのぞき、道路が海岸に降りた集落では、港の漁船が真白な船体に強い陽を照り返し、岩礁《がんしょう》の切れた砂浜に色とりどりの海水着の人群れがあった。有料道路はマイカーやバスで混んだ。

「まるで都会なみのラッシュですな。この調子じゃ思うように走れません」

運転手はぼやいた。

午後四時の太陽はまだ海の上に高く、光る舗装道路はサングラスをかけても眼にしみた。

「ここからは見えませんが、左のほうが波勝崎《はがちざき》になります。海岸までの山は野猿の群棲《ぐんせい》地《ち》です。海岸線は切り立った断崖で、波勝赤壁などと中国ふうな名前をつけています。断崖を海から見る遊覧船が出ています」

「雲見温泉の近くにも道路が断崖のすぐそばを通っていますか？」

「そういうところは、雲見を過ぎるといくらでもありますよ」

「運転手さん。つい、四日前のことですが、道路から海に落ちた車が海底で見つかってひきあげられたという記事が新聞に出ていましたね。車の中に三カ月以上経《た》った男女の死体が入っていたというのが？」

「ああ、出ていましたな。ぼくもその新聞を下田で読みました。あれは女の人が車を運転して道路から崖下《がけした》にとびこんだ心中だとありましたな」

運転手は半分笑いながらうなずいた。

「その場所はどのあたりですか？」

「あれは、たしかここからだいぶんまだ先のようでしたな」

「雲見温泉は、あとどのくらいですか？」

「このマーガレット・ラインの有料道路が終って、下におりたところが雲見です」

新聞記事には、尾形恒子と小高満夫とが五月十二日以後に、つまり「車による情死」の前に雲見温泉などに宿泊したのではないかと調査したことが載っていた。

「その心中者の車がとびこんだ場所を知りたいんですがね。いや、実は、ぼくはアルバイトにつまらぬ小説を三流雑誌に書いて小遣いかせぎをしているんです。こんどその車の心中をテーマに小説を書こうと思って、その材料集めに来たんですがね」

それなら雲見に知った人間がいるから聞いてあげましょう、と運転手は言った。

タクシーの運転手は雲見の温泉地につくと、せまい路に入りこみ、一軒の旅館の前に車をとめた。その旅館も海水着の客がにぎやかに出入りしていた。

「わかりました」

中年の運転手が旅館から戻ってきて修三に言った。

「その場所は、松崎の先の安良里《あらり》と宇久須の間だということです。道路が崖ぶちのすぐそばを通っています」

「宇久須？　それじゃ、ぼくが今夜泊る民宿の土地ですね？」

「そうです、そうです」

好都合だった。そこで詳しいことが聞けそうだった。

雲見を出ると、また上りの坂道にかかる。その前に道路は海岸からも見え、せり上る断崖の上に白いガードレールが見えかくれしていた。出入りの多い海岸線だった。海のいたるところに小さな島があった。

道路は、しかし、すぐに海岸をはなれ山のあいだを走った。峠の萩谷トンネルというのをくぐると相変らず屈折をくりかえす下り坂となった。

「おや」

修三は道路に立っている彫像に眼をとめた。はじめは白い彫像が一つ見えただけなので気にもとめなかったが、車が進むにつれて一定の間隔をおいて右にも左にもそれがあるので注目しないではいられなかった。女神のようなギリシャ風の彫像もあれば、裸体の女人像もあり、抽象化した少女像もあり、主題も作風も、そして材質も石膏あり砂岩質の石ありで、さまざまだった。見ただけでいろいろな人がこれをつくったことがわかる。

「こういう彫刻を道ばたにならべているので、ここを彫刻ラインと呼んでいます」

運転手は説明した。

「……さっき通ってきたのがマーガレット・ラインですから、それと張り合って、ここは花の無いかわりに彫刻を置いて、そんな名前をつけたんでしょうな。土地の人も、名所づくりにいろいろと工夫するものです」

運転手は彫刻の「自然陳列」を見せるように車の速度を少し落した。が、うしろから車がつづいてくるので、あんまりスピードも落せなかった。

「お気づきですか。大きな彫刻のあいだあいだに、小さな地蔵さんがあるでしょう？」

運転手に言われて修三もはじめて眼についた。あかるい材質の近代的な彫刻と違って、風化して黒ずんだ石の野仏なので、ちょっと眼につかなかったのである。

「うむ、ある、ある。草むらの前に立っている」

「お地蔵さんをご愛嬌《あいきょう》に添えているんですな」

「けど、こんなところに置いて、彫刻でも野仏でも盗まれないかね？　とくに、さきごろまでは野仏ブームだったからね？」

「下は漆喰《しっくい》でかためて定着させているから大丈夫です。それに、いままで盗《と》られたという話を聞きませんね」

「彫刻ライン」は松崎に入る前に終った。

松崎から堂ヶ島までの海岸も断崖で、その上に這《は》う国道はうねうねとまがりくねっていた。灼《や》けた太陽も海面とすれすれの雲のなかに入って、そのあたりは溶鉱炉の炎の照り映えのように輝き、下の波を朱にそめていた。

断崖と岩礁とが黒い茶褐色に昏《く》れなずむ中に、白いガードレールが絶壁の中腹を細くよぎって見えかくれしていた。

堂ヶ島をすぎて安良里のあたりにさしかかると、屈折した国道はいよいよ断崖の上に近づき、海が眼の下に迫っていた。海上はるか向うに富士山が夕靄《ゆうもや》に紫色の影になっていた。岩礁ばかりなので、このあたりにくると海水浴客の姿は見えなかった。

「このへんが黄金崎というのです。入日が黄金色にかがやくところからつけられたんですが、時間的に少しおそかったですね」

運転手が言うとおり陽は雲の中にすっかり落ちこんで空は朱色の光沢を失い、澄明《ちようめい》な蒼《あお》さだけが半分残っていた。

「展望台にお寄りになりますか？」

運転手は左手に突き出たところをさした。ドライブ・インがみえた。

「いや、まっすぐに行きましょう」

右手に曲るとトンネルに入った。

風景は新しいものに変り、ま向いの高い岬から入江がずっと奥の低いところに彎曲《わんきよく》していた。落ちくぼんだ海ぎわに人家の屋根のかたまったのが見え、漁船と人が集まっていた。

「あれが宇久須です。温泉宿はちょっとはなれたところにあります」

崖《がけ》とすれすれの下り勾配《こうばい》の坂道をおりると、宇久須の漁村に入った。運転手は車をとめてタバコ屋に入り、修三が予約をたのんだ石田五郎の家を訊《き》いた。

車は集落内の狭い路《みち》を入った。少ない温泉旅館も離れたところにあるし、ここには旅館らしいものはなにもなかった。そのかわり「民宿」の看板をあげた家がやたらと多く、事実、路地のような路にはムギワラ帽をかぶった子供づれの海水浴客がぞろぞろと歩いていた。

石田五郎の家は路をひとまわりして再び海の近くに出たところにあった。二階と離れが客部屋になっているが、その離れの一部屋をなんとか都合したから狭くても辛抱してくれと出てきた五十すぎの主婦が客馴《な》れした調子で言った。

通されたのは四畳半の一部屋だった。離れじたいが民宿用に改築されたものだけに新しく、設備もなるべく都会ふうに工夫されてあった。隣室も前の母屋《おもや》の二階も海水浴客でいっぱいだった。

たいそう忙しいらしく、修三が晩飯にありついたのは八時ごろであった。窓に星空が見え、その下に潮の香が流れてきていた。

晩飯のおかずは魚ずくめだった。漁船がもちかえった魚や貝類がおもなので、刺身などことにおいしい。

食事をはこんでくれた主婦も、多少とも民宿なれはしているが気さくな性質で、そこに坐《すわ》って修三の給仕をしながら雑談をした。

「四日前に、この西伊豆の海で、崖から落ちて海底に沈んでいた乗用車がひき上げられて、その車内には男と女の人の死体があったというのを新聞で読みましたが、それはどの辺ですか？」

修三は、箸《はし》を動かしながらきいた。

「ああ、それでしたら、ここから少し南に行ったところですよ。安良里との間です」

簡単服の上にエプロンをかけた主婦はすぐに答えた。

「あ、そんなにここから近いところ？」

「そうですよ。ここにおいでになる途中に黄金崎というのがあるのをご存知でしたか？」

「タクシーの運転手が説明してくれました」

「その車が海の中に落ちたのは、そこから一キロばかり安良里のほうに寄ったところです。あのへんは道路が海の断崖ぎわへすれすれに寄ったところですからね。それに曲り角が多いんです」

主婦の言葉に修三は来た道の風景が眼に蘇《よみがえ》った。たしかに車のすぐ窓下に海が深い底から迫っていた。道路の屈折ごとに海を見る視角も変化した。

「あれは、車ごとの飛びこみ心中だったそうですね。女の人が運転していたそうですが、女のほうがいざとなると大胆ですね」

主婦は笑った。

「そうですね。われわれは断崖の上から下を見ただけでもこわくて脚がすくみますがね」

「ですから、車をとびこませたのは、たぶん夜だったにちがいないと警察の人はウチの人に言ったそうです。夜だとまっ暗闇で下が何も見えないからあまり恐ろしくないでしょう。それに車は三カ月以上も前に落ちたのですから、五月の半ばごろですね。そのころだと海水浴客もこないし、夜の道路を走る車も少ないのです」

「なるほどね」

修三はうなずいて、

「警察がそんなことをおたくのご主人に言ったのは、どういうわけですか?」

と、主婦の言葉にその点をたずねた。

「それは、あの車を見つけたのが、ウチに泊っていたお客さんだったからですよ。ウチの人も舟にいっしょに乗って海に出ていたのです」

「ほう」

修三は、新聞記事に海にもぐっていた海水浴客が海底の車を発見した、とあったのを想《おも》い出した。思わぬところに縁があるものである。

「そのお客さんは、そんなことで気持が悪くなったといって、翌朝東京へ帰られました。それで一週間ほど泊る予定だったこの部屋が空いたので、あなたをお入れできたのです」

主婦が食事のあとかたづけをして出ると、すぐに六十近い男が浴衣《ゆかた》がけで入ってきた。この家の石田五郎だった。

「女房の言ったとおりです」

顔も胸も真黒に日焼けした民宿の主人はあぐらをかいて修三に言った。

「……海にもぐっていたそのお客さんが浮び出て舟ばたに手をかけると海底を指さして、車の中で人が死んでいると唇を真青にしていったので、わたしもびっくりしましたよ」

「そうですか。はじめて見つけた人はおどろいたでしょうな」

修三はうちわを動かして言った。部屋の冷房はよくきかなかった。海岸が近くても、風がなく、蒸し暑い晩だった。

「わたしもときどき土左衛門になった仏は見ますが、三カ月以上も経って腐乱したうえに、小魚につつかれたむごたらしい仏を見たのははじめてです。お客さんが食事を済まされたあとなので、こんな話ができるんですが」

「あなたは引きあげられた遺体も見られたのですか?」

「警察の人が、わたしが発見者の一人だということで見せてくれました。それから、引きあげられた乗用車も見ましたよ。白い小型車でしたよ。車体が白かったので、海にもぐった人の眼についたのです」

「ああそういうことだったのですか。で、海に落ちていた現場は、断崖《だんがい》のすぐ下でしたか？」

「すぐ下というわけではありませんが、海岸線の海面下が崖からつづいた岩場になっていますからね。車はそこで横倒しになってとまっていたのですが、そこでも海面下十メートルくらいあります」

「道路からの断崖の高さは？」

「二十五メートルくらいです。ほとんど垂直に近いです。だから、車は途中でひっかかることなく、海の中に転落したのです。車を飛びこませる場所としては、よく選んだものです。下には突き出た岩礁もないのですからね」

「しかし、さっきの奥さんのお話では、車がとびこんだのは夜だったらしいということでした。つまり、まっ暗闇《くらやみ》で、何も見えなかったから、思い切って飛びこんだのだろうとね。しかし、夜だと、その断崖の下の状況が見えないわけで、当人らがそこを選びようもなかったと思われますが」

「ううむ」

石田五郎はちょっと詰った顔になったが、こう言った。

「……それはですな、警察の話だと、その前に昼間に来て、現場の地形をよく見てたんじゃないかといってましたがね」

警察の推定では尾形恒子による車の無理心中となっている。しかし、彼女が事前に現場の地形を調べに来ただろうか、と修三は思った。

修三は次に、転落した海底から引きあげられた車の状況を民宿の主人石田五郎にきいた。

「フロントガラスの上半分が割れて、そこに大穴があいていましたな。死体をとり出して収容したあと、海底の車にロープをまいて崖上のレッカー車で吊《つ》りあげるとき、その穴から車内の海水が滝のように流れ出ましたよ」

主人は、はだけた浴衣から日灼けした胸を見せて言った。

「ほかの窓ガラスはどうでしたか?」

「大きな穴はフロントガラスだけです。後部の窓ガラスも両側の窓ガラスも割れてはいたが、それはヒビ割れの程度でした。前の窓ガラスのワイパーなどは岩角にぶつかってねじ曲っていましたな」

「ほほう。すると、車が断崖を転落するとき、フロントガラスがおもに岩角に突きあたったのですかね?」

「そうでしょう。わたしが考えるに人間二人が運転席と助手席にいたんですから、転落するときも前のほうに重心が倒れかかって、そうなったのじゃないですかね」

「なるほどねえ」

修三は民宿の主人の推察に感心した。が、次に彼の眼の前には真白いガードレールが浮んだ。これは相当に頑丈なものである。

「崖ぎわのガードレールはそこんとこだけ下にへこんで折れ曲っていました。だから、乗っている人はアクセルをいっぱいに踏みつづけて、猛烈なスピードで車を突進させたんですね。それに、そこは道路の角を曲った下り坂ですから、よけいに速度がついたと思いますよ。わたしも小型トラックを運転しますから、それがわかるんです。もちろん、車内で死体になった婦人のほうはアクセルから足をはなしていましたがね」

修三は安良里から黄金崎にくる途中の道路を思い出した。まったく断崖にすれすれであった。しかし、ガードレールにそれらしいあとがあるのは気がつかなかった。

「それはもう修理されていますよ。車が海に飛びこんだとわかってから直ちに工事にとりかかったのです。けど、ガードレールの修理したあとはよくわかりますよ」

「もし、あなたの都合がよかったら、そこを見せていただけませんか？」

主人は修三の顔を見た。好奇心の強いのにおどろいたようである。

「いや、ぼくは実は週刊誌の仕事もしているのです。アルバイトにちょっとした読物を書いています。それでいつも目新しい材料をさがしているのです。婦人が車で無理心中するのもおもしろいですからね」

「じゃ、あしたの朝、わたしの小型トラックで現場にご案内しましょう」

「今からすぐというわけにはゆきませんか？　思い立ったら、早くそこを見たいのです」

民宿の主人石田五郎の小型トラックに乗った修三が、石田の案内する「現場」に立ったのは十時半ごろであった。

黄金崎から安良里に一キロばかり寄った国道上という石田の言葉に間違いはなく、峠のトンネルを南に越えたところは下り勾配ばかりの、屈折の多い、その曲り角に近い一箇所だった。

海も陸も真暗で、海岸線と知れるのは遠い漁村の灯の列であった。黒い沖にも夜釣りの漁火があった。

大きな懐中電灯をもった石田は、浴衣をシャツと半ズボンに着かえていたが、中腰になってその灯をガードレールのあちこちに当てていた。まるい照明のなかに塗料の白さが気味悪いほど浮び上った。

「や、ここです、ここです」

石田が指さしたところを見ると、なるほど、そこはほぼ二メートルにわたってガードレールがほかよりも新しくなっていることがわかった。

そこは道路の曲り角で、崖に接近していた。下り坂の道路からすると、その真正面にあたる。もしハンドルを切らなかったらそこに直進してガードレールに衝突し、車の勢いが強ければそれを折り曲げて飛び出し、崖下《がけした》に転落する可能性は充分だった。

「心中者の乗った車は、猛烈なスピードでこの坂道を走り下りたとみえますな。たぶん、あの角のへんからスピードをかけたのだろうと警察の人も言ってました」

主人はうしろをふりかえって闇をさした。角を曲ってあらわれた道路が暗い中にほの白くにじんでみえたが、その角とこの場所とは目測で二百メートルくらいの距離と思われた。

二百メートルをアクセルいっぱいに踏んで車が駆けおりると、急勾配による加速度もそれに加わってガードレールを突き倒して海に直進することは、まず間違いはない。

修三はそのガードレールから断崖の端までの間隔を見た。主人が照らす懐中電灯に草むらが浮んだが、それは十メートルのところで闇に切れていた。そこが断崖であった。ガードレールを突切った車が、さらに走って崖のふちにかかるのに十メートルの距離はあまりに短かすぎた。車は、あっという間に断崖の下に消えたにちがいない。

「この下の断崖の斜面はどのくらいの急さでしょうかね？」

修三はそばに立っている主人にきいた。

「さあ。それは相当な急斜面ですよ。勢いづいて落ちる車が途中でひっかかるところは何もありません。明日の朝、出直してこられて明るいところで見られたらそれがよく分りますよ」

主人は言った。

宇久須に引返す小型トラックの中で修三は民宿の主人と話を交わした。

「警察では、その車のとびこみ心中をいつごろと見ているのですかね？」

「警察の人の話では、五月十二日の晩ではなかろうかといってました。というのは、心中した奥さんのダンナさんがその日に車で出て行ったきり帰ってこないと申立てていたそうですから。その晩には二人が伊豆の各温泉地に泊った形跡もないので、出先からまっすぐこの西伊豆に車できて、あそこで飛びこんだのだろうといっていました」

主人の石田五郎は運転しながら警察の推定を伝えた。

尾形恒子は五月十二日午後に、回収した標本世帯のテープを新橋のTVスタディ社に届けている。そのあとで車でこの現場に東京方面から来たとすれば、途中のどこかで小高満夫を拾ったことになる。小高は四月二十八日いらい所在をくらましているが、この車の同乗は両人のあいだにだけつづけられていた内密な連絡による打合せということになる。これが警察の見方である。

しかし、尾形恒子が五月十二日の晩に家にも帰らず、伊豆の温泉地にも二人で泊ったあとがないからといって、車の「情死」が十二日の夜だったとは決定できない。十二日以後も両人は「何処《どこ》かに存在していた」かもしれないのである。ただそれが警察にわかってないだけだ。

こうして話しているあいだも、対向車とたびたびすれ違った。マイカーもタクシーもあった。トラックもあった。向うの曲り角からあらわれて来るたびに助手席にいる修三は眩《まぶ》しい光を眼に注ぎこまれた。後続車もあとから来た。

それだけでなく、出入りの多い海岸の道路を走る遠い車も、そのヘッドライトの光の夜光虫のように闇の宙を這《は》っているのが眺められた。時計を見ると十一時であった。

「こんなおそい時間でも、この道路にはかなり車が走っているんですねえ?」

「夏だからですよ。マイカーもタクシーもほとんどが海水浴にきた人たちです。季節をすぎると、昼間の観光客は来ても、夜のこの道はひっそりとしたものです」

「五月ごろはどうですか?」

「五月ごろだと、まだこの道路も夜は静かです」

尾形恒子の小型車があの現場にとびこんだ晩は、この国道にもほかの車はそれほど多く走ってなかったのである。

「お客さん、話はちがいますが、この道路ですがね。昼間通るとなんとも殺風景ですから、ここにも名勝をつくろうと村の者でないない言い合っているんですよ。つまり、彫刻ラインの向うを張って、ここに民芸品の玩具《がんぐ》をならべ、〝民芸ライン〟の名にしようと考えているんです」

主人は笑いながら言い出した。

「〝民芸ライン〟ですって?」

修三は石田五郎の話に相槌《あいづち》をうった。夜、ここまで引張り出してこっちの聞きたい話ばかりさせても悪かった。

「そうです。このごろも民芸ブームがつづいているといいますからな、これはウケるじゃろうと思いますよ」

宿の主人はだいぶん自信がありそうだった。

「それは評判になると思いますな。ぼくも今日、彫刻ラインを通ってきましたが、ああいう西洋ふうの彫刻も悪くはないが、民芸のほうがここを車で通る人々の心をもっととらえると思いますな。……しかし、民芸品を野ざらしにして道ばたにならべていたら、損傷もするだろうし、第一、人に盗《と》られませんか？」

「民芸品の各地郷土玩具といっても、本モノじゃありません。ものによっては実物の十倍ぐらいに拡大した大きさのをプラスチック製にして石の台の上に置き、据えつけたところは漆喰でかためて動かないようにするのです。木製とちがって雨ざらしになっても腐らないし、模造品の大きなやつですから、人に黙って持って行かれることもないと思いますよ」

「ああ、そうですか。それは名案かもしれませんね」

「ただね、そうはいっても、あなたの言われるように多少は盗難に遇《あ》うでしょうな。モノ好きな連中にね。これがやっぱり頭がいたいんです。ほら、彫刻ラインにも西洋ふうな彫像が立っている間に、ところどころ石の地蔵さんや観音さんが立っていたでしょう？」

「ええ、はじめは小さくてわからなかったが、タクシーの運転手さんに注意されて気がつきました。野仏ですね」

「あの野仏は近在から集めたものですが、あれでも今年になって二つ盗まれましたよ。一つは二月ごろで、一つは五月ごろでしたかな。どうせよそから来た心なきマイカー族のしわざでしょうがね。あの村の者がそう話していました」

「やっぱりそうでしたか。ぼくも野仏を見たとき、これはあぶないな、と思いましたよ。野仏はやっぱりブームですからね」

「いままでは、そういう盗難があまりなかったそうです。それも二月のは台石のコンクリートをきちょうめんに剝《は》がしてその石の馬頭観音さまをていねいに持って行ったらしいが、五月のは乱暴でコンクリートをドライバーと金槌《かなづち》とで叩きこわし、その石地蔵さんも下の角の欠けた破片を残して持って行ったそうです。夜の仕事でしょうが、人や車が通りかからないうちにとあわてて台石から離したんですね。石地蔵ですから相当に重いし、そういうドライバーや金槌を持ってくるようでは、はじめから計画的で、とても一人がやったことではなかろうといってますよ」

「不心得な者が居るもんですね」

この会話がそれきりとなったのは、寝静まった宇久須の村に入ったからである。

寝床に横たわったものの修三はしばらく睡れなかった。胸にいろいろな思案が去来した。

尾形恒子が小高満夫を道づれに車の無理心中をするとはとうてい思えなかった。彼はこの線を切り捨てている。

海底の車内にあった二つの死体は三カ月以上経《た》っている。殺害して車に乗せた可能性は充分だ。問題はその殺害場所である。車を崖から海底に転落させたのが第二の犯行とすれば、殺害が第一の犯行である。

つまり、車が沈んでいた海底を発見順序によって第一現場とすれば、未発見の第二現場が何処《どこ》にあるかということだ。東京都内か、それともこの西伊豆にくる途中なのか。とにかく車が第一現場の断崖に近い国道に来たときは、尾形恒子も小高満夫も車内で死体となっていた。だから、車の運転は第三者つまり犯人がおこなったことになる。

この場合、二つの死体は車内の後部座席に横たえられ、上からすっぽりと毛布でもかけられていたと思う。被害者尾形恒子所有の小型車による二個の死体運搬はおそらく夜間であったろう。昼間だと、ほかの車の者に見とがめられないともかぎらない。

現場の国道上に来て犯人は車を停め、ライトを消して死体の積みかえをおこなう。後部座席から尾形恒子の死体は運転席に、小高満夫のそれは助手席に坐らせる。死体だからぐったりとなって前か後かに凭《よ》りかからせる。たとえ死体が床に崩れ落ちてもいい。海底に転落したときはどうせ同じ状態になるのだから。

その作業は深夜だったにちがいない。ほかの車はあまり通りかからなかったろう。たとえ来たとしても、それはかなり遠くからでもわかる。さっき現場に民宿の主人と立ったが、上下線とも車のヘッドライトが地を這ってくるのが見えていた。岬の出入りが多いので、それが遠方からでも望まれる。

これが警戒するほうには何よりの好都合だ。ライトが近づいてきているとみれば車の転落作業を一時中止し、休憩していると見せかけて他の車をやりすごせばよいし、来るライトがまだ遠くだったら、その車が近づくまでの時間を測って作業をおこなえばよい。

では、車の転落作業はどうだったのだろうか。道路の曲り角、下り勾配《こうばい》の上に車を置き、犯人が運転席に入ってアクセルをいっぱいに踏んでスタートさせる。そうして二百メートルさきのガードレールに衝突する直前にその者は車を飛び出す。

死体二個を乗せた車はガードレールを突破して崖上に走り、そのまま断崖を海に転落する。こういうことだったのではあるまいか。

しかし、と修三はこの考えにつまずいた。海底からひきあげた車のドアは、内部から全部ロックしてあった。それは警察が海底からひきあげたときの車を見たこの家の主人石田五郎が語ったことだ。これでは、犯人が車からとび出せないではないか。

修三は床の上で考えつづける。――

車のドアは内側からロックしてあった。それはそうだったにちがいない。が、車の種類によっては、外からドアを閉めても自動的にロックするのもあれば、外から鍵《かぎ》をかけてロックするのもある。いずれも、内側からロックしたのと同じ状態になる。

だから、内側からロックしてあったといっても、外からのロックとの区別はわからない。尾形恒子の小型車は製造会社の年式からみてたしか外から鍵をかける方法だった。

犯人がアクセルを踏んで道路の勾配上から発車させたことは間違いない。しかし運転席を飛び出したあとで外からドアに鍵をかける余裕がはたしてあったろうか。その可能性はないとみてよい。フルスピードで急勾配の道路を駆けおりる車から飛び出すだけでも精いっぱいではないか。

いや、そういえば、もう一つ問題があるぞ、と修三は気づいた。

犯人がアクセルを踏んで外に飛び出したとしても、はたして車は猛スピードで走りつづけるだろうか、という点だ。しかも、車がガードレールを破壊して、さらに崖上に駆けたほどの勢いでである。

アクセルを踏んだときはフルスピードで走り出しても、とび出したあとはアクセルから脚をはずしたのであるから、スピードはとたんに落ちる。たとえ急勾配による加速度があっても、猛烈なスピードにはならない。それだと、ガードレールにつきあたってもそこで停止するのではないか。ガードレールは頑丈にできている。少々の車の勢いくらいでは、それがねじ曲っても、車の突破を防止できるようになっている。

ところがあの車はガードレールをつき破り崖上を突走り、断崖から石を抛《ほう》るように落ちていった。そうするためには、犯人が崖上にさしかかる直前まで全速力を持続すべくアクセルを踏みつづけていなければならない。

はたしてそういう危険なことをその者はしただろうか。しかも、そのあいだにドアに外から鍵をかけるような不可能事までしている。

アクセルの上に重量さえかければよい、と修三は考えているうちに気がついた。アクセルの上に重量さえ与えれば人間が脚で踏むのと同じことになる。車は最後までフルスピードを持続するはずだ。

重量をアクセルに掛けたとすればその重量の実体は何だろうか。

修三は寝たまま思わず眼を大きく開いた。宿の主人が帰りの道で聞かせてくれた話に思いあたったからだ。

「彫刻ライン」の石地蔵が五月ごろに盗まれた、と言っていた。それは前の二月に盗難に遭った野仏とはちがい、ドライバーと金槌とをつかい台石から乱暴にはがして、石地蔵の下の角が欠けて、その破片が残っていたくらいだったという。

そうか。石地蔵がアクセルにかけた重量だったのか。——石地蔵の重量はゆうに五キロ以上はあろう。重石《おもし》がわりに使ったので、乱暴に台石からはがしたはずである。観賞用に盗ったものではなかった。——

彫刻ラインから盗まれた石地蔵が重石となってアクセルを踏みつづけた理由とわかったとき、修三はひとりでに呼吸がはずんできた。

これで秘密の一つは解けたと思った。あとは彫刻ラインの石地蔵が五月の何日ごろに盗まれたかである。十二日の晩だろうか、もっと後だろうか。

その石地蔵盗人は尾形恒子の車を道路上から断崖《だんがい》にむけて発車させた同一人だろうか。あとの答えは簡単に出ると思った。それは車の沈んでいた場所を中心に海底を捜索すればよい。そこには車のフロントガラスを砕いて落ちた彫刻ラインの石地蔵がかならず見つかるはずだ。

これまで、フロントガラスは転落する車が断崖の角や海底の岩礁にぶつかって壊れ、大きな穴をあけ、そこから車内に海水がながれこんだと思っていたが、そうではなかった。アクセルの上に置いた五キロ以上の石地蔵が車の転落によって前に転がり、フロントガラスを破壊したのだ。

そのために車内に残る二つの死体は小魚などにつつかれ、内臓も腐敗するにつれて海水が組織体まで浸入していったのだろう。

石地蔵が海底の転落車付近で発見されさえすれば、車のアクセルにしかけられた工作が証明される。運転は尾形恒子が生存中にしたものではなく、すでに死体となって小高満夫といっしょに運転席に乗せられていたことが明白になる。

しかし——と修三は暗い天井を見つめて思案をつづける。

それでもまだ解けないのは、ドアが外から鍵をかけてロックされてあったことだ。この状態は車の内部からのロックと同じ状態になるので、この民宿の主人石田五郎も引きあげられた車を見て、内部からロックしてあったと言ったくらいだ。おそらく、はじめから情死と見ている警察でもそう考えたのであろう。

石地蔵をアクセルの上に置くと、車は急勾配の道路上からすぐにスタートする。ドアの外から鍵をかける間はない。二百メートルの下り坂道を車がフルスピードで駆け降りて曲り角になる正面のガードレールを突破するまで三十秒とはかかるまい。一瞬の間の疾走である。ドアの鍵を外からどうしてかけるか。

それをするには、石地蔵をアクセルの上に置いてスタートの状態にしたままで車輪が動かぬようにしていなければならぬ。車輪に歯どめをかけて停止の状態にし、そのあいだに外からドアに鍵をかけてロックする。

この方法以外にはない。それだと充分にロックの工作ができる。二つの車輪の歯どめは前に石を嚙《か》ませておく。

解けた、と修三は思い、胸の中で手を拍《う》った。

しかし、と胸のなかでいったんは手をたたいた修三も、もういちど自分の推測を点検してみて、はたと立ちどまった。

石地蔵の重量をアクセルにかけられた車は、フルスピードで駆け出そうとしている。全身をぶるぶると武者震いさせ、下り勾配の道路角にむかって突進しようと激しいエネルギーを発揮しているときだ。車輪の動きをくいとめる石も少々なものでは役にたつまい。

エンジンをかけたままで坂道で停っている車の場合とはちがうのだ。ありあわせの石をひろって両方のタイヤの下に嚙ませるだけですむものではない。

がっちりとした石、石でなくてもよいが、そういうものがかならず使用されたにちがいない。しかし、そういうものが都合よくその現場に落ちていたろうか。

車の転落作業は瞬時を争う。その急場で歯どめ用の石を犯人がさがす。計画的な犯行なのに、そんな不用意なことを犯人がするだろうか。もし、適当なものがそこになかったら、どうなるだろうか。

その答えはかんたんだ。犯人は車にその歯どめ用の物体を積んでやってきたのである。そうして、その物体は用ずみのあと海の中に投げこめばよい。あるいは、別な車に積んで持って帰るかした。

別な車。——

そうだ。犯人はもう一つの車を持ってきているにちがいない。二つの死体を積んだ尾形恒子の小型車と、犯人の車と二台がそこにきていたのだ。現場は寂しい道路上である。漁村までは長い距離である。尾形恒子の車を海底に転落させたあと、車なしには帰れないだろう。

村まで歩けないこともないが、それではかえって人目に立つ。列車も電車もない土地だ。帰るとすればバスかタクシーだが、それは翌朝まで待たねばならない。泊るとすれば北は宇久須か土肥か、南は安良里か堂ヶ島かだが、要心深い犯人が夜おそくそんな温泉宿や民宿にたどりついて泊るといった目に立ちやすいことはすまい。犯行をすませたあと、現場から車ですぐに走り去ったほうが安全である。車だとだれの注意もひかない。

犯人は複数だ。

死体をのせた尾形恒子の車を現場まで運転する役と、その小型車の転落後に現場から逃走用に車を運転してきた人物とがいる。犯人は、すくなくとも二人である。そうか。犯人は複数だったのか。

そうすると、歯どめの物体をはじめから準備して車に積んできた可能性があるが、それほど用意周到な犯人が、かんじんのアクセルを踏む効果になる物体をどうして持ってこなかったのだろうか。途中の彫刻ラインから石地蔵を剝がしてくるといったような突発的な、不用意なことをどうしてしたのだろうか。

ここに犯人の矛盾がある。――

断崖《だんがい》上にて

朝、十時になるのを待ちかねて修三は民宿の主人石田五郎に東京へ電話したいからと諒解《りょうかい》を求めた。地方の人は長距離電話をきらう傾向があるからだ。

ここはダイヤル式でなく、下田電話局の中継である。修三のかけた先が化粧品会社だった。広告代理店の日栄社から社員小高満夫の担当として聞いた取引先だった。

宿の泊り客は早くも浜辺に行って出はらい、残っている子供たちが海水着の支度に騒いでいた。

化粧品会社が出たので、交換台に広告課をよんでもらった。こちらはおたくの製品の愛用者だと言った。客である。

「あなたの社の新聞や雑誌広告はたいへんよく出来ていますね。いつもスマートなデザインで、ああいうのを見ると思わず貴社の製品を買いたくなりますよ」

「ありがとうございます」

広告課員はもちろん電話口で礼を言った。

「ポスターもけっこうですね」

「ありがとう存じます」

「わたしは、貴社の宣伝物を集めたいと思って、ぼつぼつ蒐集《しゅうしゅう》しているのですが、そのほかにどういうものがありますか？」

「パンフレットを出しております。わたしどもの製品をおいてくださっているデパートとか特約の化粧品店においでになれば置いてあるはずです。本社においでになれば、各種のパンフレットをさしあげます」

「そのほかに、どういうものを？」

「そうですね。化粧品のパンフレットではありませんが、子供漫画本もございます」

「子供の漫画本？」

意外だった。

「はい。わたしどもの化粧品はお若い方だけでなく、ミセスの方もずいぶんご愛用くださいますから。そのためにお子さまにさしあげる漫画本も宣伝用につくっております」

なるほどそう聞いてみると、化粧品の宣伝と子供の漫画本とは縁があった。

このとき、修三は光が通過するのを感じた。

「おたくはテレビのコマーシャルも出しておられますね？」

「はい。そうでございます」

「それにも、いや、テレビのコマーシャルですが、おとなむきの宣伝以外に、子供むきのものも出しておられますか？」

「それはコマーシャルではなく、子供むきの番組でございます。漫画とか子供用の劇映画とか。コマーシャルはなく、その前後にわたしどもの代表的な商品と社名を入れているだけです。一カ月前まではウルトラ・ノンちゃんという漫画が子供たちの人気を集めましたが、いまは怪獣群と科学少年団とが戦う劇映画を出しております。これもなかなか好評でございます」

宣伝課員は自慢げに言った。

修三は、化粧品会社宣伝課員の言う受話器の声が、耳からじかに心臓へ流れこんでくる思いだった。

「もしもし、ちょっとうかがいますがね」

「はい、はい」

修三はひとりでに昂奮《こうふん》してきた。

「あなたのほうの広告、いえ、そのテレビの宣伝のほうは、どこの広告代理店の扱いですか？」

「てまえどもの広告代理店でございますか？」

先方は、ふいに思わぬ質問をうけてとまどった様子だったが、客はここでも王様とさとったか、やはり柔らかい調子で答えた。

「それは、日栄社さんです。新聞雑誌などの広告はほかの代理店でも扱ってもらっていますが、テレビのほうは日栄社さんです」

「ほう、日栄社ですか？」

やっぱり、と修三は胸を抑えて言った。

「日栄社といえば、ぼくの高校の後輩に小高満夫というのがいました。この前、西伊豆のほうで不幸な事故から亡くなったと新聞に出ていたので、びっくりしましたがね」

こんどは先方がちょっと沈黙した。

「もしもし、ぼくは藤沢市に住んでいる田中という者です。うちの家内から妹から、あなたのほうの化粧品の愛用者ですよ」

「まいどありがとうございます」

先方の声は受話器にもどった。

「……実は、その小高さんがわたしのほうの担当でございました。小高さんは、まったくお気の毒なことになりました」

「ほう。小高君がおたくの担当でしたか？」

「はい。とても熱心な方で、日栄社さんよりもわたしの社のほうにおいでになっている時間が多うございました」

広告代理店の外交員は、自社よりも担当のスポンサーのもとに入りびたっているくらいでないといけないのであろう。

「すると、小高君はテレビの子供向き番組にも熱心だったのですね?」

「はい。それはもう。製作プロダクションの企画から首を突っこんでおられましたな。それから、ほかの社がスポンサーになっている子供番組のテレビを毎日のように午前のぶんも午後のぶんもよく見ておられて、比較研究されておられました。それをまた丹念にわたしどもに報告していただきました。おかげでずいぶん参考になりました」

「なに、テレビの子供番組を午前も午後も彼は毎日のように見ていたんですか?」

「はい。だいたい子供番組は毎日六、七本はテレビに放映されております。それを小高さんはほとんど毎日ぜんぶ見たうえでわたしどもに感想や助言を言われるのですから、仕事熱心な方でした。わたしどもは視聴率ばかり気にしますが、小高さんのは画面の比較観察でしたからたいへん有益でした。まったく貴重な方をなくして残念でございます」

広告課員の声は愛惜にみちていた。

電話がすんだあと、修三は部屋にもどって考えこんだ。

——これまで大きな思い違いをしていた。尾形恒子が回収し、TVスタディ社の故長野博太管理課次長が注目し、さらに平島庄次が長野未亡人より借りてきた三巻の測定テープに、朝も夕方も子供番組の記録があるところから、新聞に出た恵子ちゃん誘拐《ゆうかい》事件に結びつけて考えたものだが、これがとんでもない錯誤だった。

事実は、広告代理店日栄社の社員小高満夫が、その仕事熱心から子供番組を見ていたのだ。日と時間によってチャンネルがくるくると変っていたこともはじめてそれで理解できた。小高は、他局の子供番組を参考に見ていたのだ。これまでは恵子ちゃんが誘拐された家で、気まぐれにチャンネルをまわしていたとばかり思いこんでいたのだ。

たしかに小高が化粧品会社の担当だったとは前に日栄社に電話したときに聞いている。が、まさか化粧品会社までが子供番組のスポンサーになっているとは知らなかった。小高が製菓会社や食品会社の担当だったら、もっと早く思いあたったであろう。いまの電話の説明でわかったが、なるほど化粧品会社の宣伝と子供番組とは関係がある。

これで小高と測定テープの子供番組とは結合した。密着といっていいくらいだった。思えば、まわり道をしてきたものである。恵子ちゃん誘拐事件を考えたり、「テレビ批評の神さま」岡林浩に疑問を抱いたりしてきた。その先がいちばん問題外と思っていたプレイボーイ小高満夫の周囲に行きつくとは。——

こうなると、小高満夫の「死の前」の行動がはっきりしてくる。彼は、子供番組をテープに記録した標本世帯の家に入りびたっていたのだ。少なくとも記録に出ている四月十六日から四月二十八日まで、その家に朝夕とも居て、子供番組のテレビを見ていた。

測定テープのうち第一巻は四月十四日の水曜日からだが、十五日までは通常番組、第二巻は全部朝夕が子供番組、第三巻の子供番組は二十八日水曜日のぶんまでである。

これが奇妙なくらい偶然に恵子ちゃんの誘拐期間と一致したので、大きな思い違いとなったのだ。

思い違いといえば、小高が二十九日にテレビの子供番組を見ていないわけだ。四月二十九日は天皇誕生日で休日である。日栄社は休日のため社員の小高も「テレビ番組を見る仕事」も休みにしたのだろう。

だが、それだけでは謎《なぞ》が解けたとはまだいえなかった。——

四月二十九日は天皇誕生日の休日だからといって、小高がテレビの子供番組を見る仕事を休んだとはかぎらない。測定テープの記録は、二十八日夕の子供番組を最後に、十五日以来十四日目に普通番組に戻って、朝夕のNHKニュースにもチャンネルがまわされている。

だから、その二十八日の夕方以降に小高満夫の身に何かが起ったのだ。

これで、尾形恒子と小高満夫がなんの関係もなかったことがいよいよはっきりしてきた。なぜなら、尾形恒子の家は標本世帯ではないからだ。

小高が謀殺される原因は、やはり三巻の測定テープを出した標本世帯の家にあった。小高はその家に十三日間「子供番組を見に」行っていたのではなく、その標本世帯の家に「遊び」に行っているときに、もちまえの仕事熱心から子供番組を見ていたのだ。

問題は、その標本世帯の家がどこかということだ。これは平島が長野未亡人からテープを借りたときに、故長野次長によってテープに付いていたはずのサンプル家庭の姓名も番号も消してあったので、いまとなってはテープだけではわかりようがない。調査のためにテープをTVスタディ社から自宅にもち帰った長野も、要心のためにその委託《いたく》先の名は抹消《まっしょう》していたにちがいない。

小高満夫がそのサンプル家庭に「遊び」に行っていた理由は、彼の日ごろの性癖を考え合せて、見当がつくように思われた。焦点がしだいにはっきりと映ってくる思いだった。

宿泊客のほとんどが海辺に行って、家の中は空洞のように静かだったが、そのとき廊下を踏む足音がきた。

「小山さん、お電話ですよ」

ベニア製のドア越しに主婦が言った。

「はあ?」

だれからだろう。この民宿に居るとはだれも知っていない。瞬間、この民宿を世話してくれた下田のコーヒー店主が居心地を問合せに電話してきたのかと思った。

「羽根村さんとおっしゃる方からです」

「えっ」

修三はびっくりして立ち上った。

まさか羽根村妙子がこんなところに電話してくるとは思わなかった。だいいちこの民宿に居ることは、妹にも告げていない。妙子が店にいる妹から聞きうるはずもなかった。

電話機のある居間まで修三は廊下を大股《おおまた》で急ぎながら、ここの居場所がどうして彼女にわかったかということや、一つはまた何か新しい事実が知れたのかもしれない、という思いが交錯した。

修三は、この家の居間に入り、はずされている受話器をとった。もしもし、というのにも息が弾んだ。

「こんにちワ。羽根村です」

妙子の声はしのびやかに笑っていた。

「やあ。こんにちワ。……羽根村さん。ぼくがここに居るのがどうしてわかったんですか?」

それがまっさきに気になった。

「だいたいの見当をつけたんです。妹さんに電話できいたら旅行だということでしたから。やっぱり例の現場を見にいらしたんだなと思ったんです」

「そうですか。それはあたったわけだが、ぼくがこの石田さんという家に居るということまでどうしてわかったんですか?」

「それも調べてもらいました」

「だれに?」

「あの現場だと、小山さんが泊ってらっしゃるところは限定されますでしょ? そう遠くでは不便ですから、それで西伊豆町民宿案内所に、戸田、土肥、宇久須、安良里、堂ヶ島、松崎の民宿組合にかたっぱしから訊《き》いてもらいました。どうせホテルはおとりになれなかったと思いますから」

「へえ。それで、ぼくがこの家にいるとわかったんですか?」

「宇久須の民宿組合が昨夜、石田さんのお宅に電話で聞いてわかったといってこの民宿案内所に連絡してくださいました」

「この? このというのはどこですか?」

「そこの宇久須からは、つい近くです」

「えっ、そうすると、この電話は東京からじゃないんですか?」

「わたくしも西伊豆に昨日から来ているんですよ。いま、浮島温泉の浮島ホテルというのに居ます。わたくしの場合は、さいわいホテルが一部屋取れましたから。浮島というのは、安良里から南で、堂ヶ島の近くです」

「じゃ、ここから近いんですね。おどろいたなア」

修三は実際にびっくりした。

「西伊豆町民宿案内所というのは、この浮島温泉にあるんです。……昨夜、石田さんのお宅に電話したら、お手伝いさんが出られて小山さんは民宿のご主人と車でどこかにお出かけになったと言われました」

「そうなんです」

この民宿の主婦が民宿組合からの問合せのことも妙子からの昨夜の電話のことも言わなかったのは、近所から手伝いにきている女のひとから聞いてなかったとみえる。

「それで、お帰りがおそいと思って、昨夜はもう一度電話するのを遠慮したんです。……小山さん。昨夜のお出かけ先は、あの現場じゃありません？」

「まさに、そのとおりです」

「なにか収穫がありまして？」

「いや、収穫は何もありません。なにしろ真暗闇《くらやみ》でしたからね」

修三は、羽根村妙子の声に答えた。が、彼女の言い方にはじぶんも昨日その現場に立ったという口吻《こうふん》が聞きとれた。

「あなたのほうはどうでしたか？」

修三は問い返した。

「わたくしは昨日の昼間でしたけれど、やはりこれというものはありませんでした。実は、今日もう一度あそこに出直すつもりだったんです。小山さん、時間を打合せて、あの現場の道で落ち合いませんか？　現場はもうおわかりになっているんでしょう？　ガードレールに補修の痕《あと》があるところです」

「それは昨夜もわかりました。いいです。そこで落ち合いましょう。ぼくもこっちに来てうかんだ考えが多少ないでもないですから、それをあなたに話したいですな」

修三は思わぬときに妙子の声を聞き、さらにこれから彼女と会うというので、気持が少々うわついてきた。旅先という新鮮さもそれを手伝った。眼の前にはもう強い太陽のもとに輝く濃紺の海がひろがっていた。

「そお？」

妙子は思わず乗り出したような調子で声を上げた。

「ぜひ、それをうかがいたいわ」

あと四十分後というのが打合せできまった。

民宿の主人は留守だったし、それにまた小型トラックの厄介になるわけにもゆかなかった。沼津から下田行のバスはあと十五分後にくる。

外に出るとふりそそぐ太陽の光が頭の頂天に灼《や》きついてきた。せまい道には旅館や民宿から出た海水着姿の人々がムギワラ帽で歩き、子供たちが裸で走っている。土地の人は手拭《てぬぐ》いの頬かむりで仕事をしていた。修三もバス停横の店でムギワラ帽を買った。

来たバスも客でいっぱいだった。若者どうしも家族連れもあった。車内は窓からの潮風と海の話で充満していた。

バスは国道の勾配《こうばい》を上ってゆく。崖《がけ》の向うに海が大きくなり、人の群れる宇久須の海水浴場が後方の下に沈んで小さくなった。富士山が光の靄《もや》にかすんでいた。バスは方向を右と左にいそがしく変えてた。マイカーやタクシーが追い越してゆく。片側の対向車もつながって走り下りていた。

短いトンネルをくぐって、一つの峠を越した。明るくなると下り坂のバスが徐行した。黄金崎の停留所で降りる客が多かった。展望台のほうへぞろぞろと行く。

修三が降りて、真白に光る国道のほうへ歩き出そうとすると、ドライブインの前に駐車している車の群れから一台の白い車体が脱けて彼の横にすり寄ってきた。

運転席の窓からツバ広の白い帽子に黒眼鏡の女が笑いかけた。羽根村妙子だった。

羽根村妙子は車を降りると修三のために助手席のドアを開けた。

「うしろの座席よりもこっちのほうがお話しやすいと思うんです」

白帽の広いふちの影の中に大きなサングラスが黒々としていて、それには反射による光の筋が動き、顔の下半分は眩《まぶ》しい太陽に真白にさらされて笑っていた。これも白いワンピースの少々大胆に胸の前をえぐったところには金色の細い鎖と外国の古い金貨とがあった。ノースリーブから露《あら》われた腕の肩のあたりにはかすかに汗がにじんでいた。頸《くび》の暗部と胸の白さと、ここにもくっきりと立体的な対照が描かれていた。

修三はこんな健康そうな羽根村妙子を見たことがなかった。すらりとした身体《からだ》に密着したワンピースの短かめの裾《すそ》は海からの風にそよぎ、帽子の下にはみ出た髪毛の先もそうだった。

助手席にかけた修三は、車のうしろをまわってきた妙子がハンドルの前に坐《すわ》ってもすぐには声が出なかった。ガラス窓を閉じた車内には冷房がひんやりと利いていた。修三はムギワラ帽を脱いだ。

妙子は顔を動かして左右と後方を確認すると、ギヤを「ドライブ」に入れて、アクセルをゆっくりと踏んだ。そこには白いサンダルの靴が軽やかに乗っていた。クラッチはなく、オートマチックだった。

「びっくりなさったようですわね？」

ほかの車の列に割りこんで、道路上の南方向へ走り出してから妙子は隣に話しかけた。

「おどろきましたよ」

修三ははじめて言った。

「ごめんなさい。突然電話したりして」

横顔の口もとに微笑があった。かすかに香水が匂《にお》った。

「まさかこっちにあなたが来ていようとは夢にも思わなかったですからね」

「急に思い立ったんです。昨日の朝、この車で六時間もかかって浮島温泉にきたんですの。東名高速も、三島からのこの国道もすごく混んじゃって。このとおり避暑や海水浴場行の車ばかりです」

前にもうしろにも車が一車線の道路にのろのろとつづいていた。こっちは上り勾配だが、反対側は下り坂で、それにあまり混んでなく、対向車がうらやましいくらいに速く流れていた。もっとも屈折の多い道なので、そう飛ばしもできないようだった。

「そこの先にあるあの現場を見たのが昨日の二時ごろでした。ホテルにもどって小山さんに電話したところ、妹さんが出られて朝から遠方に行かれたというお話でしたでしょ。やっぱり小山さんもわたしと同じようにこっちへ来られたんだなと思いましたわ。そう思ったら、ぜひお会いしたくて」

右側の草の間に海がのぞき、上に強い光の粒子を撒《ま》く空がひろがっていた。曲り角にきて修三は腰を浮かし、海側のガードレールを指した。昨夜、暗い中での見おぼえのものだった。

ハンドルを動かしながら羽根村妙子もうなずいたが運転はそのまままつづいた。道はやはり上り勾配である。正面にもう一つ角があった。フロントガラスから目測して、いま過ぎた角からの距離二百メートルがたしかめられた。明るい陽の下である。対向車が駆け下りていた。妙子に説明する余裕はなかった。車はすぐにその上り勾配を登って角を曲った。それから速度を落したのは右側に待避所を見つけたからである。

車を入れて停めると、

「途中でとめられなかったので、ここからあそこまで歩いて引返しましょう」

と彼女は言った。修三は先に降りて立った。

羽根村妙子はつづいて降りて外からドアに鍵《かぎ》をかけている。女らしい入念なキイの回しかただった。

キイをハンドバッグに入れてむきなおったとき修三の視線に気がつき、口をあけてきれいな歯ならびを見せた。

「この車、おぼえてらっしゃる？」

修三がとっさに思い出さないでいると、

「TVスタディ社の前で張りこみ用につかった車ですわ」

と彼女は笑った。

「あ、そうか。……」

「小山さんも平島さんも、この座席に坐ってあのビルの前から出てくる婦人がたをじっと見張ってらしたでしょう？」

「そうでした」

小型車の白い屋根は強い陽に光っていたが、窓からの座席は暗かった。

あのときは、平島も修三も車を持ってなく、妙子の車を利用したものだった。三人でこの車の中で待ったり、喫茶店「若草」の窓からTVスタディ社を見張っていたものである。それだけでなく、彼女はその車でアルバイト婦人の一人を追跡したくらいだった。

「なつかしいですな」

「そうでしょう？」

妙子は思い出したようにくすくすと笑った。

待避所から引返すと、道は車で来たときとは逆で下り勾配になる。次の曲り角までは歩いて五分かかった。

「昨日、あなたはこの現場に来て、何か浮びましたか？」

その五分間の道で二人は会話を交わした。車が走っている横で、せまいため肩をならべては歩けなかった。

「いいえ。とくにありません。あの車が海に飛びこんだときから三カ月以上も経《た》っていて、ガードレールにその修理のあとがあるだけで、ほかに何の痕跡《こんせき》もないんですもの。

……小山さんは？」

「ぼくは、昨夜ここにくる前に、昼間下田に行って二人の遺体を解剖した医者に会いましたよ」

「解剖したお医者さんのお話はどんなふうでしたか？」

羽根村妙子は修三のうしろから歩きながらきいた。

「解剖したのは新聞にも出ていたように下田市の公立病院の外科部長でしたが、直接会って部長の話を聞き、こっちからもいろいろと質問してみたんです」

角を曲ったところで修三は話も足も停めた。そこは道路が下り勾配で、その坂道の下にあたるもう一つの曲り角の白いガードレールが蒼《あお》い海を背負って垣根の一部のように正面に見えた。

「あれですね」

妙子の言葉の調子はこの場所が彼女にとっても二度目であることを伝えた。

いま立っているところは尾形恒子の車をあのガードレールへむけて発車させた位置だ。

修三はそう思って前方を凝視した。

夜とちがい、道路の舗装が眼に痛いくらい上から照りつけるなかだった。正面のガードレールまで二百メートルという昨夜の目測は、この明るさのもとでも変りなかった。勾配の角度は十度くらいであろうか。いま眼の前を流れている車もこの下り坂と曲り角が近いので速度を落している。

修三は黙って歩きだす。妙子にあのことを話すのはまだ早すぎた。説明は順序を追って言う必要があった。

ほとんどきれめなく走る車を避けて二人はたてになって歩いた。ゆっくり会話を交わす状態ではなかった。

うつむき道路を見つめて彼は足を運んだ。車の歯どめにした物が道路の傍《そば》に落ちてはいないかと瞳《ひとみ》を凝らし、どんな小石も見のがさなかった。が、注意をひくようなものは何もなかった。

当然だ。要心ぶかい犯人だったらそれを海に投げ捨てるか、じぶんの車に積んで持ち去るかしたにちがいない。三カ月以上も経っている道路上に何の痕跡が残ろうか。

うしろからついてくる羽根村妙子はそういうことを知らない。のろのろと歩く自分を、横を走りぬける車の危険のせいに彼女は取っているだろうと修三は思った。こっちが黙っているのを、多すぎる車の通行にいらいらしての不機嫌と想像しているかもしれない。

曲り角正面のガードレールに二人は到達したが、破損の修理箇所は、それほど注意しなくともすぐにわかった。ガードレールは幅二メートルぶんがそっくりとり換えられていたのだった。

羽根村妙子はうしろをふり返って勾配上の曲り角を見上げるようにしていた。情死の車がそこからフルスピードで駆けおりてくる様子を想像しているようだった。

修三はガードレールをまたいで向う側の草に立った。

ためらう羽根村妙子に修三は手をかした。彼女はガードレールの上にいったん腰かけ、修三の手につかまった。

とび降りる前、彼女の体重が修三の手に瞬時だが集まった。重味は、海を眺めるようになってからも修三の手に香水の移り香のように長いこと残った。近々と寄ったサングラスの中の瞳と唇とが、離れて草の上に佇《たたず》むようになってからも彼の眼からすぐには消えなかった。思いなしか、彼女はそのときに倒れかかってくる感じであり、握った手にも力が入っているようにとれた。修三はつとめてその錯覚を払いのけた。入道雲が出ている空から烈《はげ》しい太陽の光が降りそそいでいた。

「この場所から崖ぶちまで、どのくらいの距離ですかね？」

修三は言ったが、じぶんの声でないように耳に聞えた。不覚だが、動悸《どうき》がうっていた。

「さあ。あそこに灌木《かんぼく》のブッシュがありますね。この正面から右寄りですけど。あれが崖ぶちの上だと思いますわ。すぐ海が見えますから。そうすると、ここから七、八メートルくらいかしら」

その声は平静だった。修三は、まだやまない胸の小刻みな波動に錯覚の反省を伝達した。汐《しお》の匂いと夏草の匂いとがしていた。

海上からマイクの声が流れてきていた。真白い船体の遊覧船が下に沈んだ海をすべっている。富士山のうすい青い影が沖の上に浮んでいた。

「ねえ、小山さん」

「はあ」

「あそこの曲り角の坂道上から」

羽根村妙子は白い帽子と黒眼鏡の顔をうしろにふりかえらせていた。

「……尾形恒子さんの車はすごいスピードで駆け下りて、ガードレールを突破したんですから、この七、八メートルの草の上を走るのに二秒とかかってないと思いますわ。あっという間にあの灌木のむらがっている断崖のふちから下に転落したんじゃありません?」

妙子は自分の言葉に恐怖するように言った。彼女は尾形恒子の車が海に飛びこんだのを情死だと思いこんでいるらしかった。修三はいますぐそれを訂正する気にはなれなかった。話は、もっと胸が落ちついてからにしたかった。

「実は、昨日、わたくしもここに来て草を調べてみたんです」

「え、ここの草をですか?」

修三は下に眼をむけた。

「そうですの。車はガードレールを突き破ってほとんど直線に崖ぶちに走ったでしょうから、あのガードレールの修理されたところから崖ぶちの直線にあたる草をよく見たんです。でも、車のあとは分りませんでした。夏の草は生命力が強いので、三カ月前に夕イヤで踏まれて切れてもすぐに伸びたとみえ、ほかの草とおんなじなんです」

妙子は昨日の失望を言った。

「昨日、君はそんなことまでしたんですか。じゃ、ガードレールを乗りこえてここに?」

修三が言うと、妙子は少し恥ずかしそうな表情でうなずいた。

「でも、車が崖から落ちたところはわかりました」

「どこですか?」

「この先に灌木のブッシュが見えないでしょう? ほかのところはあるのに。見えないのはそこんとこの灌木が折れているからです。車に轢《ひ》かれて」

「灌木があの車で折れてなくなったのか、はじめから無いのかわからんですな」

「車で折れているんです。三カ月も前ですから、それ、折れ口が古くなってもう黒くなっていますわ」

「え?」

修三が妙子を見ると、彼女はまたてれ臭そうな微笑をして、

「昨日、あの崖の上までこの草の上を這《は》って行ったんです」

と小さな声を出した。

「危険じゃないですか、そんなことをして」

修三は思わず叱《しか》るように言った。

「でも、いちおう現場を見とどけないと気が済みませんもの。この崖下から海までが現場ですから」

「それはそうだが。……そのとき傍に誰かがいて、君の腰に巻きつけたロープでも握っていましたか？」

「わたくし一人でしたわ」

修三は妙子の熱心におどろいた。

「あぶないなア」

彼はいつぞや紀州の大台ヶ原に行って絶壁上から半身を乗り出したときの谷のぞきを思い出した。あのときは、腰を綱で縛り、さらにそれを岩にくくりつけてあまった端を先達の山伏がつかんでくれていた。

「崖下は急に海に直下しているわけでもありません。そりゃ、はじめは眼がくらむような高さですが、斜面の途中は棚のようなスロープにもなっているんです」

「大胆なものですね。で、何か見えましたか？」

「車が転落したときに欠けたらしい岩角がありました。ちょっと風化していますが、ほかよりも色が少し新しいのでそれとわかりました」

「どれ、ぼくも、ちょっとのぞいてみようかな」

「そお？　だったら、わたくしがうしろから小山さんのバンドをつかまえていますわ」

「大丈夫でしょう。君もひとりでのぞいたんだから」

修三はそこから草の上を四つ這いになって膝《ひざ》で進んだ。

妙子が中腰になってうしろからついてきてくれた。なるほど崖ぎわの灌木には折られたあとがあった。

修三は崖ぶちの近くまできて両手で草のひとむれをつかんだ。顔を断崖《だんがい》上の端につき出すと、すぐ下は二十度くらいの傾斜の棚があった。幅は一メートルくらいで、その岩盤の上に短い雑草が生えていた。

が、その下にはそういうものがなく、直下というわけではないが岩が急角度の斜面で、でこぼことなって海へ落ちていた。すぐ下の棚が眼に入らないくらいひろい海が眼下に押しよせて岩礁《がんしょう》に白い波をあげていた。やはり吸いこまれそうな俯瞰《ふかん》にはちがいなかった。

「見えますでしょ？」

うしろから腰をかがめている羽根村妙子が修三に声をかけた。彼の脱いだムギワラ帽子を手に持ってくれていた。

「見えます。けど、すごいなア」

この下の海底に尾形恒子の車が三カ月以上も呑《の》まれていて、いまのように海面の波浪だけが騒いでいたと思うと、やはり身が縮まった。

「斜面の岩角に欠けたあとは見えません？」

妙子がきいた。

「うむ。わかります。たしかにそこんところの色がほかとは違います」

断崖は黒ずんだ茶褐色だが、欠けた岩はいくらか新しい赤い色になっていた。その断崖の岩肌もたくさんな立皺《たてじわ》をつくり、その深く抉《えぐ》りこんだところは影が溜《た》まって黒く、そうでないところは陽に光って、立体的な対照がすさまじい迫力で眼に映った。

ガードレールをつき破った小型車がここを走って崖の急斜面を玩具《おもちゃ》のように反転しながら墜落する姿と、そのあとから石と土とが雪崩《なだれ》うって追ってゆく煙とが、そのときの闇《やみ》を透かして眼に見えるようであった。

が、ようやく気持が落ちついてきた修三は、下の棚に生えた短い草の間や崖の岩肌へ眼を凝らし、その視線も角度を変えて顔を右や左に傾けた。強い太陽の光線を反射する破片は見あたらなかった。

「何をしてらっしゃるの？」

修三が首を両側に回転させるものだから、うしろで妙子がきいた。

「ガラスの破片がひっかかってないかと思って見ているんです。破れたフロントガラスのね。しかし、どうもないようですな。ここでは割れなくて崖を落ちるときに割れてその破片は海に沈んだのかもしれませんね」

修三の頭には車のアクセルに乗せた石地蔵があった。たぶん石地蔵は身体を横にして頭部をアクセルに置かれたであろう。そうしたほうが安定よく、坂道を疾走するあいだにアクセルからはずれるおそれがない。むろん、崖下に落ちるときは石地蔵も転げまわってフロントガラスを砕いたはずである。

「ガラスの破片が途中でひっかかっていたにしても風にさらわれて海に散ったかもしれませんわ。あれから三カ月も経っているんですもの」

かなり強い風が下の海面から吹き上げて修三の髪と髭《ひげ》とをそよがせた。

海辺の誘い

修復されたガードレールを背に、修三と羽根村妙子は海にむかって草の上にならんで立っていた。

「話が途中で切れましたが、解剖された先生のお話はどうでしたの?」

妙子が訊《たず》ねたことから修三は下田の公立病院外科部長に会って聞いたことを語った。

かなり長い話だった。それは修三が解剖所見に持った疑問をめぐって外科部長と彼自身との一問一答まで加えたからである。

妙子は油を浮べたように熱い陽光がぎらぎらと輝く海面を見ながら熱心に耳を傾けていた。

「解剖した外科部長は、肺も胃も海水が入っているから生前の溺死《できし》だというのだが、三カ月も海底で腐乱した死体だから、肺や胃の組織も腐乱しているから、それに海水が入っていることはあり得るとぼくは言ったのです。転落したときに二つの死体とも車内の障害物で腹部を切っていて、そこから海水が入って内臓を浸しているんですからね」

「外科部長さんはそれについてどう言われましたか？」

「死体には生活反応が見られたというんですな。しかし、車内の障害物で腹部を切ったのは三カ月以上も前だし、海の中ですから血液がほとんど流れ出されている。そこに付着している血が生前のものか死後の裂傷による血かよくわからないんじゃないですか、というと、外科部長の返事ははっきりしなかった」

「むつかしいところですわね」

「海中からひき上げて解剖にかかるときも二つの遺体とも出血の滲出《しんしゅつ》が見られたから、それも生活反応だと外科部長は言ったけれど、なにぶん三カ月以上経《た》った腐乱死体ですからね、内臓の組織も皮膚の組織も崩れかけているんだから、そのような遺体を動かせば多少の出血はあると思うんです。外科部長は自分はそうは思わないと主張するんです」

「警察に解剖所見とその結果の鑑定を出された外科部長さんとしては、そういう答えかたになるでしょうね」

「しかも、部長は、ぼくが絞殺という疑いを持っているのを察して、皮膚は腐乱と魚類につつかれたのとで頸部《けいぶ》の索条溝《さくじょうこう》は確認できないとしても、もし絞殺なら舌骨と咽喉部《いんこうぶ》の甲状軟骨とに骨折がなければならないが、解剖では骨折は見られなかったといってやり返してこられました。けど、ぼくは外科部長は解剖する前から警察署員の話で、情死という先入観から、他殺の場合のように遺体をそれほど精密には見なかったと思いますよ。舌骨と甲状軟骨とに骨折はなかったといっても、腐乱のひどい死体ですから、その先入観からとおりいっぺんに見ただけでは分りません。ぼくは舌骨と甲状軟骨にほんとうは骨折があったと思う」

「どうしてですか？」

妙子が不審そうに訊《き》くのに修三は答えた。

「それはね、外科部長がうっかり咽喉部にも出血がみられたと言ったからですよ。もっとも、ご本人はほかの部分の出血といっしょくたにして言ったんですがね。ぼくはその咽喉部の出血こそ唯一《ゆいいつ》の生活反応によるものだと思う」

「ということは、その部分の出血が舌骨と甲状軟骨によるからですか？」

妙子は、怕《こわ》い質問に自分から顔をそむけるようにまだ海のほうを向いていた。

「そうです。ぼくはそう思う」

「部長さんは、それにどういう意見を言われましたか？」

「ぼくがあまりそれを言ったもんだから気になったのでしょうな、帰ろうとするとわざわざうしろから追ってきて、尾形恒子という女性のほうは舌骨にも甲状軟骨にも骨折がなかった、だから小高という男性のほうもない、そう言うのですな。しかし、その言いわけは、よく精密に見なかったということの告白ですよ。というのは外科部長は、自分が警察から依嘱をうけたのは他殺の疑いによる司法解剖ではなかった、行政解剖だった、鑑識係の検屍《けんし》でも自殺つまり情死だという判定だった、だから尾形恒子と小高満夫の遺体は車による海への飛び込み自殺という自分の解剖所見には疑問はない、といって、疑問はないという言葉をまるで自分自身に言い聞かせるように二度つぶやきましたよ」

「そお？」

「ぼくは、それを外科部長の自信喪失とみました。といって、ぼくは部長の失点を非難するつもりはない。死体解剖を専門とする警察監察医でも間違いはありますからね。死後経過時間の推定にはいつもかなりな幅の誤差を含めて言っているのだが、それでも事件が解決して結果がわかるまでは、いつまでも不安だ、という告白を以前になにかの本で読んだことがあります。だから、死体解剖が専門でない病院の外科部長をそれ以上追及する気はないのです」

「よくわかりましたわ」

妙子はうなずいて、海にむいていた顔を修三のほうにふりむけた。白い帽子の下にある濃いサングラスの顔が微笑していた。それは修三が解剖の外科部長に粘ったのを賞讃しているようにみえた。

「それからもう一つ、重要なことを気づいたのです。解剖のことはそれくらいだが、もっと大事なことをね」

「なんですの?」

「平島さんが長野未亡人から借りてきたあの三巻のテープに記録されていた子供番組の秘密がわかりましたよ」

「え、どういうことですか?」

「あれは、小高が標本世帯になっている家に行って、担当しているスポンサーのために彼が子供番組を連日見ていたんです」

修三は髭《ひげ》がふるえるほど、自分の「発見」にきおいこんで言った。

修三は羽根村妙子の反応を見まもった。自分の口から出た言葉に妙子がどんなおどろきを見せるか、どのような感動的な声が返ってくるかと待った。

だが、彼が予期したほどには妙子におどろきがみられなかった。顔色はほとんど動かないといってよかった。

「日栄社の小高さんが広告主のミューゼ化粧品会社の担当だったということは、この前に聞いたことがありますが、そのミューゼ化粧品がテレビの子供番組のスポンサーだったことは最近になって知りました。まさか化粧品会社が子供番組を出しているとはわかりませんでしたから、意外でしたわ。でも、そう聞いてみると、なるほど両方に縁はあると思いました」

「ぼくは、そのミューゼ化粧品に電話して聞いたんだが、やはりそういう感想をもちましたよ。が、大事なことは、小高君がその仕事熱心から見ていた子供番組のテープですよ。その標本世帯の家に彼が朝も夕方ものべつに行っていたという点だ。なぜ、彼はそういうことをしたんだろう？　そして先方の家でも、なぜ彼を毎日迎え入れたのでしょうな？」

妙子は眼をそらしていた。

「毎日といっても、測定テープに子供番組が記録されている期間です。それは四月十六日の夕方の番組からはじまり二十八日の夕方の番組で終っています」

ここで修三は、その期間がちょうど恵子ちゃん誘拐事件のそれにあたっているので、テレビ子供番組をそれと関連させて錯覚していたこと、小高は四月二十八日から消息を絶っているので、テープ記録にある子供番組の終了と符合することなど、考えている点を妙子に話した。

「ぼくもいろいろと迷ったものですが、いまは、ようやく先が見えてきた感じです。小高君がそのテープの家に四月十六日の夕方を皮切りに十三日間通っていたことは、小高君がプレイボーイだったという面から解けると思いますよ。つまり、その標本世帯の家には小高君と仲よくなった女性がいたのです。たぶん、それは家庭の主婦でしょう」

修三は、そう推定する理由を言った。

「TVスタディ社では、標本世帯を選定するときに、独居者は対象にしないと思う。家族のいる家でないと、留守にしたときにだれもテレビを見てくれないからです。それこそ猫の視聴率になってしまう。そういうことから、小高君が仲よくなっていたのはその家の主婦だと思う。……次に、小高君がデパートとか街頭で狙《ねら》う相手は、どうも若い娘さんよりも、二十五、六歳以上の婦人だったという気がするんです。そういうことでも小高君はベテランですな。つまり、いつか君が話していた『言問い』のタイプですよ。……」

羽根村妙子は修三の話を熱心な様子で聞いていた。うしろのガードレールを隔てた道路には車の走る音が相変らずつづいていた。前の海上からはときおり遊覧船が流す拡声器の声が聞えた。

「ぼくはね、小高君の破滅の原因がどこにあるのか、実はまだはっきりと分らないのです。ただ、テレビの子供番組を変則的に記録している標本世帯の家と関係があったことはたしかです。小高君はその家に行って見ていたのですから」

妙子はうなずくともなく白い帽子をかすかに動かした。

「尾形恒子さんの悲劇のほうは、前からぼくらが推測しているとおりでしょう。つまり、あのテープに不審を持った長野氏に言われて彼女は担当の回収家庭を調査に行った。その調査に深入りしすぎて、相手に警戒されたあげくに殺害されたと思うのです」

「では、小高さんを殺害した犯人と尾形さんを殺害した犯人とは同一人ですか?」

ようやく妙子はきいた。

「同じです。ただ、尾形さんのほうがずっとあとでしょうね」

「ああ小高さんが殺されたあと、尾形さんがいろいろと調べだしたので、尾形さんまで殺害したということですね?」

「そうです。どちらも絞殺でしょう。解剖した外科部長は強く否定していたけれど、ぼくが舌骨と甲状軟骨のことをしつこく訊くと外科部長に動揺がみられましたからね。いささか感情的にもなっておられました。あれは部長が解剖の際に骨折を見落していた証拠だと思います」

「そうすると、小高さんが殺害されたのはいつごろですか?」

「小高君の消息が絶えたのが四月二十八日からです。二十九日の天皇誕生日の前日ですね」

「犯行の場所をどこに推定なさってらっしゃるんですか？」

「はっきりとしたことはわからないが、ぼくは標本世帯の家の中と想像しています。たとえば、朝の子供番組を小高君が見ているときに犯人が背後から襲って絞殺したということもね」

「朝？」

「午前中の子供番組は九時ごろまでです。テープにはその時間の番組まで記録されてあります。だから、想像すると、小高君を絞殺したあとも、テレビはつけ放しで、したがって測定器も記録をつづけたと思う」

「子供番組の記録はその期間中、午前中のも午後のもテープにありますね。そうすると小高さんはその家に泊りこみだったんですか？」

「小高君は四月十六日の夜から二十八日までその家に泊りこみ、その家から日栄社に出勤していたのです。夕方はともかく、午前七時からはじまる子供番組をわざわざ見るために自宅からその家へ早朝から行くわけにはいかないでしょう。十二日間、毎日だからね」

修三は羽根村妙子に話しながら、次第に頭の中が整理されてゆくように感じられた。もやもやとして固まっていない思考が人に話をすることによって具体化し、気づかないところまで思いつくのはよくあることだ。実は、小高満夫が標本家庭の家に四月十六日の晩から二十八日まで泊っていて、そこから日栄社に出勤していたというのは、妙子への話の途中、いま思いついたことだった。そう考えなければ時間的に不自然だと気づいたからである。

「犯人は複数だと思います」

修三は、頭の中にあるかたちに言葉につきすすんでいった。

「複数ですか?」

妙子はサングラスの顔を修三にふりむけた。その眼の表情は黒眼鏡にかくれて見えなかった。

「そうとしか考えられません。第一に、小高君は四月二十八日、つまり失踪《しっそう》の直後に殺害されたとかりに推測してみましょう。尾形恒子さんの殺害は五月十二日の水曜日の午後、回収テープをTVスタディ社にとどけたあとです。この間、まる十四日間があいている。ということは十四日間、小高君の殺害死体がどこかに置かれていたことになります」

妙子はうなずいた。

「死体を十四日間隠しておくことはそれほどむつかしくはない。土の中に埋めておけばよいのです。けど、むつかしいのはその死体を土中から掘り出したときです。四月の終りから五月上旬にかけての気候だと死体はもうかなり腐乱がすすんでいる。臭気も相当なものでしょう。それを近所の家にわからないように車に積む、しかもその車には新しく絞殺したばかりの尾形恒子さんの死体を乗せて、この現場まで運転してくるんですから、まず単独の犯人では無理だと思いますよ」

「それが夜の作業だと、どの家も戸を閉めて寝ているし、臭気は分らないんじゃないでしょうか?」

「それも考えられないではない。けど、一人でそれをやるのはたいへんですよ。しかしね、そんなことよりも、決定的なのは、この現場には車が二台来ていることですよ」

「二台?」

「一台はもちろん二つの死体を乗せて犯人が運転してきた車です。あとの一台は犯人の逃走用の車ですよ。死体を積んだ車を海に転落させたあと、ほかの車がなければ犯人は歩いて帰らなければならない。……」

ここで修三はいままで考えていることをつづけて言った。かりに徒歩で近くの町村に行き、そこのホテルや旅館に泊るとしても、あとの警察の聞込みを考慮すれば、やはり車で逃走するのが最も安全だったことを。

「でも、犯人がその晩、野宿したことも考えられますわ」

妙子は静かな声で彼の考えをさえぎった。

「野宿ですか。……なるほど、それもぼくは考えないではなかったですがね」

修三は、妙子の批評に答えた。

「しかし、この複数の犯人にはそういう野宿などという感覚はないと思われる。やはり車ですよ。車の運転に馴れた者です。二個の死体を積んでここまで運転してくるんですからね。車に馴れた者は、車が自分の足だから車で逃げる。そのほうが野宿して、あくる日にバスに乗って帰るよりもはるかに安全ですよ」

「そうですね」

羽根村妙子はそれにには承服したようだった。

「それからね、犯人らは、二個の死体を乗せた尾形さんの車をあの坂道の上からフルスピードでこのガードレールに突込ませるとき……」

修三はふりむいて道路の勾配《こうばい》上を指し、アクセルに重いものを乗せ、ドアを外からロックして鍵《かぎ》をかけた推定を言い、そのアクセルを踏み放しの状態にしたのが彫刻ラインから盗まれた石地蔵であろうと述べた。

「尾形さんの車はクラッチのないオートマチックだったといいますね。だからギヤをドライブに入れてアクセルの上に五キロもある石地蔵を置くと、自動的に加速するようになっている。普通クラッチのあるものだったら、運転する者がギヤを三段階に入れてフルスピードにするけど、オートマチックだとその操作が自動的だから犯人は車内に残る必要はないわけです。……君の小型車もそのオートマチックですね？」

「そうです」

「ぼくは、さっき君が車から降りてドアの外からキイをかけるのを見ていたが、それには一分間ほどかかった。犯人はその前に石地蔵をアクセルの上に置く動作があるから、それを入れると発車の状態にするまで二分間ばかりかかる。逆に言うと、ギヤをドライブにして石地蔵をアクセルの上に置くのも犯人は運転席に坐らせている尾形さんの横からその操作を不自由なうちにしなければならないし、発車してからガードレールを車が突破する前に車から脱出し、しかもドアの外からキイをかけるといった放れ業をしなければならない。車はこの十度ぐらいの下り勾配を加速して進行しているから、とてもそんな神わざのようなことはできない。不可能です。

それを可能にするためには、車の前輪に歯止めの石を嚙《か》ませて作業の完了まで停止の状態にしておくしかない。それだと一分間かかろうが二分間かかろうが、ゆっくりとギヤをドライブに入れ、アクセルの上に石地蔵を横たえ、車の外に出てドアに鍵をかけることができる。その前に、後部座席に寝かせて毛布でもかけておいた尾形さんを抱えあげて運転席に移し、小高君も助手席に坐らせるという作業も時間的に余裕たっぷりとできた。こうしてすべての準備が完成してから、前輪の歯どめになる石を犯人はとりのけて発車させたと思いますよ」

修三の説明にじっと耳を傾けていた妙子は、

「ああそれでさっき歩くとき、小山さんは道路の上を見まわしていらしたんですか？」

と合点がいったようにきいた。

「そうです。……けど、これはと思える石は何もなかったですな。事件から三カ月も経《た》っているので、道路にそんなものが残っているわけはありません。だいいち、犯人はそんな怪しまれるような石はじぶんの車に積んで持って帰ったか、海にでも投げこんだと思いますよ」

「普通に考えて、その歯どめにする物は死体を乗せた車が発車しないための重要物ですから、計画的な犯人なら、はじめから準備してきていると思います。その場になって歯どめになるような石をさがすという不用意なことはしないと思いますわ」

「それはそうです」

「下り坂で全速力に設置してた車を前に走り出さないようにしておくのですから、その歯どめになるものが石だとすれば相当にしっかりしたものでなければなりません。そんなものを現場でさがしているうちに、ほかの車が通りかかってこっちの車を怪しむかもしれません。車を海に転落させるにはなるべく短い時間にしないといけませんから、わたしは歯どめになる物は犯人がはじめから車に積んで持ってきたと考えるのがやはり自然だと思います」

「それはそうです」

「そうすると、アクセルにかける重量に彫刻ラインの石地蔵を盗んで使ったというのは、ちょっと合わない気がしますが」

「………」

「歯どめになる物を前から用意してくるくらいの犯人なら、アクセルに乗せる重量物も用意してきたと思いますわ」

修三は詰った。いわれてみると、たしかにそのとおりであった。

「それにはちがいないけど、計画的な犯人でも心理的な手落ちということはあり得るでしょう。二個の死体を積んで第二現場から出発したのだから心理的にもかなり冷静さを欠いていたと思いますよ。また、車を海に転落させることははじめに考えていたかもしれないが、具体的な方法まではきめていなかった。それが西伊豆にくる途中で思いついたのかもしれません。だから彫刻ラインを通るときにヘッドライトに映し出された石地蔵を見てアクセルの上に置く工夫になったのかもしれない。また、歯どめになる石も、そこで見つけて車に乗せてきたのかもしれません。……とにかく、ぼくのこの推測があたっているかどうかは、この崖下の海に潜水夫を入れて海底を探させると分りますよ。かならず彫刻ラインで盗まれた石地蔵が発見できると思いますね」

自分の立てた推測には多少の矛盾はあるが、すべては海底の証拠が解決する。それが語気に出ていた。

車を置いた場所に二人は歩いてもどった。羽根村妙子がキイで車のドアを開けて運転席に坐り、修三は招かれて助手席にならんでかけた。木蔭《こかげ》のないところに長く置いた車は熱い太陽に焙《あぶ》られて車内は蒸風呂にとびこんだようだった。

「これから宇久須のお宿までお送りしますわ」

妙子はドライブにギヤを入れ、アクセルに軽く右脚を乗せて、車がつづいて走る国道に割り込んだ。

「ありがとう」

荷物が民宿に残っているのは妙子に言ってあった。

「バスで下田に出て東京にお帰りですか、それとも三島に出て新幹線で帰られますか？」

運転しながら妙子はきいた。

「今日ですか？　今日はまだ東京には帰りません。ここで事件のことをよく考えるつもりです」

修三が言うと、サングラスの下にある彼女の眼が思いがけないことを聞いたように一瞬大きくひらいた。助手席からは運転者の横顔がよく分った。

「じゃ、今夜もお泊りですの？」

「そのつもりです。小高君と尾形恒子さんとは日も別々なら場所も別々に絞殺されたあと、いっしょの車に乗せられるまでの順序の推定がまだ充分に煮つまっていませんからね」

およその推測はあったが、細部を詰めないと全体までが不安定だった。

「……ただ、困ったことに、いまの民宿は昨夜一泊かぎりなんです。ぼくは予約なしの飛びこみですからね。昨夜は急にキャンセルした客が出てその部屋に入れて助かったんだが、今夜は別な予約客がくるのでぼくは出ていかなければなりません」

「ほかに泊れる宿の見込みはあるんですか？」

「アテはないです。宇久須に着いたら、ほうぼうの民宿に聞いてまわるつもりですよ」

「いまからだと無理じゃないでしょうか？　どこの旅館も民宿もいっぱいかもしれませんね」

「そうかもしれませんね。だったら、野宿ですな。陽気がいいからキャンプしたつもりで草の上に寝ますよ」

「キャンプでしたらその設備があるけど、用意なしの野宿はいけませんわ。……小山さん」

妙子は、ごくりと唾《つば》を呑《の》みこんだようだった。そして少しぎくしゃくとなった声で、

「わたしの泊っている浮島温泉のホテルにおいでになりませんか？」

と、まっすぐに前方を見つめて言った。ハンドルは始終動かしていた。

「え、君のホテルに？」

「君の泊っている浮島のホテルにそんな空室があるんですか？」

と妙子にきいたが、修三は意外な思いだった。

「空室はないと思います」

角を曲った。とたんに前方に車の渋滞が見えた。左側は海で、下り坂の道路だった。あの車の飛び込み現場にもう一度来たのだが、正面のガードレールは前の車の列にかくれていた。

「空室がなければ、そこへ行っても駄目じゃないですか？」

「わたしの部屋を提供しますわ」

「え？」

妙子の表情は横顔に蔽《おお》いかかる長い髪で分らなかった。ハンドルにかけた手だけが小さく動きつづけていた。

「わたしは、経営者の奥さんの部屋に寝かせてもらうつもりです。奥さんとは昨日から親しくなったので、そう頼んでみます。たいてい大丈夫とは思いますが」

大丈夫でなかったらどうなるのか。――が、修三はそこまでは訊《き》けなかった。という よりも訊かなかった。胸のうちが高鳴った。妙子が髪をひとゆすりして彼にすばやい視線を送ってきたのも動悸《どうき》をたかめた。

「ずいぶん渋滞してるわ。どうしたのかしら?」

妙子はフロントガラスを見つめてつぶやいた。

修三は、それを妙子が照れかくしに言ったのかと思ったが、実際に前方の一列がノロノロ運転になっていた。

「急に詰ってきたようですね。こんなに海水浴客や避暑客が多いとは思わなかった」

「それだけでもないようですわ。前のほうに事故が起ったのかもわかりません」

と妙子は推測した。

そういえば対向車の数も急に少なくなっていた。事故があると上下線とも詰り、その現場をようやく通過した車だけが疾走できる。車を規制した道路と同じ現象だった。

正面のガードレールのところにくるのに十五分以上かかった。さっき二人でこのガードレールを越えて断崖《だんがい》上の草むらに行った場所を修三は再び眼にすることになった。ここからでも海が直下に沈んでいるように見えた。転落車が折った灌木《かんぼく》の茂みが視野に強く入った。

妙子は昨日、一人であの傍まで行って断崖をのぞきこんだと言っていたが、女ひとりで大胆なことをしたものだと修三は彼女の行動力をあらためて感じた。さっき自分がのぞいたときの吸いこまれそうな絶壁とその下にひろがる真白な泡立《あわだ》ちの迫力を思い出した。

角を曲り、見通しがひらけた。道路の百五十メートルくらい先に事故が起っているのがわかった。黄金崎のトンネルに入る手前らしかった。

照りつける太陽でわずかずつしか進まない車の屋根は灼《や》け、冷房もきかなかった。どうにもならないとわかっているだけに神経が苛立《いらだ》ってくる。走れぬ焦燥と車内の暑さとで、修三は汗が流れた。

妙子も汗が額に出たらしく、ハンドバッグを寄せて片手で止め金を開き、中のハンカチを取り出した。それでも車は少しずつ前に動いているので前方につけた視線とハンドルの手だけは油断できなかった。

ハンカチといっしょに光沢のある赤い破片のようなものが一つ出て妙子の膝にこぼれた。彼女は、はっとしたように急いでそれをつまみあげると、ハンドバッグの中にしまいこんだ。

修三の視野の隅に彼女のその動作が入っていた。

何だろう、と思ったが、女性の持ち物には男には分らないものがあるので、露骨に訊くこともできなかった。それに、あわててそれをハンドバッグの中に入れた彼女の様子が、男性には知られたくないような物らしいので、この質問は礼儀としても遠慮しなければならなかった。が、その小さな物体はとっさには見当もつかなかった。

小刻みな運転はつづく。一メートルくらい進んでは二、三分間くらい休止する状態だった。ドライバーたちが窓から首を出して前方の事故の実体を知ろうとしていた。前の車のテイルランプだけが日光の下で冴《さ》えない紅《あか》い光を明滅させていた。長い時間をかけて、とうとう事故車の横に来た。一台の車が道端に寄って坐《すわ》りこんでいた。車内には困り切った様子で中年の婦人と子供二人が乗っていた。運転者の夫は、道路のガードレールのところに立って、救援車がくるのを待っていた。しゃれたシャツとショートパンツの五十男だったが、都会風な服装がよけいにみじめな彼の立場を強調していた。

「お気の毒だわ」

妙子がハンドルを右に大きく切って、停った車の横をすり抜けるときに言った。

なにが気の毒なものか、こんなところに立ち往生してみんなに迷惑をかけて、と修三は、いらいらさせられただけに腹の中で悪態を吐《つ》いた。

振り返ると、後続車の列がその事故車のうしろにまだ延々とつづいて止っていた。

修三の頭に電流のような光が射《さ》したのはこのときだった。転落車のトリックがわかった、と思った。

修三は胸の中に横の汐騒《しおざい》が入ってきたように感じた。

落ちつこう、それでいいのか。いま思いついたばかりの考えを忙しく検討した。

暗いトンネル内の峠を越すと、風景は一変して、土肥に至る截《き》り立った断崖の海岸線が半島のように海にせり出し、入江になって低く引込んだところが宇久須の温泉と漁村であった。

「事故車の横を通りすぎると、ずいぶん楽になりましたわ」

妙子は明るい声で言った。車は少なく、下り坂でもあった。景色も新しいものになっていた。

宇久須の家々が近づいてくる。海水浴場には青や赤の群れが動いていた。

修三は自分の思いついた考えを妙子にはうちあけなかった。急に寡黙《かもく》になったものである。

民宿の石田の家に着いた。

「ここでお待ちしていますわ」

車を停めた妙子は、自分も運転席から降りてきて、

「咽喉《のど》が乾いたので、お水を一ぱい頂きたいわ」

と言った。

「どうぞ」

修三は、出てきた民宿の主婦に水のことを頼んで、自分の部屋に入った。

荷物といってもスーツケースが一つだけであった。それには手をかけなかった。そこ

にうずくまるように坐り、頭を抱えるようにして考えた。

泊り客の子供が廊下を走りまわって騒いでいた。

この民宿の主人が入ってきた。

「いま、水を飲んでおられる女性は、あなたのお伴《つ》れですか？」

「伴れというわけではないが、知っているひとです。そこの黄金崎で偶然に会ったんです」

妙なことをきくと思って修三が答えると、主人の石田五郎は、

「たしか、あの女性は今年の春にも車でこっちに来ておられましたな」

と、呟《つぶや》くように言った。

「えっ？ 今年の春に？」

「松崎からの帰りに見かけましたよ。こっちは昨夜あなたを乗せたボロ車で通ったんですがね。やはり車が海にとびこんだあたりでしたな。あの女性は車を道路のわきに駐《と》めて、ひとりで立っていましたよ。車の中にはだれも乗っていませんでした。いま、この家に入ったあの女性の顔を見て思い出したんです。たしかにあの女性ですよ。今年の四月ごろでしたな」

修三は今夜の浮島温泉泊りを妙子に断わる決心になった。妙子の「誘い」だというのが分ったからである。

錯覚の糸

一日じゅう炎を放出していた太陽が燃え尽きて西の雲の中に落ちてたが、空にはまだ余った光がひろがっていて地上に映えていた。

街に灯が見えるのはまだわずかで、ほとんど昼間の風景を継続させていた。皇居の石垣も濠《ほり》の中の水も明るかった。これと道路をへだてた片側の屋敷町も、それが影絵になるまでにはいささかの時間があった。

車がしきりと通る道路から濠のほうへつき出た千鳥ヶ淵には、芝居の書割を見るようなお城の石垣と土手の斜面の芝草とその上に配置された盆栽のような枝ぶりの松に対《む》かい合ってすわるベンチの男女一組を除いては、人の姿とてなかった。

よそ目にはアベックが夏の黄昏《たそがれ》のなかに肩を寄せて語り合っているように見えるにちがいなかったが、もしその間近を通る者がいれば、髭《ひげ》を伸ばしている男がおそろしく真剣な顔つきをして低い声で話し、髪の長い女は心もちうなだれてそれを聞いているのを目撃したはずである。

両人が置かれた時間的な状況からすると、この夕は西伊豆の場面から二日後であった。

そうしてこの場所と時間の指定も修三が鷗《かもめ》プロに出勤した羽根村妙子に今朝電話で申し入れたものである。

「ぼくはね、彫刻ラインの石地蔵が現場の海底に沈んでいるにちがいないから、潜水夫を入れたらその石地蔵が見つかるだろうと言ったけれど、あの言葉は訂正しますよ」

修三は話のつづきをいっていた。ここに五時半に落ち合って言い出してから四十分は経《た》っていた。

「どうしてですの？」

妙子は修三に顔をそむけ、お城の白い塀《へい》を眺めていた。

「というのはね、アクセルの上に置いた重量は犯人が用意してきた物を使用したという推定がついたからですよ。つまり、あの彫刻ラインの石地蔵は尾形恒子さんの車の転落工作とはまったく関係がなかったのです。民宿の主人から石地蔵が盗まれたと聞いたとき、時日から考えてそれに結んだのがぼくの間違いでした。もっとも、そのことは三日前にあの現場で君も言ったように、計画的な犯人にしては不用意すぎる、犯人はなぜ前もってアクセルの上に置く物や転落車の歯どめになる物を用意してこなかったか、という疑問が起って、それが心の片隅にシコリとなっていましたがね」

「その疑問のシコリが除《と》れたわけですね？」

「疑問はひとまず解けた。それもね、君の車に乗せてもらって宇久須の民宿へ向う途中、事故車による車の渋滞を見たときです」

「あのときは事故車が一車線の道路をふさいでてずいぶん交通が渋滞してました」

妙子は運転していたので、もちろんそれを記憶していた。

「……でも、それがどうして転落車の謎《なぞ》をとくヒントになったんですか？」

「犯人は複数だとぼくは言いましたね。それは犯人のうちのだれかが尾形さんと小高君の死体を乗せた尾形さんの車を第二現場のX地からあの第一現場に運転してきて、それを断崖《だんがい》上から海に転落させたあと、犯人らには帰りの乗物が必要だからということから、もう一台の車を推定したのでしたね」

「そうです」

「転落車の歯どめは、その犯人の車だったんです」

「と、おっしゃると？」

「転落車の前に、その車を置くんです。その車が歯どめだったんです」

「説明してください」

妙子はやはりお城の松と芝草のほうを眺めながら要求した。

「いいですか。転落車はかなりな急勾配《こうばい》の道路の上に置いてある。車はノン・クラッチのオートマチックで、ギヤをドライブに入れてアクセルに重い物を乗せて全速力に設定してある。運転席には尾形さんの死体を乗せているので、犯人はせまい横からそのような操作を不自由のうちに完了し、そのあとで降りてドアを外から鍵《かぎ》をかける。そのような作業をするには最低一分間はかかると思うんですが、その間、フルスピードで発車状態になっている車を抑止するには、少々な石ぐらいでは役に立たない。坂道の上ですからね。そこで、ぼくはその歯どめは犯人が用意してきた物を使い、使用後は自分らの車に積んで持って帰るか海に投げこんだのだろうと思ったが、それだとアクセルに置く重量に、とおりがかりに見た石地蔵を盗んで使うといった思いつきの不用意さと矛盾してくる。……しかし、歯どめとして転落車の前に車を置けば大丈夫です。これだと歯どめじたいが逃走して行く」

「でも、それは下り坂の上でしょう。転落車をフルスピードで発車状態にさせているんですから、前に置いた歯どめの車もあとの車に押されていっしょに坂道下の正面ガードレールにつきあたるでしょう？」

「歯どめにした車がストップの状態なら、そういうこともいえるが、そうではなく、その車は運転者がギヤをバックに入れてアクセルを踏み後退の状態にしておくのですよ。そうしておくと、転落車が全速力で発車の状態になっていても、前の車のバック状態に支えられて発車できないでいます。つまり、後の転落車が前進しようとするのと、前の車がバックしようとするのと二つの車が押しくらべになっているんです」

修三は二つの車の模型がそこにあるかのように両の手をつかって妙子に説明した。

「前の車のバックと後の車の前進とが下り坂の上で押しくらべをして停止状態にあるあいだに、犯人は後の車のドアを外からキイをかけるなどの操作をしたと思います。それが完了すると、前の車は運転者がギヤをバックからドライブにきりかえる。そうして車が前へむかって走り出すと、対向車が通る側に逃げる。そうすると後の車、つまり二個の死体を乗せた小型車は前の歯どめの車が除《の》いたので、フルスピードで坂道下の正面ガードレールにむかって走り降りたんです」

修三は言った。

太陽は落ちても、あたりは空の残照をうつしていた。が、その明りも少しずつ褪《あ》せていた。

「すこし疑問がありますわ」

妙子は、お城の松林から飛び上る鳥の群れを見上げて問うた。

「……そんなことをすると、追突の状態になりませんか？　つまり、うしろの車はフルスピードなのに、前の待避する車はすぐにはスピードが出ませんから、道路の対向車側に待避するまでに追突になると思います」

「それはぼくも考えました。そこで、いま言った作業が完了したあと、転落車の前輪に小石でも嚙《か》ませておけばいい、そうすると前の車が待避したあとでも、うしろの車はちょっとのあいだ発車がはばまれておくれる。が、車はそんな小石くらいすぐに跳ねとばすか乗りこえてしまって下り勾配を直進する。けれども、小石に邪魔された何秒かのおくれの間に前の車は待避ができるから、追突にはならない。おそらく犯人は実際にそうしたと思いますよ」

「わかりました。追突の問題はそれで解決できますね。でも、そうした一連の作業にはどのくらい時間がかかったのでしょうか？」

「いまも言ったように、二つの死体をのせた車を道路の坂上に置き、別の車をその前に近づけて接触させる、犯人の一人はその車をバックの状態にすると同時に、後の車の犯人はフルスピードの発車状態に設置して降りる、ドアにキイをかける、前輪に小石を噛ませる。これらの作業は二分間以内に済むと思います。それ以上に時間がかかると、後の車がエンジン・ストップをおこしますからね。……それは、車に乗りつけている君のほうが詳しいでしょう」

修三は妙子の横顔に眼をむけた。

妙子はうなずいたが、彼が期待したほど反応はあらわれなかった。

「でも、そのあいだに、ほかの車がうしろからくるでしょうし、前の車が対向車線に待避しようとしても、そのときに対向車が走ってきたらどうにもできないじゃありませんか？」

妙子のその質問に答えの用意はあった。夜の現場を民宿の主人と見た強味だった。

修三は言った。

「転落車のトリック作業は深夜だったろうから、他の通行車はそんなには走ってなかったと思います。それにあの国道は出入りの多い海岸線に沿っているので、通行車のヘッドライトは遠くからでもよく見える。だから、その距離による時間を見はからって作業のほうはいくらでも緩急自在にできます。歯どめの役目をした犯人の車が横のほうへ待避しても、もちろん対向車がこないのを見とどけた上だから、絶対に正面衝突をする気づかいはなかったのです」

千鳥ヶ淵からは番町の通りを走る車も、ここを曲った三宅坂・一ツ橋間の高速道路の高所を走る車もよく見えた。それらが灯をつけはじめたのは、あたりの薄暮がようやく濃くなりつつあったからである。妙子は、修三の話を聞きながら眼の前に流れるヘッドライトの列を眺めていた。

「このぼくの推定に何か疑問はありませんか?」

「完全だと思いますわ」

妙子は指で頬にたれる髪をかきあげて眼を修三に移した。その瞳《ひとみ》に感服の色が動いていた。

「ただ、一つ二つおうかがいしてもよいでしょうか?」

「どうぞ」

「小山さんは、車内の石地蔵が転落のさいガラスを壊してそこから海水が車内に入ったといわれましたが、石地蔵の線がなくなると、それはどうなりますか？」

「結果は同じことですよ。アクセルに置いた重量物がガラスを砕くでしょうからね。その重量物が何かは分らないが、やはり石でしょう。あるいはアクセルの上に置く安定を考えて、犯人が用意して持ってきた古いコンクリートのブロック煉瓦《れんが》だったかもしれない。そんなものはかりに海底で発見されても、捨てられた不用物がいっぱい沈んでいる海の中ですから怪しまれることはありません。それに、窓ガラスはそんな物がなくても転落のショックだけで砕けますからね」

「わかりました。次は、転落車と歯どめの車との押しくらべの点ですが、後の車はフルスピードで下り坂を発車状態になっているし、前の車はバックに進行する状態になっている。二つの車の押しくらべはたいへんな馬力だと思いますが、その接合点となっているのは、歯どめの車の後部バンパーと転落車の前部バンパーですね？」

「そうです」

「そうすると両方のバンパーに凹《へこ》みとか傷が残りませんか？」

「大いにあり得ますね。転落車のほうは海底に墜落するときに前部バンパーがそうなったと思われてだれも気にとめないでしょうが、犯人の車の後部バンパーには追突事故のようなひどい凹みや傷はないにしてもちょっとした損傷のあとは残ったでしょうね」

二人の話はバンパーの損傷の問題になっていた。

「バンパーだけでなく、そのものすごい押しくらべによって後の転落車のボンネットの前部が歯どめの車の後部車体に喰いこんで、そこの部分の塗料が付着しませんか？」

妙子は修三に訊《き》いた。

「……転落車の前部に少しでもほかの車の塗料がついていれば、転落車を海底からひきあげて調べたとき、そのトリックが見破られると思います。しかし、引きあげた転落車の前部にはそれがなかったようです。それがあれば、警察が動くはずだが、その様子はないですからね。歯どめ車の塗料がつかなかったというのは転落車がそれへ喰いこまなかったということですから、両方の車のバンパーの高さの位置が同じだったということです。尾形恒子さんの車は小型車です。そのバンパーの位置がぴったり合っていたというのは、歯どめになった犯人の車も小型車だったんですね」

あたりには夕靄《ゆうもや》がこめ、海底のように蒼《あお》かった。一台の白い小型車がそこにあった。まるで海の底に転落した車が光の射しこまない蒼茫《そうぼう》の中に坐っているようだった——羽根村妙子が乗ってきた車であった。

妙子は沈黙している。修三が述べた推理の組立てを心で検討しているようにも見え、また、ある衝撃をうけて言葉を失っているようにも映った。

「犯人の心理には、完全犯罪をなし遂げたという自信と、どこかに思わぬ手落ちがあるのではないかという不安とが、絶えず交錯していると思います。この二つの意識の流れはつづくが、あるときは自信の明るい流れが表面に出てくるし、あるときは不安の暗い流れがそれにかわってぽっかりと浮んでくる。前の場合は犯人も楽天的になるが、あとの場合だと犯人は自分のやったことに疑いを持つようになる。一つの小さな疑いが拡大されたり、また別な疑いを派生させたりして、自分に猜疑《さいぎ》にすらなるものです」

修三は横の女性のほうを見ないで言った。

「……その猜疑的になったとき、それまで考えなかった些細《ささい》なことが気にかかる。ぼくの読んだ外国の小説にこういうのがあったですな。ある男がよその家にしのびこんで犯罪をおこなったあと、手袋をしてなかったために指紋が気になり、ふたたびその家の中に引き返して自分の手がふれたと思われるところを拭《ふ》きにかかるが、指紋がドアにも壁にも床にも残っているような恐怖観念におそわれ、夜が明けてからもその家の掃除をつづけていたというんですね」

「その小説はお話を聞いただけでも面白そうですわ。で、そのお話が現実と何か関係がありますか?」

妙子が問うた。

「こんどの転落車の工作でも実行者は最近になって自分のしたことが気になってきたんです。さっきから言っている言葉でいえば猜疑心がおこったんですね。実行してから三カ月も経ってです。手落ちはないか、ミスはなかろうか。いまの小説の例でいえば現場に残してきたかもしれない指紋がむしょうに気になりはじめた」

修三が言うと、

「現場に残した指紋ですって？」

と、妙子が聞きとがめた。

「それは小説の話だが、現実の事件は現場にうっかりと残してきたかもしれない証拠品のことです」

修三は、低いが押えた声で言い出した。

「その人物は、三カ月前に情死として警察に処理された西伊豆海岸の転落車のことが、このごろ一部で問題になりはじめたので気になってきた。そこで、現場に出むいて調べた。それは調査ではなく、手落ちはなかったか、ミスはなかったか、という三カ月前の自分の行動への疑いからです。そこで、車が突き破ったあのガードレールを越して、断崖のふちまで調べに行った。草の間に何か証拠となるようなものが落ちてはいないか、他の人間の眼にふれては困るようなものが残されてはいないか、と地面を這《は》うようにして歩いた。それも、広い範囲ではない。もっとも、困難が一つある。それは真夏になって草がいやに生い繁《しげ》っていることです」

「それで、そこには手落ちによる何かが落ちていたんでしょうか？」

妙子は、静かだが、思いなしかかすれた声になってきいた。

「よくわからない。それはもう少し詰めて考えてみないとね。が、何か取り返すようなものは見つかったようです」

妙子が沈黙したので、修三が心に決断をつけたように言った。

「君は、断崖上の灌木《かんぼく》が欠けているのをガードレールのところから指して、あれは車が海に落ちるときに折ったのだとぼくに言った。あのとき、ぼくはヘンだなと思った。ガードレールから七、八メートルも先にある灌木が車のタイヤによって折られたというのがどうしてわかったのだろうとね。あれは、前日あたりに一度その現場に来ている者でないとわからない。しかもその危険な断崖のふちまでね。君のその熱心な調査には調査以外に何か目的があるように、そのときはじめて思ったんです」

空にはうす明りがまだ執拗《しつよう》に残っていたが、地上のほとんどは湧《わ》き出るような闇《やみ》に閉じられていた。お城の石垣も見えなくなった。風もなく蒸し暑くもあった。

こういうときでも涼みに外に出てくる人はいない。納涼というのはもう昔のことで、いまはクーラーが大部分普及していて、屋内に閉じこもっているほうが涼しいのだ。

「あの現場に君が行ったのは、ぼくらが行った前日のことだけではない」

妙子と二人きりで修三は話した。

「だいたい、あの計画は現場の条件をフルに活用している。急に思いついて、犯行の日にあそこに行ったのではないのです。かならず事前の下見が行われている。国道が下り坂になっているところ、車がそこを直進して駆け降りたらそのまま断崖《だんがい》の海にとび込むところ、それには道路と断崖のふちまでの距離があまり長くては困る。断崖下の海も岩《がん》礁《しょう》が出ていては困る。転落した車がその岩礁にひっかかると、発見されたときに車内の男女が絞殺死体だとわかりますからね。車がそのまま深い海底に沈むような海岸でないといけない。さらに、できるならその海底の水深が深いところがいい。でないと、海面上から沈没車の車体が透けて見えますからね。車の発見はなるべく遅いほうがこのましい。あの現場は海底が深く、そのために三カ月も見つからなかった。もし、海水浴客があそこで潜水しなかったら、もっと車の発見は遅れたでしょうね」

妙子は相槌《あいづち》も打たずに黙って聞いていた。

「こういう好条件がぴったり合う場所といったら、それは犯行時の偶然の発見ではなく、前からその場所を探す行動があったと思うんです。入念に下見をした上での犯罪計画といえる。……ぼくが泊っている民宿のオヤジさんは、君が水を飲みにあの家に入ったとき、君の顔に見おぼえがあると言いましたよ。今年の四月に君が現場近くに立っていたとね。そのとき、オヤジさんは女一人があんなところに立っていて自殺しやしないかと心配だったのでよく顔を見ていたから記憶にあるといっていた。……それは本当ですか?」

「そのとおりです」

妙子は顔をあげないで答えた。

「しかし、よくそれが事実だと言ってくれました。ついでにもう一つ答えていただきたいのです。君はぼくを宇久須の民宿に送ってくれるため車に乗せた。ほら、いま、そこに置いてある君の車だ」

修三は遠い外灯の明りにほの白く浮いている小型車を見返った。

「あの車もオートマチックだ。君の車もオートマチックだから、ノン・クラッチには馴《な》れている。しかも君のも小型車だ。尾形恒子さんの小型車もノン・クラッチだ。ギヤをドライブにしてアクセルに重量物を置くだけで車は自動的に加速するのを知っていた。そこまで分っていれば、歯止めに自分の同じ型の車を前に置く工夫は容易につくというものです」

修三は昂奮《こうふん》を押えて言った。

「その推測には何か証明がありますか?」

妙子が長い髪だけを見せてきいた。

「ありますよ。君がぼくを乗せて宇久須に向う途中、トンネルの手前で起った事故車のため車が渋滞しているとき、君はハンドバッグからハンカチをとり出そうとして赤い破片を膝《ひざ》の上にこぼした。君は急いでハンドバッグの中に戻したけれど、ぼくはしばらくしてそれがテイルランプの破片だとわかりましたよ」

妙子は肩を小さく動かした。どきりとした様子に見えた。

「あのテイルランプは君の車のだ。つまり、国道の坂の上で二台の小型車が押しくらべをしているとき、後の転落車の前部バンパーが歯どめの役をしている君の車の後部をたいへんな力で押しているとき、一方のテイルランプの赤いガラスを割ってしまったのだ。もちろん君は自分の車の一方のテイルランプが後の転落車に押されて割れていたことがその翌日にでも分ったろう。けれども、そのときはたいしたことはない、そんな破片が道路上に落ちていたのを見られても歯どめのトリックまでは気づかれはしないと思っていた。そんな破片は通行車のパンクになるからすぐにほかの者が片づけてしまう。そう思って君はいままで安心していた」

「………」

「ところが、道路上に落ちたテイルランプの破片はどこに片づけられたろうか。もっとも考えられるのが、ガードレールから海側の草原だ。つまり断崖上までの草原に捨てられる可能性がいちばん多い。そこで君は心配になってきた。なぜ三カ月以上も経《た》ったいまごろになってそれが気になりはじめたか。それは、ぼくが動きはじめたからだ。もしやあの現場の草原にテイルランプの破片が落ちていたら、そこから転落車と歯どめの車とのトリックがぼくに気づかれはしないかとね。

さっきも言ったように君のやったことに君自身が疑いを抱き、神経質になってきたんだ。そして君はぼくの前日にあの現場の草原に行ったが、なにしろ夏草が生い繁っているので、その日は赤いガラスの破片を発見できなかった。例の灌木が転落車で折れたのを知ったのはその時だろうがね。……君はぼくのことも心配になって浮島温泉のホテルからぼくの神田の店に電話した。妹からぼくが西伊豆に行ったと聞いて、君は民宿案内所に頼んでぼくの所在を探してもらった……。

なぜ、君は西伊豆のぼくの行動がそんなに気になったのか。一つはぼくの様子を見るためだ。どこまでトリックの真相に気づいているのかとね。半分はその心配と、半分はぼくには何も分りはしないという興味からだろうがね」

修三は灯の光だけになった夜の景色の中で妙子に言った。

「君はぼくが宇久須の民宿石田五郎の家に居ることを民宿案内所の手で知り、電話をかけてきた。そうして黄金崎展望台前での待合せとなり、君の車であの現場に行った。そのとき、君はテイルランプの破片を草むらの間から見つけた。それはいつだったろうか。ぼくは君といっしょにいたから、君がそんなものを拾ってハンドバッグに入れたらすぐに気づいたはずだ。それはぼくの眼が別なところを一心に見ていたときだ」

修三はここでひと呼吸した。

「つまり、ぼくがあの断崖上から絶壁をのぞいている際だ。君はぼくが危ないと思って、うしろから身体を押えてくれていた。そのとき、君の視線がすぐそこにある繁った夏草の間から赤い破片に偶然に当ったのだ。前の日にどうしても分らなかったものが、つい眼の前にあった。君はそれに片手を伸ばして拾い、ぼくが断崖上から身体を後退しているときに破片をハンドバッグに入れたのだ。それ以外には君のチャンスは考えられない。あとはぼくの眼があるから」

妙子は顔を闇に没したお城のほうへ向け、凝然として一語も発しなかった。

「交通が渋滞しているときに君がハンカチといっしょにうっかりとハンドバッグからとり落した赤い破片を見てから考えてこのような推定に達した。それを実証するものは何か。君がげんに乗ってきているあの小型車だ」

修三は闇の中の白い車を指した。

「あの車のこわれたテイルランプの片方は車の部品販売所か修繕屋で新しいのととりかえて入れさせたはずだ。それは尾形恒子さんと小高満夫君の死体を乗せた車を断崖上から転落させた五月十二日夜の翌日か翌々日あたりだったろう。しかし、その部品販売所も修繕屋もどこだかぼくには分らない。それは君の家の近くではなく、遠くだったろうからね。それが捜し出せるのはその権力を持った人間だけです。……それからバンパーもそうだ。君の車の後部バンパーは、歯どめになっているとき、死体を乗せた車の前部バンパーに強く圧迫されて多少の凹《へこ》みができたはずだ。君はそのバンパーも部品屋か修繕屋で取り替えている。いま、君の車を見れば、前部と後部のバンパーは、テイルランプとともに三カ月前にとりかえているはずだ。前部のバンパーだけが古いというのもヘンで、人に怪しまれるからね」

「いま、わたしの車をごらんになれば、テイルランプとバンパーとが新しくなっているのがわかりますか？」

妙子がかすれた声できいた。

「三カ月前にとりかえたのだし、わざとそれを古く見せかけるようによごしていれば、ちょっと分らないだろうね。それにこの暗さでは、たとえ懐中電灯をともして見てもダメだろう。しかし、見馴れた者が明るい陽の下で見ると分るかもしれません。それが決定的になるのは、やはり捜査の権限を持った人が車の部品屋や修繕屋などをさがし出したときですよ」

修三は言った。

「わたくしを怪しいとお思いになったのはやはり一昨日あの現場に小山さんが行かれたときですか？」

「いままで話したことを現場で気づいたからね。それに、もう一つある」

「なんですか？」

「君がぼくを誘惑しようとしたのがわかったときだ」

修三が詰めた息を吐き出すように言うと、妙子は衝撃をうけたときのように身体をぴくりと震わせた。それを眼の端に入れた修三は思い切って浴びせるように彼女へ言った。

「ぼくが民宿を追い出されると聞いた君は、自分のいる浮島温泉のホテルにその晩泊ってもいいと言った。部屋は一つしかないというのに。たしかに君は自分は経営者の奥さんのところで寝るとは言った。言ったけれどそれは誘惑だ。ある偶然を装《よそお》ってぼくの部屋に来ない保証はない。経営者の奥さんに断わられたと言えばそれまでだからね。しかし、それを君が実行に移すかどうかは分らない。分らないけれど、少なくともぼくにその大きな期待を持たせようとしたことは事実だと思う。つまり、君はぼくが転落のトリックを見破ったことを察したからだ。ぼくの様子をずっと観察していた君にそれが判《わか》ったのだ。だから、ぼくがそれ以上の調査行動をしないように、他人に告げないように、誘惑に出てきたのだ」

「わかりました。そうお思いになるなら仕方がありません。では、なぜ、わたくしが小高満夫さんを殺し、尾形恒子さんを殺さねばならなかったのですか？　その動機は何ですか？」

妙子は別人のような声になって問うた。

「君と小高君とは愛人関係にあった。そのはじめは、君が小高君に誘惑されたからだ」

憤《いきどお》りとも哀れともつかない感情に交錯した言葉が一気に彼の咽喉《のど》から吐き出された。

妙子の口からも、ああ、と低い叫びが洩《も》れた。

「どこでだか知らないが、たぶん君は外を歩いているときか、デパートに入っているときかに小高君に声をかけられた。……」

修三はそこまで言って、あとをつづけなかった。妙子が小高満夫に声をかけられた、いつぞやの彼女自身の表現でいえば「言問われた」のだ。それがきっかけで、小高の手に彼女は落ちた。その冒頭だけを彼は言葉にすればいいと思った。

口に出せば、プレイボーイの、つまらぬ小高満夫にやすやすと落ちた妙子の愚かしさ、ただの女のあわれさが軽蔑《けいべつ》的な語調になってくる。それからの経過を推量で言う必要はないのである。

「だが、君には前から恋人が居た。そう考えなければ、この悲劇は解けない」

修三は、すぐに「結末」に入った。

「その恋人が病気か遠い出張、たとえば海外旅行といったようなことで、君のもとに来ないあいだ、小高君を或る家に呼び寄せていたのだ。仕事熱心な小高君はテレビの朝の七時からの子供番組と、夕方の五時からの子供番組とを見ていた。四月十六日の夕方から四月二十八日の夕方までのぶんだ。つまり、その十三日間、小高君は君の傍で子供番組を朝晩とも見ていたのだ。そうすると、これは小高君がその家に泊っていなければならない。なぜなら、朝の子供時間の放映は七時からだし、それはちゃんと測定テープにとられている。朝の七時に小高君がその家に行くには、自宅をたいそう早く出なければならない。自宅とその家との距離にもよるが、電車で一時間を要するとしても六時には自宅を出ないと間に合わない。それは困難なことだから、小高君はその家に泊りこんで、七時からの子供番組を見て日栄社に出勤し、また夕方の番組に間に合うようにその家にもどってくる。そして泊る。これが四月十六日から二十八日までの小高君の生活だと思っていた。

ところが、新聞に出た小高君の奥さんの話では、彼は夜おそいが泊ることはなかった。朝は平塚市の自宅をそんなに早くは出ていない。異常に早ければ奥さんがそれを警察に話すだろうからね。日栄社の出勤時間は九時だ。平塚から東京まで電車で一時間以上はかかるから、小高君は家を七時半に出たと思ってよい。むろん、或る家の子供番組を見る時間には間に合わない。それでぼくは壁にぶつかった」

夜の千鳥ヶ淵公園には散歩者一人近づかなかった。相変らずヘッドライトの列だけが流れていた。

「だが、ぼくはビデオで朝の子供番組をとっていれば小高君はあとでいつでもその家で再生された子供番組を見ることができると思った。つまり、朝の子供番組はテープに録画されている。そのときに録画された画面の再生をあとで見る場合は、ビデオの器具についているボタンをチャンネル局の数字にセットしておけば、ビデオ再生の画面と関係なく、実際のチャンネル局のナマ放送の番組が進行し、それが測定器の記録となるからね。……子供番組は君が小高君のために、ビデオに取っていたのだ。……まあそんなふうに君と小高君とが四月十六日から二十八日まで、ある家で毎日会っているときに、二十八日の晩に、君の恋人が突然その家に戻ってきた」

修三は昂奮からしゃべりつづけた。早口で、途中でとめようもないくらいだった。

「戻ってきた君の恋人はそこで何を見たか。そこで君の恋人は逆上した。たぶん彼は腕力の強い男だったにちがいない。小高君を殴りつけ押し倒して、そのへんにあった紐《ひも》で絞殺した。君は動顚《どうてん》してそれを見ていた」

「………」

「そこで、小高君の絞殺死体の始末だ。ひとまずどこかに埋めた。たぶん、その家の床下だっただろうね。というのは、回収されたテープを見たＴＶスタディ社の長野次長が例の子供番組が急に現われたことに不審を起して尾形恒子さんに内偵をはじめさせたからだ。なぜ、長野氏がそれに疑問を持ったかというと、これは推測だけど、長野次長もまたぼくと同じように新聞に出た恵子ちゃん誘拐《ゆうかい》事件とそれとを結んだためだろう。恋人と君とは尾形恒子さんに嗅《か》ぎつけられそうになって危険を感じた。君としても恋人に脅されて小高君の死体を床下に埋めるのを手伝っているから、共犯者だ。犯行がばれると当然に罪になる。恋人としては自分を裏切った女も殺したいところだったろうが、それにはまだ愛情が残っていたし、それよりも小高君の死体処理を手伝わせて共犯者意識にさせ、自分にしばりつけておいたほうがいい」

背後の道路と眼の前の高速道路には車の灯が光の列をつくって流れていた。

「そこで」

と、修三は唾《つば》をのみこんであとをつづけた。

「標本世帯のテープ回収員として内偵に家にくる尾形恒子も殺すことにした。この発案はたぶん君の恋人だろう。情死に見せかけて小高君の他殺をごま化すとなれば一石二鳥の効果だからね。しかし、二つの死体を車にのせて西伊豆の海岸から車ごと海に転落させるのを思いついたのはたぶん君かもしれない。あのトリックは車の知識がないとちょっと思いつかないだろう。それに君は事前に現場を下見している。そこで尾形恒子がその家に車で様子をさぐりにきた五月十二日の夕方に彼女を絞殺して、床下から掘り出した小高の死体といっしょに尾形恒子の車に乗せた。西伊豆海岸までのその運転は君の恋人だったろうね。君は自分の車を運転した。そのあとのことは前に言ったとおりだ。

……こんなふうにぼくは推測する。が、まだ分らないことがある」

自分の推測にもまだ分らない点がある、と言った修三は、妙子に、

「それを君の口から教えてほしい」

と、押えた声でつづけた。

「……ぼくのいま述べた推測には、二つの前提条件が必要です。これがないと成立しない。一つは、その家がTVスタディ社から標本世帯として指定されていることだ。なにしろ測定テープがそこから出されているんだからね。まさか、君の家がサンプル世帯というのではないのだろうが」

羽根村妙子は黙ったまま長い髪の顔を横に振った。

「そうすると、その家は標本世帯だ。だから、君の恋人の家かもしれない。しかし、そうなると、小高や尾形恒子を屋内で殺害したというのが分らなくなってくる。その家には家族の人が居るはずだからね。でないと標本世帯は依頼されない。独り者だと、それこそ猫の視聴率になる。モニター会社では標本世帯を依頼する前にその家庭の事前調査をするはずだから、家族はいる。それなのにそこで殺人が行われるはずはない。いや、殺人だけではない。君はその家にも行けないはずだ。君らがそこで恋愛している間に、その家族が納得して外出するなら別だがね。しかし、それじゃ小高を引き入れることはできない。これが分らない」

修三は暗い中で頭を抱えた。

「……それから、もう一つ。いまも言ったように、これには子供番組を君がビデオで取っておいて、小高に見せるという操作が不可欠だ。ところがビデオの器械はまだ高価だから、テレビのようにどの家庭にもあるというものではない。そうすると、その家はある程度のお金持ちということになる。お金持ちで、家族のある家、そして尾形恒子がテープ回収の担当区域になっている東京都南部地域その区域内にそういう条件の揃《そろ》った家があるとなると、これは君の口から答えを聞くほかない。だれがどんなに推理しても分りっこはない。当事者本人の話でないとね」

羽根村妙子はふいに立ち上ると、車の光が流れる道路にむかい、背中を曲げ、顔を掩《おお》い、忍び泣きの声を洩らしはじめた。肩を震わせ、むせるように嗚咽《おえつ》した。

修三は胸が潰《つぶ》れる思いで、そこにじっと動かないでいた。

彼は妙子の泣き声が次第に高くなるのを聞いていた。が、その声の変調に気づいて、はっとなった。すすり泣きは、く、くく、という押え切れない笑い声になっていた。

修三は自分の耳がおかしくなっているか、妙子が精神に異状を来たしたのか、どちらかだと思った。彼女は身体を二つに折って笑いつづけていた。

道路からヘッドライトが灯の流れから抜けてこっちへ近づいて来ていた。

思わざること

停った車はヘッドライトもそのままに、エンジンをかけ放しにしていたが、運転手が客から料金をうけとると車はもとのほうへ引返させた。

タクシーから降りた男は、離れた街灯の明りを前こごみの背中に受けて、前半分の黒い姿を運んできた。

「やあ、話はだいたい済みましたか？」

修三と羽根村妙子のいる影に声をかけた。

「あ、平島さん」

修三はベンチから腰を浮かしていたが、声を耳にして棒立ちとなった。

「今晩は」

平島は修三に挨拶《あいさつ》して、妙子に眼をむけた。

「おや、何を笑っているのかな？」

妙子が顔からはなしたハンカチをハンドバッグにおさめた。

「失礼しました」

これは修三に言った。

修三はぼんやりと立って、眼前の様子を眺める仕儀となった。

妙子をあれほど激しく急追したのに、彼女はくつくつと忍び笑いをつづけた。そこへ平島庄次が現われた。あまりに時間的に合いすぎる。

二人が前もってしめし合せたことは察し得たが、事態の様子は分らなかった。

千鳥ヶ淵の場所を妙子に電話で通知したのは修三だった。思うに、妙子はそのことを平島に言って、平島があとからここにくるという打合せになったものにちがいない。

だが、平島がどうしてこんなところにやってくるのか。修三は妙子の立場と事情を考慮して余人を混えないようにしたのだが、妙子は平島に救助を求めるつもりであったのか。

それにしても妙子が話の途中から失笑しはじめ、やってきた平島にも緊張した様子はあまりないのが修三に解せなかった。彼は平島がベンチに腰を下ろすのを急に麻痺《まひ》した眼で見ていた。

「小山さんが、わたくしをあの事件の犯人だと指摘なさっているんです。尾形恒子さんと小高さんの絞殺死体を乗せた尾形さんの車が西伊豆の海岸に転落した謎《なぞ》を美事に解かれました。あの車の前にもう一台、歯どめの車があったというトリックもです。小山さんは、その歯どめの車が、あそこに駐《と》めてあるわたくしの車だとおっしゃるんです」

妙子が平島に言って見返ると、彼もちらりとそれに眼をむけた。その横顔には皺《しわ》を寄せた微笑が出ていた。

「小山さんの推理をうかがっていたんですが、それにはまだ未解決な部分があったのです。それを、告白しなさいとわたくしに言われていたところですわ。お二人が殺されたのは家の中に違いないが、それにはテレビ視聴率調査の標本世帯のことが障害になるって……」

「小山さん。羽根村君は犯人じゃありませんな」

平島は妙子から顔を修三に回した。

「……ここに来て、ひょっと彼女を街灯の明りで見たとき、眼に泪《なみだ》を溜《た》めていたので、これはあんたに相当いじめられたなと思いましたが、笑いの泪と知って安心しましたよ。もっとも、少々なことでは泣くような女じゃないと思ってはいますがね」

平島は相変らず風に吹かれているようなものの言い方だった。

それから彼はまた言った。

「いま、羽根村君がちょっと洩《も》らしたことであんたの推定というのはだいたい分ったような気がするんですが、もう少し詳しく言ってくれませんか。あまり時間をとらずにね」

平島は遠い明りに透かして腕時計の針をちらりと見た。

修三は混乱の中にいたが、脳がその中から再び働き出した。妙子が平島を呼んで、二人がかりで誤魔化しにかかっているような気がしてきて、それへの反撥《はんぱつ》が負けてなるものかという気になり、妙子に語ったとおりのことを話しだした。

ただ、妙子が浮島温泉へ誘惑したことだけは、さすがに省いた。話は、妙子に言ったことのくり返しだったので、整理され、聞き手に理解されやすいように要領よくなっていた。

平島は、ふむ、ふむ、と言いながら熱心に聞いていた。話が終るのに二十分とはかからなかったが、そのあいだ、当の羽根村妙子は居づらそうに、あるいは照れくさそうにもじもじとしていた。

「なるほどね」

平島はおしまいに大きくうなずいた。

「……そうすると、最後に残る問題は、羽根村君と恋人と小高君の三角関係によって起った犯罪の家が、どこの標本世帯の家かということですね？」

修三は、そうです、と答えた。

「この犯罪にはテープ回収の尾形恒子さんがまきこまれている。すると、尾形さんの担当区域内にその標本世帯はあったことになる。東京の南部、町田市から神奈川県の大磯以東の範囲ですね？」

修三はそれにもうなずいた。

「すると、どこですか？　あんたの見当は？」

「それがよくわからない。わからないながらも見当で言うと、大磯町じゃないですかね。小高君のいた平塚市とも近いし。それに、視聴率のことで新聞に仮名の投書が出たのも大磯だしね。ぼくは前に、羽根村君と大磯のその投書者番地をさがして歩いたんだが、あのへんだとまだ値段の高いビデオをそなえていてもおかしくない高級住宅がならんでいましたよ」

「なるほど、大磯か……」

平島は修三の話を聞いて顎《あご》を動かした。

「……大磯とはやはりいいところに眼をつけたものですな。あの投書を見て、二つのテレビ局もそこへ走り出したですからな」

しかし、と彼は少し強い語調になって言った。

「それでも、標本世帯の難問は解決できないでしょう？」

その通りだ、と修三は答えた。

「標本世帯に選定される家庭は平均的な家族がいる。そんなところに行って恋愛できるわけはないですな」

平島はそう重ねて言い、

「子供番組をビデオにとるのだったら、その家に毎日ずっと居なければならない。羽根村君がその家の者だったらともかく、そうでなかったらビデオも勝手にいじるわけにはゆかんでしょう？」

とつづけた。

「そうなんです。その点がぼくにはわからない。だから、困っていたんですよ」

「それは困るのが当然です。その推理だとだれでもその障害にぶつかりますよ。だから、小山さん。測定テープのことは別個に切りはなして考えてみたらどうですか？」

「切りはなして？」

修三は平島の顔を見た。意味がすぐにはのみこめなかった。

「そうです。つまりですな、殺人は屋内でおこなわれた。けれど、その家は標本世帯ではなかった、と考えてみるのです」

「すると、テープは？」

「殺人事件とは関係のない家から出たものです」

修三は、あっと叫ぶところだった。

「ね、そうすると、殺人現場の家に家族が居るという難問が消える」

「…………」

「それからビデオの障害も消えますよ」

「しかし、平島さん。あのテープはあなたがＴＶスタディ社の長野次長の未亡人からもらってきたんでしょう？」

「そうです。だが、テープにはどこの標本世帯のものか名前も番号も書いてなかったんです。そこは除《と》られていましたからね」

「しかし、回収員の尾形恒子が殺されていますよ。そうして、彼女がまだ行方不明だったところに、長野氏が町田市の彼女の家に様子を見に行っているじゃありませんか？　東名高速の横浜インターチェンジにさしかかるところで乗っているタクシーの交通事故で死亡したのもその家を出てからです。テープは尾形恒子の回収担当区域から出たものです。彼女が殺されたのは、そのテープのことから長野氏に言われて調査しているうちに深入りしたからですよ。テープが無関係とどうして言えますか？」

修三は平島に反問した。

「しかし、それでも、あのテープは尾形恒子の担当した標本世帯のものとは関係がありませんよ。それにこだわっていると泥沼に入りこむ」

暗い中で平島が言った。

「え、じゃ、だれが担当した回収テープだったんですか？」

「だれでもありませんよ。あのアルバイト婦人たちが持ち帰った回収テープではありませんね」

「じゃ、ほかのＴＶスタディ社の社員が直接に標本世帯の家庭に行って回収したものですか？」

「ＴＶスタディ社では、標本世帯からの回収はぜんぶアルバイト婦人に頼んでいます」

「わからない」

「測定テープのことはぼくもずいぶん悩んだ。で、あるとき、風呂につかっているときに、ひょいと思いついたんです。あのテープは、もしかすると偽造じゃないかとね」

「偽造？　そんなバカな」

修三は一笑に付すつもりだった。

「……あれはTVスタディ社の専用のテープですよ。それに、ちゃんと同社の測定器によるパンチの孔が入っている。偽造できるはずはない……」

言いかけて、修三は脳味噌の一部が叩《たた》かれたようになった。

「TVスタディ社の内部の人間だったら、それが可能じゃないですか？」

あとの言葉を平島が言った。

「…………」

「会社からナマのテープや測定器の持ち出しも、内部の人間だったら、不可能ではないですよ」

「しかし」

修三は考え考え言った。

「……いくら社内の人間でもそんなことができるだろうか。あの測定器は員数がきまっているはずです。非常に数が少ない。TVスタディ社では公称四百五十台とか言っているけれど、それもはっきりしない。だからこそ謎の標本世帯数だといわれている。関東地区のテレビ家庭数に対しては〇・〇〇五パーセントだ。あまりに少なすぎるから標本世帯数をもっとふやせという声がある。けれども会社側は測定器は高価だから現状以上には増設できないといっている。たぶん、加入しているスポンサーやテレビ局が増加ぶんの費用を出さないのかもしれないが、とにかくそんなに数少ない測定器です。TVスタディ社に余分なストックがあるとは思えない。いくら社内の者でも社外にこっそり持ち出すような測定器は一台もないはずだ」

「社内には測定器の予備は一台もないでしょうな」

平島はあわてずに言った。

「……しかし、社外には、一台くらいは融通できるものがある」

「社外で融通できるものが？」

「測定器は半年に一回、委託《いたく》の標本世帯を移動しているようです」

「そう。同じ標本世帯には一年と置いてない。関東地区に渦巻を描いて、その渦の中にアトランダムに標本世帯を設定して移動しているという」

修三は平島の言葉に答えた。

「その移動のときに、標本世帯の一軒ぐらいはごまかせる。TVスタディ社内の人間だとね」

平島は言った。

「……たとえば、都内でいえば杉並区のAという標本世帯を世田谷区のBという標本世帯に新たに移したとします。が、会社にはそう報告記録してあるだけで、実際は世田谷区のBの家ではなく、まったく別の家にA家の測定器を移しておくこともできる」

「いくら社内の人間でも、そんな勝手なことができるだろうか?」

「標本世帯の管理にあたっている実際の責任者だったら不可能ではない」

「しかし、そのテープの回収はどうなりますか? そんな工作をした場所にアルバイト婦人を回収にいかせるわけにはいかない」

「アルバイト婦人にはそこに行かせない。テープは責任者が自分で回収する」

「その家へ責任者が出かけていって?」

「いや。自分の家に置いているから、家からテープを持ってくればよい」

修三は唸《うな》った。

「うむ。TVスタディ社の管理課次長だった長野博太!」

「そうです。管理課次長というのは、標本世帯の委託選定から回収員たちの全部を実際業務として握っている。いま言ったように、杉並区のA家から世田谷区のB家に標本世帯を〝移動したことにする〟くらいは自己の管掌だからわけはなかった」

「すると、あのテープは長野次長が高円寺のクヌギ団地の自宅に持ちこんだ測定器でとっていたというんですか。それでよく奥さんは変に思わなかったものですね?」

「奥さんは、主人の仕事だと思っていたらしい。それはそうだろう、どこの奥さんでも会社のことはよく分らないから、会社の仕事を家に持って帰っていると思っている」

「でも、長野氏が死んでからあんたが行くと奥さんはそのテープ三巻をあんたに出している。そのとき、どうしてこれは主人が生前に家でとったテープだと言わなかったのですかね？」

「長野次長は、あの三巻目の五月四日のテープを最後にして、測定器は別の新しい標本世帯の家に移している。そういうことも彼の権限だから自由だし、だれにも知られなかった。そのあとテープは長野がいったん家から持ち出してまた家に持ち帰り、奥さんに渡した。もちろんそれに標本世帯の名前がついているわけはない。これを、お前、預かっていろと言われたわけだ」

「ちょっと待ってください」

修三は長い髪をごしごしと掻いた。

「そうすると、長野の奥さんは主人が自分の家のテレビで四月十六日から二十八日の子供番組を測定器にセットして視《み》ていたのを知っていたわけですか？」

修三は髪をつまみながらきいた。

「もちろん知っていた。けれども、主人からこれはだれにも言ってはいけないととめられていた」

平島は言った。

修三は妙子に眼を遣《や》った。平島との問答がはじまってから妙子は黙ってベンチにうずくまるように坐っていた。

「長野の愛人が小高満夫に誘惑されていたんですね?」

修三は咽喉《のど》にからんだ声で言った。

「そのとおりです。小高君は、長野次長の愛人をその外出先で誘惑した。二人は長野にかくれて会っていたんだね」

「その愛人というのは、だれですか?」

「尾形恒子だ」

「尾形恒子……」

修三は茫乎《ぼうこ》となって、

「まさか」

と呟《つぶや》いた。

「はじめはぼくもその考えを疑った。だが、調べてみるほどそれが確実になった。尾形恒子は回収員たちのなかでは年齢も若いほうで、魅力的な顔をし、おしゃれなほうだ」

それはうなずけると修三は思った。TVスタディ社のビル前で張りこんでいたときに目撃したアルバイト婦人たちは、年齢も四十歳前後で、みんな疲れた顔をしていた。その典型的なのが佐倉市に住むE号婦人の川端常子だった。電車の中では、肥えているせいもあって、他愛《たわい》もなく睡《ねむ》りこけていた。

A号婦人は新宿のキャバレーの建物に消えたが、どうやら調理場の下働きか事務所の雑役といった感じだった。C号婦人の和服をきた四十歳近い女はデパートで男のシャツ一枚を買うのに迷っていた。そのなかで目立ったのが白いブラウスに赤いズボンをはいたB号婦人と、黄色いブラウスに赤いズボンのD号婦人尾形恒子であった。これは尾行した女性だけのことだが、そうでなくビル前で見たたくさんのアルバイト婦人たちのほとんどが佐倉市のE号婦人的だった。

そう考えてみると、長野次長が仕事の上で接触のある尾形恒子に心を動かしたというのはありそうなことだ。

その恒子がまたプレイボーイの小高満夫に誘惑されたということも合点がゆく。彼女は外出好きだったのだろう。テープをTVスタディ社に届けた戻りでもすぐには帰宅せずに、喫茶店とか映画館とかデパートとかを歩いていたのではないか。それらは、「言問い」で言い寄る男たちの猟場であったろう。

「長野博太は、尾形恒子と小高満夫の間をかぎつけたんです」

平島庄次はまた修三に話し出した。

「……そのとき、長野に小高に対して殺意があったかどうかは分らない。しかし、成行き次第ではどんなことになるかしれないという予感を自分自身に持っていたと思う。その万一の場合を考えて、さっきも言った測定テープの作業がはじまった。四月十六日からの子供番組をテープに記録することだった」

「長野は、小高君の担当するスポンサーが化粧品会社だということまで調べたわけですか？」

修三はきく。

「モニター会社につとめているだけにテレビのスポンサーと広告代理店のことには長野も敏感だったんですな。小高はプレイボーイだが、仕事熱心というのも長野がこっそり調査してわかったんでしょう。そこで、子供番組の記録を入れた三巻のテープを自分の家でつくり、それがどこかの標本世帯から回収されたようにみせかけて、自宅に保存しておいた」

「なんのために？」

「行きがかりから、小高を殺すようになった場合、その殺人現場がその標本世帯の家だったと見せかけるためですよ。つまり、そのテープには子供番組の記録が急に現われはじめた、どうも妙だ、というので、家に帰って調べていた、といって捜査当局に提出するつもりだったんです」

「しかし、それだとそのテープを会社に持ってきた回収員が調べられる」

「だから、必要なら、その回収員も消してしまう。どうせ自分を裏切った女だからね」

「尾形恒子も？」

「彼女を消してしまえば、このテープは尾形恒子が回収してきたんだと捜査側に言えますからね。尾形がどこの標本世帯から回収してきたかはテープに名前が出てないから分らない。で、尾形恒子に回収先を訊《き》こうとしたが、彼女は出社しなくなったし、自宅に連絡しても居ないので、遂《つい》に分らなかった。長野がそういえば、ますますそのテープの出た標本世帯の家がおかしいということになる。標本世帯はモニター会社の秘密になっている」

「しかし、警察が職権で全標本世帯の住所氏名を提出してくれとモニター会社にいえば、会社は拒むことはできないでしょう」

「全標本世帯を警察に見せる必要はない。それから出たテープはわかっているんだからね」

「しかし、さっきの話では、杉並区のA家から引きあげた測定器を世田谷区のB家に移したことにして長野が自宅でそのテープに子供番組を記録していたんでしょう？　すると架空のB家が警察に追及されることになりませんか？」

「長野は、回収員としての経験の深い尾形恒子を全面的に信頼して彼女の推薦で、先方のことはよく調査もしないままB家を指定したというつもりだったろう。そういう権限も管理課次長の彼にあったからね。こうした長野の計画には、つつけばいろいろな矛盾が出てくる。だから小高満夫を殺害する仕儀になれば、尾形恒子も殺さねばならない、そうした一切の矛盾は尾形恒子の死にかぶせることができるという計算を長野は考えたろうね」

平島は言った。通るヘッドライトの数が一時より減ってみえたのは、夜がすすんだからである。羽根村妙子は頬に手をあてて黙然と話を聞いていた。

「まだある」

平島もひと息ついてからつづけた。

「長野博太はＴＶスタディ社内の派閥抗争に敗れたんです。彼が退社となったのもそのためですよ。徹底的に主流派と闘ったため、クビになったんです。長野が社内極秘の視聴率モニター情報を競争会社や関係先にこっそり渡していたというのは主流派の讒言《ざんげん》で、辞めさせた口実を対外的に流しているらしい。が、それでも分るように、長野は会社が面白くない、イヤ気がさす、一方、尾形恒子はそうなる、といったぐあいで、絶望的な気持から小高と恒子殺しの計画に傾いたのでしょうな」

「長野が、小高を殺したのは？」

「それが四月二十八日の晩です。翌日が天皇誕生日で小高の広告代理店は休日です。休日の前晩に彼は尾形恒子といっしょに、いつも逢引の場所になっているモーテルに行った」

「モーテルですって？」

「長野自身は尾形恒子との密会場所を都内のラブホテルにしていたが、小高と尾形恒子とは彼女の車でそういうモーテルへ行っていたんです。それは相模原市にある『美林荘』というのでした。国道沿いだが、町からは離れている。夜はさぞかし寂しいと思われる場所です」

「二人が行っていたことをつきとめたんですか？」

「日栄社の同僚が撮った小高のスナップ写真がある。ぼくはそれを手に入れたから『美林荘』の従業員に見せたんです。男のほうはこの人だと従業員は写真を見て言いましたよ。尾形恒子のほうは、ぼくらがＴＶスタディ社の前で見ているから、その特徴を言ったら、ぴったりだった。だいたい町田市に近いあたりにあるモーテルだろうと思って、その種のホテルをぼくは一軒一軒当って歩いたんです」

「そうすると、長野がかぎつけて二人の居る部屋に乗りこみ、小高を殺したんですか？」

「まさか、そんなことはできない。『美林荘』の従業員に聞いても乗りこんできた男はいなかったというからね。男がアベックの部屋に押しかけてくれば、当然、大騒動になる」

「では、そのときは何もなかったのですか？」

「殺しはあった。が、それは戸外でした。あの辺はまだ武蔵野の名残りを残した雑木林が到《いた》るところにある。人通りもない」

「どういうことです？」

「つまり、長野は小高と尾形恒子とが『美林荘』から出てくるのを門の前で待ちうけていたんです。自分の車に乗っていてね。これからはぼくの想像だが、出てきた両人を長野がつかまえて、話をつけようとでも言ったと思う。小高も恒子もびっくりしたが、逃げ出すわけにはゆかないから小高は長野の車に乗った。尾形恒子は自分の車でそのあとから従って行く。小高にしてみれば、まさか殺されるとは思わないから、話をつけようという長野の言葉に乗った。長野に謝った上、女と別れればそれで済むとでも彼のことだから思ったにちがいない。で、長野の車は国道からはなれた暗い林の中にある道でとまった。そうして車を降りた三人が話をしているうちに、長野が小高にとびかかって絞殺したと思うのです」

「尾形恒子は、そのときどうしていたんです？」

暗中の殺しの現場を見せられるように修三は息を呑んできいた。

「恒子はただ恐怖にかられて、呆《ほう》けたように長野が小高満夫を絞め殺してゆくのを傍観していたと思うね。彼女は自分の車でそのモーテルに来ていたんだが、長野に命令されて小高を乗せた長野の車のあとからついてきていたんだ。逃げるわけにはゆかないからね」

平島は言った。

「長野も車を持っていたんですか?」

「いや、彼は運転はできるが自分の車は持っていない。大学時代の友人で亀井哲也という人の車を借りてきていた」

「それからどうなったんです?」

「小高君の死体は、あの辺の雑木林の地中に埋めたと思う。そのとき、身もとが分らないように洋服やズボンを所持品ぐるみ脱ぎ取って、下着だけにした。丘がひろがっているあのあたりは人家のないところがまだ多いからね」

「そのあと、長野は尾形恒子を絞殺したんですか?」

「十四日後の五月十二日にね。つまり彼女が自分の車で担当区域の標本世帯からテープを回収した五月の第二水曜日です。回収テープをTVスタディ社に届けての帰りに、彼女は長野に言われた通りに都内のどこか目立たない場所にやってくる。もちろん、それは日が暮れてからだ。そこへ長野が待っている。このとき、彼は友人の亀井さんから借りた小型車に乗ってきていた」

「尾形恒子は自分の小型車、長野は友人の小型車。ああ小型車が二台になった」

修三は思わず口走った。

「そう。二台の車は小高の絞殺死体を埋めた相模原市の現場に行く。雑木林の中です。長野はシャベルと他の物とを車に積んで持ってきていたろうから、そのシャベルで小高君の下着姿の死体を掘り出した。十四日間も地中に埋めていたから、すでに腐乱がすすんでいたろうがね」

「その十四日間、尾形恒子はどうしていたんですか？」

「おそろしい毎日だったろうね。彼女には夫への不倫と長野への裏切りと、さらに浮気相手の小高殺しの共犯意識から生きた心地もなかったろう。それから脱出するには長野の言う通りに何でも従うしかない。つまり、長野に手伝って小高の死体を海に捨てることだ。それさえうまくやれば、殺人は匿《かく》されるし、長野とも円満にゆくようになるし、不貞も夫に分らないままに済む。そう思うと、彼女は長野の言う通りになるほかはなかったんですな」

「その晩に長野と尾形恒子とは西伊豆海岸に行ったんですね？」

「そうです。あの海岸だと死体を捨てても断崖《だんがい》と深い海だから発見されないと長野が言ってね」

「小高の死体はどっちの車に積んだのですか？」

「もちろん尾形恒子の車だ。長野の友人の車に乗せると車に死臭が残るからね」

二人の問答は夜の千鳥ヶ淵公園でつづいた。

「尾形恒子は小高の死体を自分の車に乗せて運転し、黄金崎に近いあの現場に行った。その誘導は前に走る長野が友人の亀井さんから借りた車というわけですか？」

修三は夢見心地できいた。

「そうです。そうして二台の車は真夜中ごろにあの現場に到着する。あとはもう推測がつくでしょう？」

「長野は尾形恒子をその場所に着くと絞殺した……？」

「そうです。国道で、ほかの車が通りかからないのを遠くからヘッドライトの有無で見きわめてね。尾形恒子は、まさか自分まで絞殺されるとは知らないで、犯人の長野にそこまで協力してきたんです。そうして彼女の死体は彼女の車の運転席に、小高の死体は助手席に置く。それが済むと長野は自分が乗ってきた車を尾形恒子の車の前に置いて接着させ歯止めにする。こんどは彼女の車に乗りこんで、ギヤをドライブにしてアクセルに重い物を置く。その重量物は長野がシャベルとともに自分の車に積んできたものです。重い物はおそらく建材用のコンクリートの細長い破片だったろうね。これだとアクセルから滑り落ちない。そうして長野はハンドルを真直ぐに直進するようにしておいて、発車の状態にし、車を降りると、ドアを外からロックして、こんどは歯止めにしている自分の車、つまり友人から借りた小型車に乗りこむ。一人で両方の車を工作するから忙しいことだったろう」

「ちょっと待ってください。その歯止めにする車をバックにしたのはいつですか？　うしろの車を全速力にしておいてからだと、バックにするまでズルズルと前に押されてしまうんじゃないですか？　あれは勾配が十度というかなりな下り坂だから」

「後に置かれた車、尾形恒子の小型車を発車状態にする前からそれに接着させた歯止めの車をバックにしておいたんですよ。そうしておいても後の車が前の車に押されて後退することはあまりない。車の重量と二つの死体の重量とがあるからね。それに下り坂だから逆戻りの気づかいはないし、大丈夫です」

「…………」

「こうして、長野が歯止めの車をバックから前進に直してハンドルを道路右の対向車線側へ切って逃げると、尾形恒子と小高満夫の死体を乗せた彼女自身の車は下り坂の国道をフルスピードで駆け降りて、正面のガードレールの一部を壊して崖《がけ》ぶちまでの短い距離の草原を突走り、断崖から海へ飛びこんで行ったのですよ」

「ああ、犯人は一人だったのか！」

修三は口の中で叫んだ。

歯止めの車と後の転落車のからくりは、彼が考えていた推測も平島の言う推定も同じであった。が、彼は二台の車にそれぞれ犯人が乗って東京から現場に来た、そこで二人がかりによる車の転落作業がおこなわれたといういわば犯人複数説だったが、平島の推理だと単独犯人である。まさか殺された尾形恒子自身が現場まで車を運転して来たとは考えなかった。これも恒子殺しの現場が間違っていた。

犯人が複数よりも単独のほうが、犯人にとって安全なのはいうまでもない。

修三はこれまで羽根村妙子を疑っていた。転落車と歯止めの役をする車と二台を考えていたから、二人以上の犯人を推測した。そこから妙子の恋人による共同作業を想定した。

いま、平島が言った長野博太の単独犯行だと、共犯者の存在もなくなる。推定は単純化され、すっきりとしてきた。

「いま、あんたが言った推理の裏づけはありますか？」

修三はいままでの自分の考えから解き放たれたように平島に訊いた。

「そりゃ、あります。長野が友人の亀井哲也さんから借りた車のテイルランプの修理ですよ。羽根村君があの現場で拾った赤いガラスのかけらを見たことから、あんたが羽根村君を犯人じゃないかと疑ったこととも関連するんですがね」

平島は影のようにベンチにかけている妙子をちょっと見た。

その視線の投げようを見て修三はとっさに察した。すべては平島と妙子との間に連絡がおこなわれていたのだと。車の転落現場で拾ったテイルランプを彼女がハンドバッグから落したのを修三が見て疑念を起したことも妙子が平島に話していたのだ。

そういえば、平島はここ一週間ばかり姿を見せていなかった。鷗プロに電話しても外出中という返事ばかりだった。さてはその間にいま彼が話している内容の調査に当っていたのだな、と修三は知った。その間、妙子とは打合せて連絡をとっていたにちがいない。妙子が、四日前から西伊豆の現場に行っていたのも、証拠のテイルランプの破片を見つけるためだったのか。

修三は、なんだか両人に翻弄《ほんろう》されていたような気がしないでもなかった。が、それは決して悪い感情ではなかった。

「長野が車を修理した先をつきとめたんです。彼の住む高円寺からそう遠くないところにそれがあるだろうと思ってぼくは探して歩いた。中野の小さな自動車修理工場だったね。長野は亀井さんから五月十二日の朝に車を借りて、十三日の午後にその修理工場に行き、左側のテイルランプが追突されて壊れたと言って左右とも新しいテイルランプをとりつけさせていた。その上で持主の亀井氏に車を返している。十三日の午後といえば、十二日の犯行の翌日ですからね。これが証拠ですよ。その修理工場の人に聞いてみたら、後部のバンパーは、それほどいたんでなかったそうです」

平島は話した。

「こうなると長野博太を交通事故でなくしたのが残念です。そういう物的証拠だけが残って犯人の告白が聞けない」

修三は首を落して言った。

「まったく残念だ」

平島は同感の意を表したうえで言った。

「……しかし、ほかの人間から長野博太の犯行だという証言は聞けますよ」

「ほかの者から長野の犯行だという証言が聞けるんですか？」

修三はおどろいて平島に問うた。

「あんたは長野の乗ったタクシーが町田街道でトラックと衝突したのを単純な交通事故だと見ますか？」

平島はすぐには答えないで、それから修三に質問した。

「単純な交通事故としか思えませんが。運転していたのはタクシーの運転手だし、……まさかトラックの運転手が殺し屋で長野の乗っているタクシーにトラックをぶつけたというのではないでしょうね？」

修三はとまどいながら言った。

「トラックはぜんぜん関係がないです。あの自動車事故は長野博太の錯乱か、それとも自殺ですな」

「えっ、どういうんです？」

「あの衝突は長野が尾形恒子の家に行って彼女の夫に会った戻りだったね？」

「そうです。尾形恒子が失踪《しっそう》したので、長野は関西から東京に帰ると、すぐに彼女の家に様子を見に行ったというのがこれまでの推測でした」

「長野はなんのために関西方面に行ってたと思う？」

「TVスタディ社を退職になったから、そのあとの職さがしに」

「TVスタディ社を退職になったのは、社内の派閥争いにまきこまれてそれに敗れたからで、この事件とは関係がない。しかし、彼の関西行きは職さがしでなく、大金の調達のためだったんです」

「大金の……？」

「彼は大阪や京都の友人や知人のあいだを金策で走り回っていました。それもぼくの調査でわかったんです。総額で千五百万ほどつくりたいと長野は友人や知人たちに言っていたそうです」

「ほう、それはまた……しかし、何でそんな大金が彼に必要だったんですか？」

「長野はね、尾形恒子の夫の尾形良平に恐喝されていたんです」

「あ、あの亭主は妻を殺したのが妻のアルバイト先の上司長野博太と知っていたんですか？」

「いや、あの時点ではまだ西伊豆で、尾形恒子と小高満夫の死体が入った彼女の小型車は発見されていなかったです。しかし、尾形良平は前から妻の愛人が長野だということをうすうす気づいていた。そこへ妻が行方不明となった。しかも、それが長い。尾形良平は、これは何かが長野との関係で起ったと見た。彼は長野をこっそり呼びつけて詰問《きつもん》した。むろん長野は否定する。しかし、まさかと思っていた恒子との間を良平が察知しているとわかって長野は動揺した。それを見た良平は、今後女房がどのような事態になっていようと、一切、自分は口をつぐんでいるから、千五百万円出せと言った。長野にしてみると、良平に警察にでも言われると、せっかくの西伊豆海岸での車のトリックもフイになりそうだから、その恐喝に屈したのです」

「尾形良平という男は、子供も居ないし、妻とのあいだも冷たかったし、愛情はなかったのです」

平島は言葉を継いだ。

「……恒子が長野のものになったり、小高に誘惑されて浮気をするのも、良平に夫としての欠陥があったと思われますな。そういう人間はとかく情緒に欠ける。いざというときは冷酷です。だから妻の失踪でもそれを長野が何かやった結果だと推定して、千五百万円出せ、そうすれば今後どんなことが起ろうと口をつぐんでいると言ったのです。尾形良平は四十近くになって会社でもウダツが上らない、その会社も三流会社で将来性がないとなると、大金を握りたくなったんですな。年齢的にも環境的にもそういう気持になる条件がありますね」

「じゃ、大阪から帰った長野はその足で町田市の尾形の家へ行き、良平に千五百万円を渡したんですか？」

修三は溜息《ためいき》をついて訊《き》く。

「いや、それは三分の一の五百万円くらいしか集まらなかった。それで、尾形良平は憤《いきどお》って、あと一千万円を早く持ってこいと長野に命じた。その家を出てからですよ、長野が町田市内で拾ったタクシーでトラックとの衝突事故に遇って死んだのは？」

「それがどうして長野の自殺になるんですか？　運転していたのはタクシーの運転手だったのに」

「長野は、これからも尾形良平に金のことで責められるかと思うと気持が平静でなくなっていた。一千万円は大金です。関西方面を一週間かけて走りまわっても五百万円しか借りられなかった。彼にとってはこの工面が限界ですからね。あとの一千万円はとても無理です。しかも、こればかりは奥さんにも相談できないことです。あとの一千万円が良平に渡せないとなると、良平が何を言い出すやら分らない。せっかく、小高満夫と尾形恒子との殺害死体を乗せた彼女の車を西伊豆海岸の断崖上から暴走による転落に見せかけた工作はうまくいったが、こんどは良平の口ひとつでそれが破綻《はたん》してくる。タクシーに乗っていた長野博太は、町田街道の反対側から大型トラックが近づいてくるのを見ると、突然、タクシーの運転手の背中に抱きついて、その両腕を羽搔《はが》い締めにしたんですな」

「…………」

「運転手は不意のことだし、ハンドルをにぎる手が長野に拘束された。方向を失ったタクシーはトラックの前に突込んでいったのです。そう考えて間違いないと思う」

「それは、長野の激情による発作的な行動からですか、それとも彼の自殺からですか？」

「どちらともいえない。絶望と昂奮《こうふん》による発作的な衝動ともいえるし、自殺ともとれます。タクシーの運転手は気の毒なことでしたが」

こんどは平島が背をまるめて溜息をついた。

「いままでのあんたの話を聞いていると、まんざら推測だけでもないようですね。部分的には事実として語られていますね」

修三は平島からすべてを聞き終って言った。

「そうです。これは尾形良平が警察で述べていることです。だから、さっき、この話には証言があるとぼくは言ったのです」

平島は答えた。

「あんたが調査や推理した尾形良平のことを警察に話したんですか？」

「そうです。仕方がなかったんですよ」

それきり二人の間に沈黙が落ちた。羽根村妙子は、相変らずベンチにつくねんと坐って黙っていた。

夜は深まっていた。番町通りの濠端《ほりばた》を走る車も、頭の上を渡る高速道路の車も、その数はますます減って速力だけがはやくなっていた。星空が冴《さ》えていた。

「どれ、ぼつぼつ、ここから引きあげましょうか?」

平島が、ぽつんと言った。

修三は立ち上った。

羽根村妙子もようやくベンチから身を起した。

修三は暗い中を妙子の前に寄って行き、頭をさげた。

「……済みませんでした」

それは犯人に間違えて申し訳なかったという謝罪だったが、余分な言葉を費すよりも、その短い言葉に彼の感情がこもっていた。

「いいえ。いいんです」

妙子は、ほほ笑んでみせた。

「……わたくしも、ずいぶん迷ってきましたから。でも、小山さんがわたくしをお疑いになったのは、刑事さんとは違って、いたわりがありましたわ」

修三は、心臓に銀の箭《や》が突き刺ったようにどきりとした。「いたわり」という言葉をら出したとき、暗い中で彼女の白い歯が見えた。

平島が無関心な様子で先に立ってはなれたところに置いてある妙子の車に歩いた。公園の街灯の光はその白い車にまるでスポットライトを当てたように闇《やみ》の中に白く浮き上らせていた。

妙子が車のロックをはずして男二人のために後部のドアを開けた。

「小山君は助手席に乗せたら？　君を疑ぐった罰にね」

平島が妙子に笑いながら言い、自分は座席にかがみこんで乗りこんだ。

妙子が助手席のドアを開けて待った。

「いえいえ、ぼくはこっちのほうへ」

修三はあわてて平島の横に入りこんだ。

「どうしてこっちへ来たのかなア？」

平島が修三をじろりと見て言った。

「いや、まだ、ちょっと早いようです」

修三は髭《ひげ》を忙しく撫《な》でた。

羽根村妙子の運転はヘッドライトがつづく流れの中へ割りこんで行った。

解説

佐藤精

『渦』は昭和五十一年三月から翌五十二年一月まで日本経済新聞朝刊に、三部作『黒の線刻画』第二話として連載された新聞小説。ますます巨大化するテレビ界を舞台に〈視聴率〉をめぐるさまざまな人間模様とその中で起る事件を描いて連載中から話題になった作品である。

『点と線』『眼の壁』いらい、数多くの推理小説で現代社会の矛盾、タブー、暗黒部分に独特の洞察力《どうさつりょく》と的確な筆致をもって精力的に迫ってきた松本清張氏が、本編ではテレビ界の幽霊、妖怪《ようかい》といわれテレビ界内部からさえ疑問を抱く人が少なくないにもかかわらず、多くの人が手をこまねいてきた〈視聴率〉に挑んだ。

その意味でも松本氏ならではのユニークなテーマであり、着眼といえよう。

新聞連載当初から話題になったことは先にも述べたが、私の知る限りでも、ある視聴率調査会社の役員氏は「松本氏のような影響力の大きい作家に視聴率不信を書かれて弱っています」とため息まじりにいい、また視聴率調査の渦中にあったドラマ番組のプロデューサー氏は「清張さんのような作家が、どんどん視聴率のことを書いてくれるのはありがたい。テレビを見る人たちが視聴率とは一体何なのか、と関心を持つようになりますからね。それにしてもこの小説、他人事ではありませんよ」と語ったものである。さらに、ある週刊誌は本編をヒントに、視聴率調査会社のテープ回収員を尾行することによって〝視聴率調査の徹底全調査〟なる特集記事を企画したりもした。こうした事実にも、本編が視聴率調査業界、テレビ関係者、テレビにかかわるマスコミに与えた少なからざる影響の一端がうかがえよう。

そこで私は通例の作品解説からはなれ、テレビ担当の新聞記者として日頃、実際に見聞し取材した〈視聴率〉について若干ふれてみることにした。本編をお読みになるうえで、ささやかでもご参考になれば幸いである。

全国三千万台のテレビ受像機をめがけて日夜あきることなく電波を送り続けているテレビ局が、お互いに〝勝ったバンザイ〟〝追い付き追い越せ〟と激しい視聴率競争を展開しているのは、すでにご承知のことであろう。

本編は冒頭「テレビ局に勤務する兄は、プロデュース（制作）した番組の視聴率が低いという理由で現場の仕事から外され、乾《ほ》されている」と訴えた一女性の投書に始まっている。テレビの連続番組が低視聴率という理由で制作・放送が打切られるというケースは決して小説の中だけの出来事ではない。げんにこの二、三年、四月と十月の番組改編時期になると、前シーズンに鳴物入りでスタートさせたゴールデン・アワーの連続ドラマが視聴率一ケタといった理由から打切られる事態が続いて起っている。

途中で打切られる運命になった番組のプロデューサーやディレクターが、その後しばらく仕事から外されたり、テレビ局の他部門への配転、あるいは子会社へ出向になったりすることもある。低視聴率が表立った異動の理由になっていないとしても、だれが人気番組の責任者を左遷《させん》したりするだろうか。テレビ局を訪れると、高視聴率番組の制作者は発らつとして歩いているが、低視聴率で打切りがささやかれたりしている番組の関係者は顔色も冴《さ》えず、穴があったら入りたい、といった風情《ふぜい》である。視聴率がテレビ関係者の人生、運命になにも影響を与えていないという見方は、少しでもテレビ界を知る人なら一笑に付するにちがいない。いや、影響を与えるどころか生殺与奪の権をもっている場合が多いといっても過言ではないのである。

本編の中でも、松本氏は視聴率調査について登場人物に次のようにいわせている。この部分は多くの視聴率批判の根幹であり共通する部分でもあるので引用する。

《「……視聴率によってプロデューサーやディレクターは才能を問われ、タレントには人気のバロメーターとなって、ランクが変る。視聴率はテレビ局にとって専制君主だ」

「そういう話は聞いています」

「ところがその視聴率調査の基礎となる測定器を委託《いたく》されたという家庭があるのを君は聞いたこともないという」

「ぼくのつき合い関係がせまいからでしょうね」》

《「関東地区のテレビ家庭は、五、六百万軒くらいでしょうか？」

「もっとだ、九百万世帯」

「そんなにあるんですか。それなのに、その測定器がたったの五百台で、正確な視聴率結果になるんでしょうか？」

「あまりにも少なすぎる。〇・〇〇五パーセントだからね。その方面の専門家に言わせると、統計学をふりまわして理論的には正確さを説明するだろうがね。しかも、それは〇・〇〇五パーセントが存在しているという前提からだ」

「存在しないんですか？」》

松本氏のこの指摘は鋭い。一つは測定器（メーター）の数が調査対象に比べて非常に少ないことで、これによって生じる誤差がたいへん大きいからである。もう一つは、メーターが必ず設置されているという調査会社の一方的な言い分だけで、公正な第三者によってその台数が確認されたことがいまだかつて一度もないという事実。それともう一つ、これがいちばん重要なことだと私は思うのだが、そのメーターが調査会社のいうように「統計学的に正しく」サンプリングされて設置世帯が選ばれているかどうか、という点だ。もし標本世帯の選び方にひずみがあれば、調査結果そのものが信用するに足りないからである。これも第三者が確認したことは一度もない。

話は前後するが、ひとくちに視聴率調査といってもいくつもの方法がある。テレビ初期に行われていた電話による問合せや、調査用紙に記入してもらう留置き方式、面接式、これらはみんな視聴率調査の一方法だが、一般に視聴率調査という場合、現在〈ビデオリサーチ〉社と〈A・C・ニールセン〉社が関東、関西、中京地区などの大都市とその周辺で行っている機械調査のことを指すのが普通である。

前記、視聴率調査の大手二社は、各調査地区にそれぞれ二百から三百五十台程度のメーターを設置し、サンプル世帯のテレビ（複数）のスイッチのON、OFF、視聴チャンネルの変化を一分毎に記録している。

本編の〈TVスタディ〉は、メーターが記録したテープを人間が回収しているが、その後、関東・関西地区では電話線によって調査会社の大型コンピューターとサンプル世帯に置かれたメーターが直結されたオンライン方式になり、それにともなって現在では週一回ではなく、前日の視聴率が毎日午前中にテレビ局に送られてくるようになった。それまでは毎週一回だった〝勝った負けた〟が日常のことにまでエスカレートしたという見方もできるかと思う。

さきに視聴率調査の誤差ということを書いたが、視聴率に限らずすべての統計調査に誤差はつきものである。いまサンプル世帯三〇〇の視聴率調査の誤差を記せば、視聴率5％ではプラス・マイナス2・5％、10％では同3・5％、20％では同4・6％、以下50％で同5・8％の最大値となる。また、サンプル二〇〇の場合には視聴率5％でプラス・マイナス3・1％、10％で同4・2％、20％で同5・7％、30％では同6・5％の誤差がありうる。これを解りやすく言い直せば「サンプル数が二〇〇の調査では、視聴率20％と出ている番組の〝真の〟視聴率は14・3％から25・7％の間にある場合が百回のうち九十五回ある」ということになる（信頼度95％として計算）。

かりにサンプルが統計学上、正しく選ばれていたとしても「視聴率30％の番組が20％の番組より〝真の〟視聴率が低い場合がある」ということだ。このように誤差が厳然としてある以上、しばしば話題になる〝高視聴率番組ベスト10〟などの順位はまったく意味を持っていないことを知っておいていただきたいと思う。

以前、私はある視聴率調査会社を取材した際に、視聴率調査のもつ無気味な側面をかいま見て慄然《りつぜん》とした経験をもっている。

四年前の早春、東京に隣接するK市で独身のトラック運転手がアパートの自室でテレビを見ているうちに急死した。死因は心臓発作とみられるが、ともかく他殺ではなく急病死で、アパートのテレビはつけっぱなしになったまま深夜になり、朝がきた。ところがその青年の死に最初に気付いたのは隣人でもアパートの管理人でもなく、視聴率調査会社のコンピューターであった。たまかアパートの部屋にはオンライン方式の視聴率調査メーターが付いていた。深夜放送が終ってもスイッチが入ったまま、長時間全くチャンネルが変らない〝サンプル〟に異変をかぎとったコンピューターの警報で調査員が急行したのである。

この事実は数奇な死体発見法というだけにとどまらないものを持っていると考える。まず、コンピューターを使って行われるさまざまな日常的な調査統計と、調査される側のプライバシーの問題がある。そしてさらにG・オーウェルが未来小説『一九八四年』の中で半ば予言的に登場させたコンピューターとブラウン管による国民監視装置〝テレスクリーン〟のヒナ型がここにみられはしないか、という危惧《きぐ》を抱かせるからである。オンラインで瞬間的に回収されるテレビ視聴情報は、サンプル世帯(個人)の嗜好《しこう》、志向、思考から私行までをはっきりと映し出す。私がトラック運転手の死体発見を無気味だと思ったのはこうした理由によるものである。

さて、終りになったがそれではテレビ局はなぜ視聴率競争に狂奔するのか、という疑問にお答えしなければならないだろう。

答えは単純明快で、視聴率とテレビ局の収益が見事に連動しているからにほかならない。テレビ局の収入には大きく分けて電波料、スポット、番組制作費の三つがあるが、なかでもゴールデン・アワーの十五秒間が五十五万円（東京キー局の場合）にもなるスポットCMは、広告到達率の関係で視聴率の高い番組の前後に買い手が殺到する。視聴率の高い番組が並んでいれば、その局のスポットは限りなく売手市場、逆に低視聴率ゾーンではダンピングしなければ売れない。

スポンサーが負担する番組制作費も、視聴率いかんで、はずんだり削減されたりする。こうして直接にはつながらない視聴者数とテレビ局の売上げとが、視聴率という仲人をたてることによって見事に結ばれているのである。従ってテレビ局間の視聴率競争はイコール売上げ競争だ、といっても決して間違いではない。

このような視聴率競争を展開するマンモス化したテレビ界を舞台に、鋭く問題点を剔《えぐ》り出した松本氏の烱眼《けいがん》と着想とにあらためて敬意を表したい。

（昭和五十四年十月、ジャーナリスト）

この作品は昭和五十二年十一月日本経済新聞社より刊行された。

松本清張著

或る「小倉日記」伝

芥川賞受賞　傑作短編集(一)

体が不自由で孤独な青年が小倉在住時代の鷗外を追究する姿を描いて、芥川賞に輝いた表題作など、名もない庶民を主人公にした12編。

松本清張著

歪んだ複写

―税務署殺人事件―

武蔵野に発掘された他殺死体。腐敗した税務署の機構の中に発生した恐るべき連続殺人を描いて、現代社会の病巣をあばいた長編推理。

松本清張著

わるいやつら

(上・下)

厚い病院の壁の中で計画される院長戸谷信一の完全犯罪！　次々と女を騙しては金をまき上げて殺す恐るべき欲望を描く長編推理小説。

松本清張著

半生の記

金も学問も希望もなく、印刷所の版下工としてインクにまみれていた若き日の姿を回想して綴る〈人間松本清張〉の魂の記録である。

松本清張著

黒い福音

現実に起った、外人神父によるスチュワーデス殺人事件の顚末に、強い疑問と怒りをいだいた著者が、推理と解決を提示した問題作。

松本清張著

ゼロの焦点

新婚一週間で失踪した夫の行方を求めて、北陸の灰色の空の下を尋ね歩く禎子がまき込まれた連続殺人！　『点と線』と並ぶ代表作品。

松本清張著

眼の壁

白昼の銀行を舞台に、巧妙に仕組まれた三千万円の手形サギ。責任を負った会計課長の自殺の背後にうごめく黒い組織を追う男を描く。

松本清張著

点と線

一見ありふれた心中事件に隠された奸計！列車時刻表を駆使してリアリスティックな状況を設定し、推理小説界に新風を送った秀作。

松本清張著

黒い画集

身の安全と出世を願う男の生活にさす暗い影。絶対に知られてはならない女関係。平凡な日常生活にひそむ深淵の恐ろしさを描く7編。

松本清張著

霧の旗

兄が殺人犯の汚名のまま獄死した時、桐子は依頼を退けた弁護士に対する復讐を開始した。法と裁判制度の限界を鋭く指摘した野心作。

松本清張著

蒼い描点

女流作家阿沙子の秘密を握るフリーライターの変死――事件の真相はどこにあるのか？代作の謎をひめて、事件は意外な方向へ……。

松本清張著

影の地帯

信濃路の湖に沈められた謎の木箱を追う田代の周囲で起る連続殺人！　ふとしたことから悽惨な事件に巻き込まれた市民の恐怖を描く。

松本清張著
時間の習俗
相模湖畔で業界紙の社長が殺された！ 容疑者の強力なアリバイを『点と線』の名コンビ三原警部補と鳥飼刑事が解明する本格推理長編。

松本清張著
砂の器（上・下）
東京・蒲田駅操車場で発見された扼殺死体！ 新進芸術家として栄光の座をねらう青年の過去を執拗に追う老練刑事の艱難辛苦を描く。

松本清張著
Dの複合
雑誌連載「僻地に伝説をさぐる旅」の取材旅行にまつわる不可解な謎と奇怪な事件！ 古代史、民俗説話と現代の事件を結ぶ推理長編。

松本清張著
死の枝
現代社会の裏面で複雑にもつれ、からみあう様々な犯罪――死神にとらえられ、破滅の淵に陥ちてゆく人間たちを描く連作推理小説。

松本清張著
眼の気流
車の座席で戯れる男女に憎悪を燃やす若い運転手、愛人に裏切られた初老の男。二人の男の接点に生じた殺人事件を描く表題作等5編。

松本清張著
渡された場面
四国と九州の二つの殺人事件が、小さな同人雑誌に発表された小説の一場面によって結びついた時、予期せぬ真相が……。推理長編。

松本清張著
憎悪の依頼
金銭貸借のもつれから友人を殺した孤独な男の、秘められた動機を追及する表題作をはじめ、多彩な魅力溢れる10編を収録した短編集。

松本清張著
砂漠の塩
カイロからバグダッドへ向う一組の日本人男女。妻を捨て夫を裏切った二人は、不毛の愛を砂漠の谷間に埋めねばならなかった——。

松本清張著
黒革の手帖
（上・下）
横領金を資本に銀座のママに転身したベテラン女子行員。夜の紳士を相手に、次の獲物をねらう彼女の前にたちふさがるものは——。

松本清張著
状況曲線
（上・下）
二つの殺人の巧妙なワナにはめられ、追いつめられていく男。そして、発見された男の死体。三つの殺人の陰に建設業界の暗闘が……。

松本清張著
けものみち
（上・下）
病気の夫を焼き殺して行方を絶った民子。疑惑と欲望に憑かれて彼女を追う久恒刑事。悪と情痴のドラマの中に権力機構の裏面を抉る。

松本清張著
なぜ「星図」が開いていたか
—初期ミステリ傑作集—
清張ミステリはここから始まった。メディアと犯罪を融合させた「顔」、心臓麻痺で急死した教員の謎を追う表題作など本格推理八編。

渦《うず》

新潮文庫　ま-1-39

昭和五十四年十一月二十五日　発　行
平成十五年十月十日　三十六刷改版
令和五年九月五日　四十六刷

著　者　松《まつ》本《もと》清《せい》張《ちょう》

発行者　佐藤隆信

発行所　株式会社　新潮社

郵便番号　一六二—八七一一
東京都新宿区矢来町七一
電話　編集部(〇三)三二六六—五四四〇
　　　読者係(〇三)三二六六—五一一一
https://www.shinchosha.co.jp

価格はカバーに表示してあります。

乱丁・落丁本は、ご面倒ですが小社読者係宛ご送付ください。送料小社負担にてお取替えいたします。

印刷・錦明印刷株式会社　製本・錦明印刷株式会社

ISBN978-4-10-110944-2 C0193